Défi pour un MacGregor

NORA ROBERTS

Défi pour un MacGregor

Collection : NORA ROBERTS

Titre original : FOR NOW, FOREVER

Traduction française de JEANNE DESCHAMP

HARLEQUIN®
est une marque déposée par le Groupe Harlequin

Photo de couverture
Homme : © GRAPHICOBSESSION/IMAGE SOURCE/ROYALTY FREE

© 1987, Nora Roberts. © 2012, Harlequin S.A.
83-85, boulevard Vincent-Auriol, 75646 PARIS CEDEX 13.
Service Lectrices — Tél. : 01 45 82 47 47
www.harlequin.fr
ISBN 978-2-2802-3378-1

Prologue

— Mère ?

Anna MacGregor serra la main de son fils Caine et ferma les yeux pour retenir ses larmes. La peur, la panique, le chagrin se heurtaient en elle au mur inébranlable de sa volonté. Elle ne pouvait pas se permettre de s'effondrer maintenant. Ses enfants avaient répondu à l'appel ; ils arrivaient au chevet de leur père. Et, pour eux, elle avait toujours été solide comme un roc.

— Merci d'être venu si vite, mon chéri.

Le ventre noué par l'angoisse, Caine scruta le fin visage à peine marqué par l'âge de sa mère. Les doigts d'Anna étaient glacés. Elle était livide et ses yeux paraissaient plus grands, plus sombres qu'à l'ordinaire. Caine songea que c'était la première fois qu'il la sentait trembler de peur.

— Tu tiens bon ? s'enquit-il d'une voix inquiète.

Anna se pencha pour lui effleurer la joue d'un baiser.

— Bien sûr que je tiens bon. Surtout maintenant que vous êtes là, Diana et toi.

De sa main libre, elle attrapa celle de sa belle-fille. Des flocons de neige scintillaient encore dans la longue chevelure noire de Diana. Anna se força à respirer calmement avant de se tourner de nouveau vers Caine.

— Comment avez-vous fait pour arriver si vite ?

— Nous avons loué un avion privé.

Caine luttait contre la panique. Sous l'avocat, l'adulte, le père, se cachait un petit garçon terrifié qui hurlait que ce n'était pas possible, que son père était invulnérable, que le chef du clan MacGregor ne pouvait pas se retrouver ainsi, gisant, brisé, sur un lit d'hôpital.

— C'est grave, maman ? Est-ce qu'on craint le pire ?

Anna était médecin. Elle aurait pu fournir un tableau clinique détaillé : les côtes brisées, la défaillance pulmonaire, l'hémorragie interne que ses confrères s'employaient à stopper.

Mais ce fut la mère en elle qui prit la parole.

— Il est encore en salle d'opération. Il est trop tôt pour se prononcer. Mais ton père est fort comme un Turc, Caine. Et le Dr Feinstein est le meilleur chirurgien du Massachusetts.

Pour l'instant, Anna n'avait que ces deux maigres certitudes auxquelles se raccrocher. Cela, et puis sa famille, comme un point lumineux dans la nuit où elle était plongée.

— Et votre petite Laura ? demanda-t-elle en se tournant vers sa belle-fille. Vous l'avez laissée à Boston ?

Diana massa doucement sa main entre les deux siennes.

— Nous l'avons confiée à notre secrétaire. Vous n'avez aucune inquiétude à avoir pour elle, Anna : Lucy l'adore. Depuis que Laura est née, elle passe son temps à lui tricoter des chaussons et des brassières. Je la soupçonne même de délaisser ses travaux de secrétariat pour faire la nounou.

Cette fois, Anna réussit à sourire.

— Je sais que vous avez laissé Laura en bonnes mains. Mais tu connais Daniel. Laura est sa première petite-fille. Dès qu'il aura ouvert un œil, il me bombardera de questions à son sujet.

Diana glissa un bras autour de ses épaules.

— Vous avez mangé, Anna ?

— Mangé ?

Anna secoua la tête. Comment aurait-elle pu manger alors que sa vie était comme en suspens ? *Trois heures.* Cela faisait trois heures maintenant que Daniel était au bloc. Des situations comme celle-ci, elle en avait vécu des centaines. Mais jamais à la place où elle se trouvait maintenant. Combien de fois n'avait-elle pas lutté en salle d'opération pour sauver une vie qui ne tenait plus qu'à un fil, pendant que le proche aimé arpentait ces mêmes couloirs blafards, cette même salle d'attente indifférente ?

Elle s'était battue pour devenir chirurgien, battue jour après jour pour soigner, soulager, tenir la mort à distance. Mais quelle différence, à présent ? Elle ne disposait d'aucune arme pour aider son mari. Rien. Elle ne pouvait rien faire. Juste attendre. Comme n'importe quelle autre épouse à sa place.

Non, pas tout à fait comme n'importe quelle autre femme, cependant. Car elle était familière de la salle d'opération. Elle en connaissait intimement l'aspect, l'ambiance, les odeurs. Nul mieux qu'elle ne savait la tension, les signaux des machines qui s'affolent, les moments de panique, le ballet des blouses blanches, le cliquetis des instruments.

Réprimant une envie de hurler, Anna se dirigea vers la fenêtre. Sa volonté d'acier l'avait toujours tirée d'affaire en n'importe quelle circonstance. Elle l'utiliserait aujourd'hui pour elle-même, pour ses enfants, mais surtout pour Daniel. S'il était possible de le ramener à la vie par la seule force de son désir, elle le ferait. Soigner, guérir n'était pas seulement une affaire de compétence. D'autres forces entraient en ligne de compte. Plus mystérieuses. Plus profondes.

La neige qui était tombée dru toute la journée avait ralenti sa chute, et seuls quelques flocons légers dansaient encore dans un demi-jour grisâtre. Mais la mince couche blanche qui recouvrait le pays avait rendu les routes glissantes. Un jeune conducteur inexpérimenté avait perdu le contrôle de son véhicule pour heurter de plein fouet la petite voiture de sport de son mari. Anna serra les poings.

« Pourquoi ne pas avoir pris la limousine, vieux fou ? Qu'essayais-tu de prouver avec ton joli jouet rouge étincelant ? Il faut toujours que tu parades, toujours que tu en mettes plein la vue… » Comme Anna se perdait dans ses souvenirs, ses mains se détendirent. N'était-ce pas en partie pour sa flamboyante arrogance qu'elle s'était éprise de Daniel, à l'époque ? Et qu'elle avait continué à vivre avec lui et à l'aimer quarante ans durant ?

« Daniel MacGregor, tu m'exaspères ! Tu n'écoutes jamais un mot de ce qu'on te dit ! »

Pressant le talon de ses mains contre ses paupières, Anna faillit rire tout haut. Combien de fois, au cours de leurs quarante années de vie commune, ne lui avait-elle pas jeté cette accusation à la figure ? Tout en l'adorant pour cette obstination même à vivre sa vie comme il l'entendait, avec panache et insolence, sans jamais se soucier du qu'en-dira-t-on ?

Un bruit de pas dans le couloir la fit se retourner en sursaut, le cœur battant, se préparant à affronter le verdict. Ce ne fut pas Sam Feinstein, cependant, qui pénétra dans la salle d'attente, mais Alan, leur fils aîné. Avant même de devenir père, Daniel avait décrété que l'un de ses enfants finirait à la Maison Blanche. Et bien qu'Alan fût en voie de réaliser la prédiction paternelle, c'était le seul de la fratrie qui tenait d'elle plus que de son père. Les gènes des MacGregor étaient puissants. Et les MacGregor avaient la peau dure, se répéta-t-elle fébrilement lorsque Alan la serra dans ses bras.

— C'est bon de t'avoir ici, Alan. Ton père sera heureux de vous trouver à son chevet lorsqu'il se réveillera.

Sa voix était calme, posée, mais il y avait une autre Anna en elle qui sanglotait silencieusement de peur et d'impuissance.

— Cela dit, il va te réprimander d'être venu avec ta femme dans un état de grossesse aussi avancé… Tu devrais t'asseoir, Shelby.

La jeune épouse de son fils aîné, avec sa masse de boucles rousses et ses beaux yeux gris, lui rendit son sourire.

— A condition que vous vous asseyiez aussi, Anna.

Sans attendre sa réponse, Shelby la poussa vers la chaise la plus proche. Dès qu'elle y eut pris place, Caine lui mit d'autorité un gobelet de café dans la main.

— Merci, murmura-t-elle.

Pour faire plaisir à Caine, Anna porta la boisson à ses lèvres. Mais sa gorge nouée ne laissait rien passer. Elle entendait les bruits familiers de l'hôpital résonner autour d'elle. En temps normal, elle était chez elle ici autant que dans la forteresse que Daniel avait fait construire pour abriter leur vie commune.

Mais aujourd'hui, même en territoire familier, elle se sentait étrangère, impuissante, égarée.

Caine arpentait inlassablement la pièce. C'était dans sa nature de se mouvoir comme un fauve aux abois. Le cœur débordant de tendresse, Anna le regarda aller et venir. Ils avaient été tellement fiers, Daniel et elle, lorsque Caine avait gagné son premier procès ! Alan, contrairement à son frère, restait assis sans bouger. Impassible, en apparence, toujours calme et maître de lui-même. Mais Anna savait qu'il était ravagé par l'inquiétude.

Du coin de l'œil, elle vit Shelby glisser sa main dans celle de son époux. L'amour qui transparaissait dans le geste de sa belle-fille combla le cœur d'Anna. Ses deux fils avaient eu la main heureuse dans le choix de leur partenaire. Diana était calme, déterminée, secrète. Shelby, créative et spontanée. Dans un couple, l'équilibre entre les contraires était aussi important que le désir et la passion. Anna l'avait découvert avec Daniel. Alan et Caine en avaient également fait l'expérience. Quant à sa petite dernière…

— Rena !

Caine se porta à la rencontre de sa sœur et la serra contre son cœur. « Comme ils se ressemblent ! » songea Anna. La même sveltesse, le même éclat, le même charme insolent. Mais de leurs trois enfants, c'était Serena dont le tempérament se rapprochait sans doute le plus de celui de Daniel.

Et à présent, sa fille était elle-même devenue mère. A son côté, Anna sentait la présence forte, réconfortante d'Alan. « Ils sont adultes et parents tous les trois. Comme la vie a passé vite ! Nous avons eu tellement de chance, Daniel… »

Elle s'autorisa à fermer les yeux. Juste l'espace d'une minute.

« Je t'interdis de me laisser seule avec tout ce bonheur, Daniel, tu m'entends ? Je veux continuer à en jouir avec toi. »

— Et papa ? Il… il y a du nouveau ?

D'une main, Serena s'agrippait à son frère et, de l'autre, elle se cramponnait à Justin, son mari.

— Il est encore au bloc. On ne sait rien de plus pour l'instant.

La voix de Caine était rauque, voilée par les cigarettes et l'angoisse. Il posa la main sur l'épaule de son beau-frère.

— Merci d'avoir fait le déplacement, Justin. Maman a besoin d'avoir toute la tribu autour d'elle.

— Oh! maman…

Serena vint s'agenouiller à ses pieds comme elle le faisait chaque fois qu'elle avait besoin de réconfort.

— Il va s'en sortir, tu sais. Il est têtu comme une bourrique et fort comme un bœuf.

Mais Anna vit la prière muette dans le regard de sa fille. « Dis-moi que tout ira bien, maman. J'ai besoin que tu me rassures. »

— Bien sûr qu'il va s'en sortir, ma chérie.

Elle leva les yeux pour saluer le mari de sa fille. Justin était un joueur, tout comme son Daniel. Anna effleura la joue de Rena.

— Tu crois qu'il voudrait manquer une super réunion de famille comme celle-ci ?

Rena émit un léger rire tremblant.

— C'est exactement ce que m'a dit Justin.

Elle se leva pour embrasser Diana et échanger quelques nouvelles à mi-voix.

— Laura ? murmura Diana. C'est un ange. Elle est juste un peu baveuse depuis qu'elle fait ses dents… Et Mac ?

— Fidèle à lui-même : une vraie terreur.

Serena eut une pensée pour son fils qui vouait déjà un véritable culte à son grand-père.

— Et toi, Shelby ? Comment te sens-tu si près de ton terme ?

— Comme une montgolfière !

Shelby eut un sourire un peu crispé. Jusqu'à présent, elle avait réussi à ne rien laisser paraître. Mais, depuis une heure, ses contractions survenaient régulièrement et à des intervalles de plus en plus rapprochés.

— J'ai appelé mon frère, annonça-t-elle. Grant et Gennie arrivent aussi. J'espère que ce n'est pas un problème ?

Anna posa la main sur celle de sa bru.

— Bien sûr que non, au contraire. Ils font partie de la famille.

Serena déglutit pour chasser la boule dans sa gorge.

— Le vieux brigand va être ravi de voir tout ce monde rassemblé à son chevet. Sans compter l'annonce que Justin et moi avons à vous faire.

Elle tourna les yeux vers son mari, puisant du courage dans la calme intensité de son regard vert.

— Nous allons avoir un second bébé.

Sa voix se brisa lorsqu'elle s'agenouilla de nouveau devant Anna.

— Je vois d'ici la façon dont papa se rengorgera lorsqu'il apprendra la nouvelle, chuchota-t-elle faiblement.

Anna se pencha pour embrasser tendrement sa fille. Elle songea aux deux petits-enfants qu'elle avait déjà. Aux autres qui allaient suivre. A la famille. A la succession des générations. A Daniel... toujours à Daniel.

— Il sera fier, oui. Il n'oublie jamais de rappeler que c'est lui qui a organisé votre rencontre, à Justin et à toi.

— Ne nous a-t-il pas tous « mariés » à sa façon ? observa Alan doucement.

Anna sourit mais elle luttait contre les larmes.

Comme ils connaissaient bien leur père, tous ! Les minutes s'égrenaient, interminables. De temps à autre, un murmure s'élevait ; une main se tendait pour venir en saisir une autre. Anna reposa son café froid, à peine entamé. Quatre heures et vingt minutes. C'était long. Infiniment long.

Trop long.

A côté d'elle, Shelby se tendit et prit une respiration forcée. Machinalement, Anna plaça la main sur son ventre.

— Les contractions se rapprochent, non ? s'enquit-elle à voix basse. A quelle fréquence ?

— Toutes les cinq minutes. Un peu moins même.

— Depuis combien de temps ?

— Environ deux heures.

Shelby se mordilla la lèvre. Ses yeux gris brillaient d'un mélange de joie, d'excitation, de peur.

— Je suis désolée, Anna. Le moment est mal choisi.

— Un bébé arrive toujours au bon moment, ma chérie. Tu veux que je vienne avec toi ?

— Non, votre place est ici, Anna.

Shelby se pencha et enfouit un instant le visage dans son cou.

— Ça va aller, je vous le promets. Nous allons tous nous sortir de là comme des chefs.

Se tournant vers Alan, elle lui tendit les deux mains.

— Finalement, notre bébé ne naîtra pas à Georgetown, mon chéri.

Son mari la tira doucement sur ses pieds.

— Quoi ?

— Je vais accoucher ici. Et dans pas très longtemps.

Elle rit doucement lorsque Alan plissa le front.

— Non, Alan, inutile d'essayer de raisonner le bébé

pour lui expliquer que ce n'est pas son heure. Il a décidé que c'était maintenant et il ne changera plus d'avis.

Tout le clan se rassembla autour de Shelby, prodiguant conseils et encouragements. Anna passa dans le couloir et fit venir une infirmière avec un fauteuil roulant pour la descendre à la maternité.

— Je viendrai voir dans un moment si tout se passe bien, Shelby.

La main sur son ventre, sa belle-fille hocha la tête.

— Dites à Daniel que ce sera un garçon. Je le sens.

Au moment même où Shelby et Alan disparaissaient dans l'ascenseur, Anna vit apparaître le Dr Feinstein à l'autre extrémité du couloir.

— Sam ? appela-t-elle, le souffle coupé, en courant à sa rencontre.

A la porte de la salle d'attente, Justin retint Caine qui voulait se précipiter derrière elle.

— Laisse, Caine. Je crois qu'elle a besoin de lui parler seule.

Le Dr Feinstein prit Anna par les épaules. Elle n'était plus seulement une consœur en cet instant mais aussi et avant tout une épouse rongée par l'inquiétude.

— Ton mari a une solide constitution, Anna.

Sentant monter une folle bouffée d'espoir, elle se força à rester calme, rationnelle.

— Suffisamment solide pour s'en sortir ?

— Il a perdu beaucoup de sang et il n'est plus tout jeune. Mais nous avons réussi à contenir l'hémorragie… Il a eu un bref arrêt cardiaque sur la table d'opération, admit-il après une légère hésitation. Mais le pouls est revenu très vite. Si la volonté de vivre joue un rôle, il a ses chances. C'est un homme qui s'accroche à la vie, Anna.

Parcourue par un frisson glacé, Anna noua les bras sur sa poitrine. Ce froid pénétrant, terrible... Pourquoi faisait-il toujours si froid dans les couloirs des hôpitaux ?

— Quand pourrai-je le voir ?

La pression des mains de Sam se raffermit sur ses épaules.

— On vient de le transférer en soins intensifs... Anna, je n'ai pas besoin de t'expliquer ce que représentent les prochaines vingt-quatre heures.

Vie ou Mort. Et l'homme qu'elle aimait suspendu entre les deux.

— Je sais. Merci, Sam. Je vais expliquer la situation à mes enfants. Puis je monterai rejoindre Daniel.

Le dos droit, la tête haute, Anna retourna à la salle d'attente.

— Il est sorti du bloc, annonça-t-elle calmement, puisant au fin fond de ses réserves de maîtrise de soi. Et l'hémorragie interne a été stoppée.

— Quand pourrons-nous le voir ? fut la question qui fusa de toutes parts.

— Lorsqu'il se réveillera. Pas avant.

Anna jeta un coup d'œil à sa montre.

— Je reste ici cette nuit. Il se peut qu'il ait quelques moments de lucidité ici et là et il se sentira mieux s'il me trouve à son côté. Mais il ne sera pas en état de parler avant demain.

C'était tout l'espoir qu'elle pouvait leur donner.

— Je veux que vous descendiez à la maternité pour prendre des nouvelles de Shelby. Puis vous rentrerez attendre à la maison. Je vous appellerai dès qu'il y aura du nouveau.

— Maman...

Un seul de ses regards suffit à interrompre Caine.

— Faites ce que je vous dis. Je tiens à ce que vous soyez en forme et reposés pour voir votre père demain.

Elle porta la main à la joue de Caine.

— Fais-le pour moi.

Abandonnant ses enfants et le réconfort qu'ils représentaient, Anna se détourna et monta seule veiller son mari.

Daniel rêvait. Il flottait dans un univers fluide, rempli de visions mouvantes, comme tapissé de souvenirs d'enfance. Mais en dépit du confort, de la légèreté, de la douceur, quelque chose en lui refusait de s'abandonner. Il sentait un besoin confus mais insistant de s'orienter, de se battre, de recouvrer ses repères. Ne serait-ce que pour vérifier que...

Ouvrant les paupières, il constata qu'Anna était là. Et cette vision suffit à le rassurer. Il n'avait besoin de rien d'autre au monde que de cette femme à son côté.

Elle était belle. Toujours aussi belle.

Fine, fragile et incroyablement forte aussi. Avec des nerfs en acier. Il avait d'abord ressenti de l'admiration pour elle. Et un besoin impérieux de la posséder. Puis était venu l'amour. Et un respect qui ne s'était jamais démenti.

Il voulut tendre la main pour prendre la sienne mais son bras refusa de bouger. Furieux de se découvrir si faible, il fit une seconde tentative et entendit la voix douce d'Anna, comme flottant quelque part à distance.

— Inutile de t'agiter, mon chéri. Dors. Je ne bougerai pas d'ici. Je t'attendrai tant qu'il le faudra.

Il lui sembla sentir la caresse des lèvres d'Anna sur le dos de sa main.

— Je t'aime, Daniel MacGregor, espèce de sale type. Et je vais te dire une chose : tu as intérêt à te sortir de là.

Avec l'ombre d'un sourire, il ferma les yeux.

Chapitre 1

Un empire. Le jour de ses quinze ans, Daniel MacGregor s'était juré qu'il bâtirait le sien à la force du poignet. Et même s'il partait du bas de l'échelle, il avait déjà su à cet âge qu'il avait les capacités en lui pour atteindre le but qu'il s'était fixé.

L'anniversaire de ses trente ans le trouva déjà millionnaire et très occupé à doubler son capital. Pour s'enrichir, il s'était servi indifféremment de ses bras, de son intelligence et de sa faculté à ruser. Son billet pour les Etats-Unis, où il avait émigré cinq ans auparavant, il l'avait payé en se hissant du statut de mineur à celui de chef comptable dans les mines où il était employé.

Physiquement, il aurait pu passer pour un roi. Il était grand et bâti comme une montagne. Sa taille à elle seule avait eu une action dissuasive sur nombre d'agresseurs potentiels. D'autres, au contraire, avaient été incités, pour cette même raison, à le mettre au défi.

Daniel, lui, s'était toujours accommodé sans difficulté des belliqueux comme des timorés. Dans l'ensemble, il se classait plutôt dans le camp des pacifiques. S'il avait fracturé quelques nez dans sa jeunesse, il était rarement de ceux qui recherchaient la bataille.

Il ne se considérait ni comme un bagarreur ni comme un apollon. Il avait une mâchoire longue et carrée, avec une longue cicatrice du côté droit, souvenir d'un accident dans la mine. Par vanité, il s'était fait pousser la barbe à dix-huit ans. A trente, il l'avait toujours, soigneusement taillée, aussi rousse que sa chevelure qu'il portait un peu longue, contrairement à ce que voulait la mode de l'époque. Sa crinière flamboyante lui conférait une allure à la fois royale et farouche. Et il lui plaisait de donner cette image de lui-même. Ses pommettes étaient hautes et larges, sa bouche plutôt aimable, ses yeux d'un bleu profond et lumineux. Ils luisaient d'humour et de gentillesse lorsque son sourire était sincère, mais restaient froids comme la glace lorsque ledit sourire se faisait menace.

Imposant était l'adjectif qui venait généralement à l'esprit pour le décrire. Mais le qualificatif de « redoutable » figurait presque aussi souvent dans les descriptions qu'on faisait de lui. Peu importait à Daniel que les gens aient une bonne ou une mauvaise opinion de lui. Il lui était indifférent d'être aimé ou haï, du moment qu'il ne passait pas inaperçu. C'était un flambeur qui savait prendre les risques les plus insensés et retomber quand même sur ses pieds.

Lorsqu'il jouait, il gagnait. Et lorsqu'il gagnait, il réinvestissait aussitôt pour gagner plus. Mais même à présent qu'il avait acquis une certaine aisance, il ne recherchait pas la sécurité pour autant. Des risques, il continuerait à en prendre toute sa vie. Car il était joueur dans l'âme. L'immobilier était sa roulette, la Bourse sa table de jeu.

Bien qu'il soit né pauvre, Daniel n'avait jamais eu le culte de la richesse. L'argent, il le gagnait, l'utilisait, jouait avec. Mais il ne l'aimait pas pour lui-même. L'aisance lui conférait un certain pouvoir et le pouvoir était une arme qu'il savait utiliser à bon escient.

Aux Etats-Unis, il s'était tout de suite senti chez lui. Ce pays bruissant d'activité représentait un marché énorme. Le brassage était permanent et tout homme y avait sa chance. Daniel avait vécu quelque temps à New York, la ville toujours pressée. Il avait connu également Los Angeles, où le soleil brillait plus fort, où les joueurs misaient plus gros. Sur la côte Est comme sur la côte Ouest, Daniel s'était essayé aux affaires. Mais il avait fini par se fixer à Boston.

Ce qu'il recherchait à travers l'argent et le pouvoir, c'était avant tout une forme d'élégance. Et Boston, la sophistiquée, avec son snobisme décomplexé, son charme très européen et sa dignité obstinée lui allait comme un gant.

Daniel descendait d'une longue lignée de guerriers qui avaient cultivé l'art du combat sans jamais négliger pour autant leur esprit ni leur intelligence. Et il était fier de ses origines comme de ses ambitions. S'il se sentait investi d'une mission dans la vie, c'était bien celle de perpétuer le nom de MacGregor. Rien ne servait de bâtir un empire s'il n'avait pas des enfants et des petits-enfants à qui le transmettre.

A trente ans, donc, il estimait que l'heure était venue pour lui de trouver l'âme sœur. Et pas n'importe laquelle, bien sûr. Trouver l'épouse idéale lui apparaissait comme une opération tout aussi carrée et rationnelle que celle qui consistait à acquérir un bien immobilier. Et c'était avec l'une et l'autre considérations en tête qu'il était venu au bal d'été des Donahue.

Autour de lui, tout le monde était sur son trente et un, comme l'exigeait la circonstance. Daniel réprima un soupir. S'il appréciait certains aspects de la vie mondaine, il détestait le port de la cravate et de la chemise blanche. Lorsqu'un homme était bâti comme lui, il aimait être à l'aise dans ses vêtements. Daniel faisait faire ses costumes sur mesure chez un tailleur de Newbury Street. A la plupart des hommes présents, l'habit de soirée conférait un air de distinction indéniable. Lui, paraissait extravagant, haut en couleur et même vaguement sauvage. Mais il préférait de loin être voyant que raffiné.

Cathleen Donahue, la fille aînée du maître de maison, semblait d'ailleurs le trouver à son goût. Fraîche émoulue d'un pensionnat suisse pour jeunes filles de bonne famille, Cathleen savait broder, servir le thé et flirter dans les règles de l'art.

— J'espère que vous vous plaisez à notre petite réception, monsieur MacGregor.

Elle avait un visage comme de la porcelaine et de fins cheveux couleur de lin clair. Daniel estima regrettable que cette grande jeune fille ait des épaules aussi osseuses. Mais il avait appris, lui aussi, l'art de la conversation mondaine avec les jeunes personnes de la bonne société.

— Ah ! je m'y plais d'autant plus que j'ai le plaisir de m'entretenir avec vous, mademoiselle Donahue !

Se retenant de pouffer pour ne pas faire mauvaise impression sur un prétendant possible, Cathleen rit avec discrétion. Avec un joli froufrou de ses jupes en taffetas, elle se plaça à côté de Daniel, à l'extrémité du buffet. Quiconque désormais viendrait se servir en mousse de homard ou en feuilletés aux truffes les verrait côte à côte. En tournant légèrement la tête, elle réussit à capter leurs deux reflets dans un des grands miroirs anciens au mur. Et décida qu'ils formaient ensemble une très belle image de couple.

— Je sais par mon père que vous envisagez d'acquérir une portion de falaise dont il est propriétaire à Hyannis. J'espère que ce ne sont pas que les affaires qui nous valent le plaisir de votre compagnie ce soir, monsieur MacGregor ?

Daniel retint un serveur qui passait avec un plateau. Il aurait préféré un bon scotch dans un solide verre carré plutôt que du champagne dans une flûte. Mais il fallait savoir plier en certaines circonstances pour éviter de rompre en d'autres.

Il examina le visage de Cathleen. En bonne fille de son père, elle mentait avec grâce pour sonder ses intentions. Daniel admira les capacités stratégiques de la demoiselle. Mais décida que, pour cette même raison, il ne la prendrait jamais pour femme. Son épouse à lui serait trop occupée à élever leurs enfants pour s'intéresser à l'art retors du commerce.

— Quelle question, mademoiselle Donahue ! Une belle jeune femme passe toujours avant les intérêts immobiliers. Vous vous êtes déjà promenée sur ces falaises ?

Cathleen tourna légèrement la tête de manière à ce que les fleurs en diamant à ses oreilles captent l'éclat des lustres de Venise.

— Bien sûr. Mais je suis plutôt citadine dans l'âme… Dites-moi que vous assisterez au grand dîner annuel donné par les Ditmeyer, mercredi prochain ?

— Si je suis à Boston ce jour-là, je viendrai sans faute, mademoiselle Donahue.

Cathleen battit des cils en portant sa coupe à ses lèvres.

— Ça doit être merveilleux de voyager tout le temps comme vous le faites.

— Oh ! je me déplace essentiellement pour mes affaires ! Mais vous revenez vous-même d'un séjour d'agrément à Paris, je crois ?

Flattée qu'il ait remarqué son absence de Boston, Cathleen le gratifia de son plus joli sourire.

— Trois semaines, c'était beaucoup trop court. Je les ai passées presque entièrement à courir de couturier en couturier. Vous ne pouvez pas imaginer le nombre d'heures que j'ai perdues en fastidieux essayages rien que pour la robe que je porte ce soir.

Conscient de ses devoirs de galant homme, Daniel s'employa à admirer le vêtement en question.

— Le résultat en vaut largement la peine, déclara-t-il avec conviction.

— Vous me flattez, monsieur MacGregor.

Comme Cathleen prenait la pose, Daniel refréna un début d'impatience. Les jeunes filles, lui avait-on dit, n'avaient guère d'autres centres d'intérêt dans la vie que leurs tenues, leurs bijoux et leurs coiffures. Mais il avait beau être prévenu, il aurait tout de même préféré une conversation plus stimulante.

— Vous connaissez Paris, monsieur MacGregor ?

Il était allé à Paris, oui. Et il avait vu les ravages que la guerre pouvait opérer sur la beauté. Mais la jolie jeune femme blonde en face de lui avait manifestement des préoccupations beaucoup moins sombres en tête. Luttant toujours contre une vague sensation d'ennui, Daniel demeura évasif :

— Il y a quelques années, oui.

Devant eux, les couples virevoltaient sur la piste de danse. Les lustres en cristal jetaient leurs feux, faisant étinceler émeraudes, opales et diamants. Le subtil mélange de parfums qui flottait dans l'air représentait pour Daniel l'odeur même de la richesse. Mais il n'avait pas oublié celle du charbon et des mines. Et il comptait la garder à l'esprit jusqu'à la fin de ses jours.

— L'Europe, je l'ai laissée loin derrière moi, mademoiselle Donahue. Je suis américain à part entière, à présent.

Il regarda autour de lui avec satisfaction.

— C'est une belle réception qu'a organisée votre père.

— Merci. Mais vous n'appréciez peut-être pas la musique ?

Daniel réprima un soupir. Il lui arrivait encore d'avoir des élans de nostalgie pour les cornemuses de sa jeunesse. Le petit orchestre de musiciens en noir et blanc était un peu trop guindé, un peu trop statique à son goût. Mais il n'en sourit pas moins poliment.

— L'orchestre est remarquable, comme tout le reste.

— Ah vraiment ? s'enquit Cathleen en l'observant sous la frange de ses cils baissés. Mais vous ne dansez pas.

— Oh ! mais si, je danse ! La preuve !

S'inclinant avec courtoisie, Daniel prit la flûte des mains de Cathleen et reposa leurs deux verres pour entraîner la jeune fille sur la piste.

— Cette pauvre Cathleen Donahue est toujours aussi transparente dans ses manœuvres, commenta Myra Lornbridge d'un air dégoûté.

Anna secoua la tête.

— Ne commence pas à sortir tes griffes, Myra.

— C'était juste une observation. Cela ne me dérange pas qu'on soit calculateur, intéressé et même un brin stupide. Mais le manque de subtilité m'exaspère.

— Myra…

— Bon, bon, d'accord. Je t'ai déjà dit que j'adorais ta robe ?

Anna baissa les yeux sur la soie rose pâle.

— Il ne manquerait plus que tu ne l'aimes pas. C'est toi qui l'as choisie, rappelle-toi.

Myra contempla avec satisfaction la façon dont les plis marquaient les hanches fines de son amie.

— Et je ne regrette pas mon choix. Si tu t'intéressais un peu plus à ta garde-robe au lieu d'avoir toujours le nez fourré dans tes bouquins, tu ne ferais qu'une bouchée de Cathleen Donahue.

— Je n'ai aucune intention d'avaler Cathleen.

— Cathleen, non. Mais son cavalier ?

— Le géant roux ?

— Ainsi, tu l'as remarqué ?

— Myra… Comment voudrais-tu que je ne le remarque pas ? Cet homme est grand comme une montagne. Et on ne peut pas dire non plus qu'il cherche à passer inaperçu.

Anna se demanda dans combien de temps elle pourrait s'éclipser sans paraître trop impolie. Elle avait hâte de rentrer chez elle pour lire la revue médicale que le Dr Hewitt lui avait fait parvenir par courrier ce matin.

— Tu sais de qui il s'agit, au moins ?

— Qui ?

— Anna !

— Bon, d'accord… Parle-moi de ton géant roux.

— Daniel Duncan MacGregor, ma chère.

Myra marqua une pause. Dans l'espoir de piquer sa curiosité, comprit Anna. A vingt-quatre ans, son amie Myra Lornbridge était riche, drôle et attirante. Belle, non. Mais son absence de beauté n'avait jamais été un handicap pour elle. Son intelligence, son charme et son esprit de repartie valaient tous les jolis minois de la création.

— Notre ami MacGregor est une étoile montante à Boston, poursuivit Myra. Et la coqueluche de ces dames.

On se l'arrache dans nos petits cercles depuis quelques mois. Si tu étais un peu plus attentive à ce qui se passe dans le monde, tu aurais déjà entendu son nom.

Le « beau monde », avec ses intrigues, ses caprices et ses complications, n'avait jamais inspiré qu'une royale indifférence à Anna.

Elle se tourna vers Myra en souriant.

— Pourquoi voudrais-tu que je m'intéresse à ce qui se passe dans la bonne société de Boston alors que je sais que je peux compter sur toi pour me faire un rapport détaillé, de toute façon ?

Myra lui jeta un regard offusqué.

— Si je restais muette comme une carpe, tu serais bien attrapée.

Mais Anna se contenta de sourire et de siroter tranquillement son champagne. Connaissant Myra, elle savait que son amie ne résisterait pas à la tentation de lui fournir la biographie dudit Daniel MacGregor.

— Bon, d'accord, tu as gagné, je vais te dire ce que je sais de lui. C'est un Ecossais, comme son nom l'indique. Et comme tu peux le constater par toi-même, il a un physique de roi celte mâtiné de Viking. Quand tu l'entends parler, tu n'as qu'à fermer les yeux pour t'imaginer au cœur de la lande mystérieuse, avec un brouillard à couper au couteau.

Au même moment, Daniel éclata d'un grand rire sonore dont les vibrations se répercutèrent d'un mur à l'autre de la salle. Anna haussa un sourcil sarcastique.

— Avec le coffre qu'il a, on doit l'entendre même à travers le brouillard le plus épais, ton ami MacGregor.

— Il a gardé un fond de rudesse lié à ses origines, concéda Myra. Mais je peux t'assurer qu'un million de dollars compense largement certaines absences de raffinement.

Comprenant que le géant roux était recherché et courtisé pour son argent, Anna ressentit un fugace élan de sympathie.

— J'espère qu'il se rend compte qu'il danse avec un piranha ?

— Je ne pense pas qu'il soit stupide. Vu comme il se débrouille en affaires, cet homme est tout sauf naïf.

Anna haussa les épaules. Les affaires ne l'intéressaient que s'il y avait un budget d'hôpital en jeu. Consciente d'une présence sur sa gauche, elle tourna la tête pour saluer son ami Herbert Ditmeyer.

Herbert était à peine plus grand qu'elle, avec un visage maigre, ascétique, d'intellectuel, et des cheveux qui promettaient de s'éclaircir rapidement avec l'âge. Mais il avait une force de caractère, une intelligence, un humour subtil qui plaisaient beaucoup à Anna.

— Tu es ravissante, ce soir, Anna.

Il se tourna vers son compagnon.

— Je vous présente, mon cousin Mark… Anna Whitfield et Myra Lornbridge.

Le regard d'Herbert glissa sur les deux jeunes femmes et s'attarda plus longuement sur Myra. Mais lorsque l'orchestre entama une valse, la timidité lui fit saisir le bras d'Anna.

— Il faut danser un peu, Anna.

Spontanément, elle ajusta ses pas à ceux de son cavalier. Anna adorait danser. Et un cavalier comme Herbert lui convenait d'autant mieux qu'il y avait toujours eu entre eux une amitié simple et dépourvue d'ambiguïté.

— Je crois que les félicitations sont à l'ordre du jour,

monsieur le procureur de district ? Tu fais un début de carrière fulgurant, mon ami.

Herbert lui sourit avec affection.

— Ainsi les nouvelles de Boston circulent jusque dans le Connecticut ?

Il jeta un coup d'œil à Myra qui virevoltait sur la piste dans les bras de son cousin Mark. Une lueur amusée pétilla dans son regard.

— Il est vrai que tu as une excellente source d'information, ajouta-t-il avec humour.

— Tu dois être très fier de ta nomination ?

— C'est un début, répliqua Herbert d'un ton léger. Et toi, Anna ? Dans un an, ta ténacité sera récompensée et on ne t'appellera plus que « docteur Whitfield ».

— Oui, encore une année à attendre, murmura Anna. Le but se rapproche. Et pourtant, cela me paraît parfois interminable.

— Quelle impatience, Anna ! Cela ne te ressemble pas, pourtant.

Oh si ! cette impatience lui ressemblait. Mais elle avait toujours su dissimuler les côtés impétueux de sa nature.

— J'ai hâte que ce soit officiel. Le fait que mes parents désapprouvent ma vocation n'est un secret pour personne.

— Ils désapprouvent, peut-être. Mais cela n'empêche pas ta mère de révéler à qui veut bien l'entendre que tu fais partie des dix meilleurs étudiants de ta promotion.

— Vraiment ? Elle parle de mes résultats ?

La surprise d'Anna n'était pas feinte. Sa mère avait toujours été plus prompte à la complimenter sur sa coiffure que sur ses prouesses aux examens.

— Elle est très fière de toi, au fond.

Anna sourit.

— Peut-être… Mais je la soupçonne de prier tous les matins pour que le ciel mette sur mon chemin un homme qui me ferait oublier promptement ma passion pour la médecine.

Au moment où elle finissait sa phrase, Herbert la fit pivoter et son regard plongea directement dans les yeux bleus de Daniel MacGregor. Elle sentit une brusque tension nouer sa poitrine. Une manifestation de nervosité ? Ridicule. Un frisson courut le long de sa colonne vertébrale. De la peur ? Non, ce serait absurde. Elle n'avait aucune raison de trembler devant cet homme, si massif soit-il.

Alors qu'il dansait encore avec Cathleen, Daniel MacGregor prit la liberté de la fixer intensément. Que cherchait-il ? A la faire rougir ? Bien décidée à ne pas entrer dans son jeu, Anna soutint froidement son regard, même si son cœur battait la chamade.

Mais elle aurait mieux fait de détourner les yeux, tout compte fait. Car Daniel sourit lentement, comme s'il se sentait mis au défi ou même encouragé par son attitude.

Attirant d'un geste discret l'attention d'un ami qui se tenait sur le bord de la piste, il transféra Cathleen entre les bras de ce nouveau cavalier. Notant son manège, Anna frémit, pressentant la suite.

Avec l'assurance née d'une longue habitude, Daniel se fraya un chemin parmi les danseurs. Il avait remarqué Anna dès l'instant où elle avait mis le pied sur la piste de danse. Et lorsque leurs regards s'étaient rencontrés, il avait ressenti une attirance immédiate. Contrairement à Cathleen qui avait une stature assez imposante, elle était petite et délicate. Ses cheveux noirs et lisses paraissaient doux comme la soie. La couleur rose pâle de sa robe mettait en valeur la belle rondeur de ses épaules et la pureté de lait de son teint. Daniel estima que c'était le genre de jeune femme que l'on devait avoir plaisir à serrer dans ses bras.

Avec l'assurance dont il ne se départait jamais, il tapa sur l'épaule d'Herbert.

— Vous permettez, Ditmeyer?

Il attendit que son cavalier médusé ait relâché son étreinte pour la prendre aussitôt dans ses bras et l'entraîner de nouveau dans la valse.

— Habile stratégie, monsieur MacGregor.

Le fait que la belle inconnue connaisse son nom constituait une première satisfaction. Une seconde fut la confirmation que danser avec elle tenait du nirvana. Sa présence, étrangement, était apaisante et excitante à la fois. Et l'odeur qui montait de ses cheveux lui rappelait les nuits de pleine lune de son enfance.

— Merci, mademoiselle...?

— Whitfield. Anna Whitfield. C'est également très discourtois de votre part de m'arracher à mon cavalier comme vous l'avez fait.

Dans un premier temps, la voix grave et sévère le surprit. Elle contrastait si fortement avec la douceur et la beauté du visage qu'on avait de la peine à concevoir que c'était bien elle qui parlait.

Daniel qui n'aimait rien tant que l'inattendu éclata de son grand rire.

— *Aye*[1], mais l'essentiel dans la vie, c'est d'atteindre les buts que l'on se fixe, non? Je ne crois pas vous avoir déjà rencontrée, mademoiselle Anna Whitfield. Mais je connais vos parents.

— C'est fort possible.

La main qui tenait la sienne était immense, dure comme un roc et incroyablement tendre. Anna sentit comme un frémissement au creux de sa paume.

— Vous êtes un nouveau venu à Boston, monsieur MacGregor ?

— Je vais devoir vous répondre que oui, car mon appartenance à cette ville remonte à deux ans et non pas à deux générations.

Elle dut renverser la tête en arrière pour croiser son regard.

— Deux générations ne suffisent pas, par ici. Trois est le minimum pour que le Tout-Boston vous considère comme l'un des siens.

— Sauf lorsqu'on a l'habileté nécessaire pour s'intégrer autrement que par son pedigree.

Daniel lui fit effectuer trois petits tours rapides. Agréablement surprise par ses talents de danseur, Anna décida de se détendre dans ses bras. Ce serait dommage, après tout, de ne pas profiter de la danse et de la musique.

— On m'a dit que cette habileté, vous l'aviez, monsieur MacGregor ?

— C'est un fait, oui. Et vous n'avez pas fini de vous l'entendre répéter.

Malgré la foule sur la piste de danse, Daniel ne se donna pas la peine de baisser la voix.

— Ah, vraiment ? rétorqua Anna avec un haussement de sourcils ironique. Vous êtes trop modeste.

— Lorsqu'on n'a pas l'ancienneté derrière soi, il faut avoir l'argent devant.

Anna connaissait les règles plus ou moins tacites qui régissaient la société. Mais le snobisme du nom et celui de la richesse l'écœuraient autant l'un que l'autre.

— C'est une chance pour vous que les normes du grand monde soient aussi flexibles.

Son commentaire sarcastique fit sourire Daniel. Cette Anna Whitfield n'avait rien d'une sotte, de toute évidence. Et, à la différence de Cathleen Donahue, ce n'était pas non plus un requin en jupons qui intriguait pour s'assurer, par le biais du mariage, la meilleure rente possible.

— Votre visage me fait penser au camée que portait ma grand-mère.

Anna faillit sourire. En voyant son expression, Daniel songea que le compliment qu'il venait de prononcer était d'une justesse étonnante.

— Je vous propose de réserver vos flatteries à Cathleen, monsieur MacGregor. Elle y est infiniment plus sensible que moi.

Une lueur redoutable noircit un instant le bleu lumineux des yeux de Daniel.

— Vous avez la langue terriblement acérée, mademoiselle. J'apprécie qu'une jeune personne soit franche... mais jusqu'à un certain point seulement.

Sentant monter une agressivité dont elle ne parvint à cerner la cause, Anna soutint son regard.

— Et quelle est la limite à ne pas dépasser pour une « jeune personne », selon vous, monsieur MacGregor ?

— C'est lorsqu'elle devient tellement directe qu'elle en oublie d'être féminine, répondit-il du tac au tac.

Avant qu'Anna ait pu anticiper son geste, il la fit tourbillonner et, en quelques pas chassés, franchit avec elle les portes-fenêtres grandes ouvertes qui donnaient sur la terrasse. La première impression d'Anna fut de soulagement. Elle ne s'était pas rendu compte à quel point la salle de bal était devenue étouffante. En temps normal, cela dit, elle se serait empressée de s'excuser, se serait dégagée fermement et aurait rejoint aussitôt les autres invités. Au lieu de quoi, elle s'immobilisa, avec les bras de Daniel toujours autour d'elle, consciente que la lune pleine éclairait les grandes dalles de marbre d'un éclat mystérieux et que l'odeur des roses imprégnait l'air tiède.

— Je suis persuadée que vous avez une définition tout à fait passionnante de la féminité, monsieur MacGregor. Mais je crains que vous n'ayez tendance à perdre de vue le fait que nous sommes au xxe siècle.

Il adorait la façon dont elle s'entendait à défendre son point de vue sans pour autant fuir le cercle de ses bras.

— J'ai toujours pensé que la féminité était une constante, mademoiselle Whitfield. Et non pas un concept influencé par les modes ou le passage du temps.

— Je vois.

Anna se dégagea pour déambuler jusqu'aux balustres en pierre, consciente du murmure de soie que produisait l'ourlet de sa robe glissant sur le marbre. Avec la distance, la musique devenait plus romantique. Le clair de lune était atténué par l'ombre des arbres du jardin ; les parfums mêlés du chèvrefeuille et des roses se faisaient plus entêtants.

Elle s'aperçut qu'elle s'était laissé entraîner dans une conversation relativement intime avec un homme qu'elle ne connaissait pas cinq minutes auparavant. Et pourtant, elle ne sentait aucune envie d'y mettre un terme.

Au cours de ses années d'études, elle avait appris à ne pas se laisser déstabiliser par la compagnie masculine. Etant la seule étudiante dans un univers presque à cent pour cent masculin, elle avait été obligée de s'insérer à sa façon. En première année, les critiques et les allusions avaient été incessantes. Pour s'en défendre, elle avait choisi de rester impassible et de se concentrer sur ses études. A présent qu'elle se préparait à entrer en dernière année, elle avait réussi, à force de ténacité, à se faire pleinement respecter. Et la grande majorité des étudiants de sa promotion la traitait désormais en égale.

Mais Anna savait qu'une fois qu'elle serait interne, le combat pour se faire accepter reprendrait de plus belle. Le manque de féminité qu'on lui reprochait souvent restait une secrète blessure. Mais elle s'était résignée depuis longtemps à cet état de fait.

— Votre conception de la féminité est fascinante, monsieur MacGregor, observa-t-elle en se retournant vers le géant roux. Mais je crains de ne pas avoir envie de poursuivre le débat… Dites-moi plutôt ce que vous faites à Boston ?

Daniel n'entendit pas sa question. Lorsqu'elle avait pivoté pour lui faire face, il avait cru à une apparition. Ses longs cheveux noirs avaient glissé en une lente caresse sur la blancheur de ses épaules. Vêtue de soie claire, elle paraissait aussi délicate que la plus fine porcelaine de Chine. Son visage éclairé par la lune semblait sculpté dans le marbre et ses yeux noirs comme la nuit étaient d'une profondeur insondable.

Comme frappé par la foudre, il restait sourd à tout ce qui l'entourait.

— Monsieur MacGregor ?

Pour la première fois depuis qu'ils étaient sortis sur la terrasse, Anna ressentit comme un frémissement de crainte. Il était immense, avec des mains puissantes, et il aurait pu la briser en deux sans grand effort. Et son regard était devenu si étrangement fixe…

Redressant la taille, elle s'éclaircit la voix.

— Monsieur MacGregor ? Je vous ai posé une question.

— *Aye.*

S'arrachant à son état de transe, Daniel fit un pas en avant. Etrangement, Anna recouvra son calme. De près, le géant roux n'avait plus l'air effrayant du tout. Et ses yeux étaient magnifiques.

— Vous exercez bien votre activité à Boston, n'est-ce pas ?

— C'est ici qu'elle est basée, en effet.

Daniel cligna des yeux pour mieux la regarder. C'était sans doute un effet de lumière qui avait suscité cette vision éthérée de perfection et de beauté absolue. Il lui prit la main. Parce que toucher était pour lui aussi naturel que parler. Mais aussi, accessoirement, pour s'assurer qu'elle était bien réelle…

— Et que faites-vous, exactement dans la vie ?

— Oh ! rien de très compliqué : j'achète et puis je vends !

Anna dégagea ses doigts d'entre les siens.

— Et qu'achetez-vous donc de si extraordinaire ?

— Tout ce qu'il me paraît intéressant d'acquérir.

Souriant, il s'approcha un peu plus encore. Le pouls d'Anna s'affola et une sensation de brûlure lui courut sur la peau. Elle se souvint d'avoir lu que ces phénomènes pouvaient être dus à des causes émotionnelles aussi bien que physiques. Mais même si elle se sentait largement dépassée par ses propres réactions, elle ne chercha pas à se dérober pour autant.

— Vous vendez tout ce dont vous ne voulez plus, en somme ?

— On pourrait le formuler comme ça, oui. Et toujours avec une marge de profit confortable.

Anna secoua la tête. Il était très satisfait de lui, de toute évidence.

— D'aucuns pourraient penser que vous prenez un certain plaisir à vous mettre en avant, monsieur MacGregor.

Daniel se surprit à rire de nouveau. Elle l'amusait avec ses commentaires placides. Ses yeux, eux, étaient nettement moins paisibles. Il y voyait même la marque d'une nature passionnée qu'elle contenait avec soin.

— Lorsqu'un homme est pauvre et qu'il se pavane, on le taxe d'impudence. Mais prenez un homme riche qui montre une certaine arrogance et on dira de lui qu'il a de la personnalité, mademoiselle Whitfield. Je le sais d'autant mieux que j'ai été l'un et l'autre.

Il avait raison, sans doute. Mais elle n'était pas disposée à le lui concéder.

— Pour moi, l'arrogance est une constante. Ce n'est pas un concept qui évolue avec les modes ou les circonstances, monsieur MacGregor.

Avec un sourire admiratif, Daniel sortit un cigare de sa poche.

— Un point pour vous.

La flamme du briquet éclaira brièvement ses yeux. Un instant pétrifiée sur place, Anna songea que cet homme, tout compte fait, pouvait être redoutable.

— Considérons alors que nous sommes à égalité. Si vous voulez bien m'excuser maintenant, monsieur MacGregor, je dois retourner rejoindre mes amis.

D'un geste outrageusement possessif, il la retint par le bras. Anna ne le repoussa pas mais se contenta de le regarder comme une duchesse pourrait considérer le dernier des manants. La plupart des hommes auraient reculé aussitôt en marmonnant une vague excuse. Mais Daniel, ravi, lui adressa un sourire appréciateur.

— Nous nous reverrons, mademoiselle Anna Whitfield.

— Peut-être. Ou peut-être pas.

Il lui prit la main et la porta à ses lèvres.

— Sûrement. Et même souvent.

Elle tressaillit au contact de sa barbe, si douce et caressante sur la peau qu'elle la fit frissonner.

— Je doute que nous ayons l'occasion de nous rencontrer souvent. Je dois quitter Boston dès la fin de l'été. Maintenant, si vous voulez bien…

— Pourquoi ? l'interrompit-il sans lui lâcher la main.

Plus troublée qu'elle ne pouvait l'admettre, elle le toisa froidement.

— Pourquoi quoi, monsieur MacGregor ?

— Pourquoi quittez-vous Boston à la fin de l'été ?

Si elle devait s'établir ailleurs pour épouser Dieu sait qui, il aurait tout intérêt à la laisser tranquille. *Quoique…* Daniel scruta de nouveau les traits à la fois fins et décidés, la silhouette délicate, la chevelure de soie. Et décida qu'il s'accrocherait quand même, même si elle devait se marier le lendemain avec un prince, un sultan ou un milliardaire.

— Je retourne dans le Connecticut fin août pour terminer mes études médicales.

Daniel lui jeta un regard intrigué.

— Des études médicales ? Vous avez l'intention de devenir infirmière ?

Ce fut au tour d'Anna d'éclater de rire.

— Non, monsieur MacGregor. Je me prépare à une carrière de chirurgien. Merci pour la valse. Et bonne fin de soirée.

Il lui saisit de nouveau le poignet avant qu'elle ait pu atteindre la porte.

— Vous vous destinez à découper les gens en morceaux ? s'enquit-il en éclatant de son grand rire. *Vous ?* C'est de l'humour, n'est-ce pas ?

Alors qu'elle fulminait intérieurement, Anna réussit à prendre un air d'ennui distingué.

— Je peux vous assurer que je suis beaucoup plus drôle que cela lorsque je plaisante. Et maintenant, bonne nuit.

— La chirurgie, c'est un métier d'homme.

— Je suis ravie que vous me fassiez part de votre opinion éclairée. Il se trouve que, pour moi, il n'existe pas de « métiers d'homme ».

Il haussa les épaules en tirant sur son cigare.

— Balivernes.

— C'est un peu court, comme point de vue, monsieur MacGregor. Et une fois de plus, vous faites preuve de grossièreté. Au fond, vous êtes fidèle à vous-même.

Sans un regard en arrière, elle regagna la salle et rejoignit ses amis. Mais Daniel Duncan MacGregor restait très présent dans ses pensées. Drôle d'individu, décida-t-elle : tape-à-l'œil, ridicule et grossier. Avec, malgré tout, un certain panache.

« Elle est têtue, froide, trop directe et un peu incohérente », conclut Daniel en la suivant des yeux jusqu'à ce qu'elle se perde dans la foule.

Et ils étaient, au fond, aussi fascinés l'un que l'autre.

Chapitre 2

— Raconte-moi tout, ordonna Myra dès qu'Anna l'eut rejointe à sa table.

— Myra, tu es infernale. Laisse-moi au moins le temps de m'asseoir avant de me bombarder de questions indiscrètes.

Anna posa son sac à main sur la nappe en lin blanc et sourit au serveur.

— Je prendrai une coupe de champagne, s'il vous plaît.

— Deux, renchérit Myra.

Anna regarda autour d'elle avec plaisir. Elle avait toujours aimé ce restaurant où elle connaissait la plupart des gens, au moins de vue. L'ambiance était agréable, sereine, sécurisante. Parfois, lorsqu'elle courait entre l'université et l'hôpital, avec ses cours sous le bras, elle avait la nostalgie de ces moments d'intimité calme où elle pouvait laisser le grand tohu-bohu du monde à sa porte.

— Je suis ravie que tu aies pensé à me donner rendez-vous ici, Myra. J'ai toujours eu un faible pour ce restaurant.

Myra secoua la tête.

— J'exige un récit complet, Anna.

— Un récit complet de quoi ?

Non sans amusement, Anna vit une lueur d'impatience briller dans le regard de son amie. Myra sortit une cigarette d'un fin étui en or, la tapota à plusieurs reprises sur la table avant de la ficher entre ses lèvres.

— Anna Whitfield, je veux que tu me racontes tout ce qui s'est passé entre Daniel MacGregor et toi.

— Eh bien voilà toute l'histoire : nous avons dansé une valse. Passionnant, non ?

Anna attrapa un menu et s'y plongea résolument. Mais elle se surprit à bouger le pied au rythme de la musique sur laquelle Daniel et elle avaient évolué l'avant-veille.

— Et ensuite ?

Elle jeta un coup d'œil à son amie par-dessus le bord de sa carte.

— Ensuite quoi ?

— Anna, arrête de faire de la résistance, veux-tu ? Vous êtes sortis sur la terrasse où vous avez passé un bon moment en tête à tête.

— Ah vraiment ?

Anna sirota son champagne, se décida pour une salade composée et referma son menu.

— Oui, vraiment, rétorqua Myra en envoyant un élégant nuage de fumée vers le plafond. J'imagine que vous avez trouvé quelque chose à vous dire ?

— Nous avons échangé quelques mots, oui.

Le serveur revint et Anna passa sa commande. Refrénant son impatience, Myra opta pour le menu complet et se jura qu'elle jeûnerait ce soir-là à l'heure du dîner.

— Et ces quelques mots portaient sur… ?

— La féminité, entre autres.

Notant la lueur de colère dans le regard de son amie, Myra, intriguée, éteignit sa cigarette.

— J'imagine que M. MacGregor doit avoir des opinions tranchées sur la place de la femme dans la société ?

Anna noya son irritation dans une gorgée de champagne.

— Ton M. MacGregor, Myra, est un malappris et une tête de bois !

Ravie, Myra appuya son menton sur sa paume. Ses yeux brillaient sous la courte voilette qui ornait le bord de son chapeau.

— Un malappris, tu dis ? Et qu'a-t-il fait pour mériter ce qualificatif ?

— Il estime que les femmes peuvent s'exprimer librement mais à condition de rester « féminines », comme il dit. Autrement dit, une femme peut penser ce qu'elle veut à condition qu'elle pense comme lui, conclut-elle, écœurée.

Myra fit la moue.

— Tous les hommes partagent plus ou moins ce préjugé, si tu veux mon avis.

Pianotant sur la nappe, Anna secoua la tête.

— MacGregor est pire que les autres. Il fait partie de ces hommes qui considèrent la femme comme un simple accessoire, un complément commode et un faire-valoir. Nous ne sommes acceptables pour ce genre d'individu que lorsque nous nous cantonnons dans notre rôle traditionnel : langer les bébés, faire de la pâtisserie et chauffer les draps.

Myra s'en étrangla sur son champagne.

— Eh bien… Il a réussi à se faire détester en un temps record, ce garçon-là.

Anna se força à reprendre un ton plus calme. Elle ne s'emportait que rarement et jamais sans raison valable. Or, Daniel MacGregor ne méritait pas qu'elle s'énerve sur son cas.

— Bref, il est arrogant, désagréable et tout à fait inintéressant, conclut-elle avec un sourire serein.

Sourcils froncés, Myra médita sur ce diagnostic imparable.

— C'est toujours mieux d'être arrogant et flambeur que sinistre et étriqué.

— On ne peut pas dire qu'il soit étriqué, en effet. Et il a un aplomb incroyable, entre parenthèses… Tu as vu comment il a manœuvré pour se débarrasser de Cathleen ?

Les yeux de Myra scintillèrent.

— Non. Raconte…

— Il a fait signe à une de ses connaissances d'intercepter Cathleen sur la piste de danse. Ce qui lui a permis ensuite de m'arracher des bras d'Herbert.

— Bien joué, approuva Myra. Et Cathleen est tellement imbue d'elle-même qu'elle n'a pas dû imaginer une seconde que son nouveau cavalier ne la faisait danser que pour rendre service. Tu devrais être flattée, ma belle.

Anna attaqua sa salade d'un coup de fourchette vengeur.

— Flattée ? Et pourquoi faudrait-il que je me sente flattée ? Parce qu'un grand balourd d'Ecossais buté a préféré danser avec moi qu'avec Cathleen ? Tu parles d'une gloire !

— C'est peut-être un grand balourd et il est sûrement buté aussi, mais il n'a rien d'un imbécile. Et il a un charme extraordinaire, même s'il ne se distingue pas par son raffinement. Or, honnêtement, Anna, je ne crois pas que tu sois attirée par les hommes distingués, aux manières bien lisses. Tu as envoyé bouler tous ceux qui se sont intéressés à toi jusqu'à présent.

— Myra, comment faut-il que je te l'explique ? Tout

ce que je veux, dans la vie, c'est devenir chirurgien. Je n'ai pas de temps à consacrer aux hommes.

Avec une moue appréciative, Myra goûta son homard.

— Sache, ma chérie, que pour les hommes, on a *toujours* du temps. Je ne dis pas que tu es obligée de le prendre au sérieux.

— Je suis ravie que tu sois d'accord avec moi sur ce point.

— Mais cela ne signifie pas que tu doives le rejeter pour autant.

— Je n'ai aucune intention de m'intéresser de plus près à ce Daniel MacGregor.

— Anna, tu t'entêtes.

Elle rit de bon cœur.

— Je ne m'entête pas. Je suis cohérente avec mes choix de vie, c'est tout.

Myra secoua la tête.

— Anna, je ne suis pas stupide. Je sais à quel point la médecine compte pour toi. Et je respecte tout à fait ta vocation. Mais puisque, de toute façon, tu comptes passer l'été à Boston, pourquoi t'interdire la compagnie d'un homme agréable qui te servirait d'escorte ?

— Je n'ai pas besoin d'être escortée.

— Si ce n'est pas un besoin, ça peut être un agrément.

— Un agrément pour qui ?

Secouant la tête, Myra prit un petit pain rond dans la corbeille et se jura de n'en manger que la moitié.

— Dis-moi, Anna, tes parents ont-ils renoncé à te convaincre d'abandonner la médecine ? Ont-ils cessé de te présenter des bons partis censés te tourner la tête et te faire oublier tes rêves d'avenir ?

— Tu plaisantes ! Ils s'escrimeront jusqu'au bout. Rien qu'en une semaine, ils m'ont déjà trouvé trois prétendants. Tous désireux, semble-t-il, de demander ma main.

Anna fit un effort pour considérer la situation avec humour. Et finit par y parvenir.

— Maman a placé tous ses espoirs dans le petit-fils de son vieux médecin de famille. Elle doit penser qu'un descendant de « docteur » doit constituer un ersatz tout à fait satisfaisant pour une carrière médicale.

— Mmm… Si tu veux mon avis, ils vont continuer comme ça, jusqu'à la fin août. Si tu voyais régulièrement quelqu'un en revanche…

— Comme Daniel MacGregor, par exemple ?

— Pourquoi pas ? A mon avis, il ne se ferait pas prier pour te servir de chevalier servant.

— Mais ce ne serait pas honnête de ma part de l'utiliser.

— Utiliser, utiliser… n'exagérons rien ! Vous y trouveriez peut-être des avantages mutuels, qui sait ? Et cela t'évitera de voir défiler des bataillons de célibataires chez toi, tous les jours, à l'heure du thé.

Anna se surprit à soupirer. L'argument de Myra n'était pas idiot. Si seulement ses parents voulaient bien faire l'effort de la comprendre et de respecter sa décision !

« C'est pour ton propre bien, ma chérie. » Si d'aventure elle devenait mère elle-même, elle s'interdirait de torturer ses enfants avec ce genre d'affirmation.

Si ses parents avaient fini par accepter qu'elle s'inscrive en médecine, c'était uniquement parce qu'ils avaient cru à un caprice passager de sa part. Convaincus qu'elle reviendrait à la maison en courant avant la fin du premier trimestre, ils avaient estimé stratégique de la laisser « faire ses expériences » plutôt que de la buter en posant un interdit pur et simple. S'il n'y avait pas eu sa tante Elsie, elle n'aurait sans doute même pas eu la possibilité matérielle d'aller jusqu'au bout de ses études.

Elsie Whitfield, la sœur aînée de son père, avait été la vieille fille excentrique par excellence. On disait qu'elle devait sa fortune à un juteux trafic de whisky de contrebande auquel elle se serait livrée au temps de la prohibition. Anna ne connaîtrait sans doute jamais le fin mot de l'histoire. Mais elle devait une fière chandelle à sa tante. Car Elsie lui avait laissé une somme suffisante en héritage pour financer ses études et assurer son indépendance.

« Si tu dois épouser un homme, assure-toi d'abord que c'est vraiment lui que tu veux, lui avait recommandé Elsie, quelque temps avant de mourir. En revanche, si tu as un rêve, un projet, fonce ! La vie est trop courte pour les lâches, mon Anna. Entre dans la lutte et ne perds jamais tes objectifs de vue. »

Aujourd'hui, elle n'était plus qu'à quelques mois de la réalisation de son grand rêve. Pour ses parents, ce ne serait pas facile à accepter. Et le choc serait d'autant plus violent pour eux qu'elle avait l'intention de faire son internat à l'hôpital de Boston.

— J'envisage de prendre un appartement, Myra.

La fourchette de Myra s'immobilisa à mi-chemin entre sa bouche et son assiette.

— Et tu as annoncé ça à tes parents ?

— Pas encore, non, admit-elle en repoussant sa salade. Mais je ne vais pas tarder à le faire. Tant que je serai encore à la maison, ils refuseront de me traiter en adulte. Et si je ne pars pas maintenant, ils ne comprendront pas pourquoi je ne reste pas avec eux jusqu'au moment où j'exercerai.

Myra se renversa contre son dossier et avala d'un trait le fond de champagne, dans son verre.

— Bonne initiative. Et si j'étais toi, je ne le leur dirais qu'une fois que j'aurais trouvé l'appartement.

Anna réfléchit un instant.

— Les mettre devant le fait accompli, tu veux dire ? Je crois que tu as raison, Myra... Tu as quelque chose de prévu cet après-midi ou tu es prête à faire le tour des agences immobilières avec moi ?

— Toutes les agences que tu voudras, ma chérie. Mais seulement une fois que j'aurai pris cinq cents grammes de plus en m'empiffrant d'un dessert bien chocolaté... Je note quand même en passant que ton problème MacGregor n'est toujours pas résolu, précisa Myra en faisant un petit signe au serveur.

— Comment ça, *mon* problème MacGregor ?

— Parce que tu crois peut-être qu'il va en rester là ? rétorqua son amie avec un large sourire... Une part de fondant au chocolat, s'il vous plaît, commanda-t-elle au serveur. Et dites à votre pâtissier qu'il peut avoir la main lourde sur la crème anglaise.

Dans son bureau qu'il venait de faire décorer à grands frais, Daniel alluma un cigare. Il venait de signer un contrat qui lui assurait la majorité dans le capital d'une petite entreprise qui fabriquait des téléviseurs. Il était persuadé que ce nouveau joujou — qu'il jugeait lui-même irrésistible — était promis à un bel avenir. Dans quelques années, avait-il parié avec un ami, on trouverait autant de télévisions que de postes de radio dans les foyers américains.

Mais sa grande passion du moment, c'était la finance.

Il avait racheté la Old Line, une banque au bord de la faillite qu'il comptait transformer en un établissement de crédit ultramoderne. Mettre de l'argent en circulation là où il avait des chances de fructifier faisait partie de ses ambitions majeures. Il avait déjà commencé par accorder deux prêts d'un montant si élevé que le directeur de la Old Line avait failli se trouver mal. Mais il faudrait que ce monsieur s'habitue à ses méthodes. Ou qu'il aille chercher un emploi ailleurs.

En attendant, Daniel s'était fixé un nouvel objectif — ambitieux, lui aussi, mais d'une tout autre nature. Et cet objectif avait pour nom Anna Whitfield. Il connaissait le milieu familial de la jeune femme puisque son père était l'un des meilleurs avocats d'affaires de Boston. Daniel avait failli avoir recours aux services de Me Whitfield, d'ailleurs. Mais il avait fini par fixer son choix sur Herbert Ditmeyer, plus jeune et plus flexible. A présent qu'Herbert avait été nommé procureur de district, cependant, le père d'Anna redevenait une orientation possible.

Quant à Anna elle-même, elle s'imposait déjà comme un choix définitif. La demeure où elle vivait avec ses parents à Beacon Hill avait été bâtie par ses ancêtres au XVIIe siècle. Et des générations de Whitfield s'étaient succédé sur ces hauteurs.

Or, Daniel aimait les longues lignées bien établies. Qu'il s'agisse d'une famille de paysans ou de rois lui importait peu. Mais il appréciait qu'on soit de souche solide. Ce qui était assurément le cas pour Anna Whitfield. Autre condition importante : elle avait la tête sur les épaules et une incontestable intelligence. Qu'une femme puisse étudier la médecine lui paraissait contre-nature, mais il lui plaisait qu'elle soit une des meilleures de sa promotion. Il n'avait pas l'intention de faire des enfants avec une ravissante idiote.

Mais la perspective d'avoir une épouse qui serait *et* ravissante *et* intelligente n'était pas faite pour lui déplaire. Surtout qu'il appréciait tout particulièrement le type de beauté d'Anna. Avec cela, elle était décidée, volontaire et ne se laissait pas marcher sur les pieds. Daniel ne voulait *surtout* pas se retrouver avec une épouse trop soumise sur les bras. Ce qui ne signifiait pas pour autant que sa femme porterait la culotte. En tant que chef de foyer, il entendait être respecté.

A Boston, il connaissait au minimum une douzaine de jeunes femmes qui ne demanderaient pas mieux que de l'épouser. Mais même si certaines répondaient à ses critères, seule Anna éveillait son instinct de conquête. Là où les autres s'offraient presque d'elles-mêmes, Anna représentait un défi. Et le guerrier en lui se réjouissait d'avance à l'idée de mener bataille et de faire tomber une aussi jolie assiégée.

Les stratégies qu'il comptait appliquer pour faire succomber Anna ne différaient guère de celles qu'il employait lorsqu'il cherchait à prendre une place dans le capital d'une société. Il s'agissait d'abord de repérer les points forts et les points faibles. Puis de trouver une brèche par laquelle s'engouffrer.

Daniel prit son téléphone et passa coup de fil sur coup de fil pour mener son enquête. Une heure plus tard, il avait appris ce qu'il voulait savoir : Anna Whitfield passerait la soirée à l'opéra où on donnait un spectacle de danse classique.

Bien. Il ne lui restait donc plus qu'à s'habiller pour la circonstance et à endurer la cravate une fois de plus. Son comptable, par chance, avait réussi à le persuader de louer une loge à l'année. Jusqu'à présent, il n'en avait pas fait usage, mais, ce soir, il aurait l'occasion de rentabiliser son investissement.

Sifflotant gaiement, il descendit au rez-de-chaussée de sa maison. Disposer de vingt pièces pour un homme seul pouvait apparaître comme un luxe inutile. Mais pour Daniel, l'élégante demeure, avec ses hautes fenêtres et ses parquets luisants, représentait un symbole. Tant qu'il pouvait se permettre d'y vivre, il se sentait à distance confortable du modeste cottage où il avait grandi.

Sa maison lui disait chaque matin qu'il n'était plus un mineur à la peau noircie par le charbon, aux yeux rougis par la poussière, mais un homme riche et respecté.

Au pied de l'escalier, Daniel s'immobilisa pour crier de sa voix de stentor.

— McGee !

Droit comme la justice, son majordome apparut à l'autre bout du couloir.

— Monsieur ?

— Je vais avoir besoin de ma voiture.

— Elle vous attend devant la maison.

— Le champagne ?

— Il est au frais.

— Et les fleurs ?

— Des roses blanches, monsieur. Deux douzaines comme vous me l'avez demandé.

— Bien, bien, approuva Daniel.

Il se dirigeait déjà vers la porte lorsqu'il se retourna sur une impulsion.

— Servez-vous en scotch autant que vous le désirez, McGee. Je vous accorde votre soirée.

McGee, avec son incomparable talent pour rester de marbre en toute circonstance, se contenta de hocher la tête. Mais une lueur joyeuse éclaira fugitivement son regard impavide.

— Je vous remercie, monsieur.

Daniel sortit en sifflotant et contempla sa Rolls. Il l'avait achetée dans un moment de folie mais il n'avait jamais regretté son acquisition. Le jardinier s'était vu parachuté dans le rôle de chauffeur et équipé d'une livrée gris perle qui faisait sa fierté. Steven savait à peine lire et écrire et il était capable de jurer comme un charretier à ses heures. Mais une fois installé derrière son volant, il était d'une dignité saisissante.

— Bonsoir, monsieur MacGregor.

Steven lui ouvrit sa portière, la referma derrière lui, puis passa un chiffon doux sur la poignée. Steven considérait la Rolls comme sa propriété personnelle et il la couvait comme une enfant tendrement aimée.

S'installant à l'arrière, Daniel ouvrit son attaché-case et en sortit un dossier. Le trajet jusqu'à l'opéra prendrait un quart d'heure. C'était toujours ça de gagné pour avancer dans son travail. L'oisiveté n'était pas son style. Il la réservait pour ses vieux jours lorsqu'il ne serait plus bon qu'à se reposer.

Si tout se passait comme prévu, il serait bientôt propriétaire du terrain qu'il avait repéré à Hyannis. Les grandes falaises, la roche hautaine et grise, l'herbe sauvage lui rappelaient l'Ecosse. C'était sur ces hauteurs qu'il voulait construire la future demeure des MacGregor. Les plans, il les avait déjà en tête. Ce serait une construction comme il n'en existait aucune autre. Et une fois qu'elle serait édifiée, il ne lui resterait plus qu'à faire ce qu'il fallait pour ne pas y vivre seul.

Ses pensées, tout naturellement, dévièrent sur Anna. Les roses blanches étaient placées sur le siège à côté de lui. Il en préleva une et huma son parfum. Le champagne était à ses pieds, dans son lit de glace. Il avait appris par son informateur que les roses blanches étaient les fleurs préférées d'Anna.

Quelle jeune femme résisterait à deux douzaines de roses ainsi qu'au luxe qu'il pouvait lui offrir ? Daniel songea avec satisfaction qu'il ne lui faudrait pas long-temps pour convaincre Anna de partager sa vie. Avec un soupir de satisfaction, il referma son attaché-case alors que la Rolls s'immobilisait devant la salle de spectacle. Il tapota avec affection l'épaule de son jardinier chauffeur.

— Revenez m'attendre ici dans deux heures, Steven.

Sur une impulsion, il emporta la rose. Il lui faudrait endurer quelques heures de danse classique avant de commencer officiellement sa cour. Mais rien ne l'empê-chait de faire un premier geste pour lancer son offensive.

Pénétrant dans le hall d'entrée, Daniel se trouva plongé dans l'atmosphère raffinée qui lui était désormais aussi familière que les rudes assemblées de mineurs dont il avait naguère fait partie. La riche palette de nuances pastel des robes de soirée offrait un élégant contraste avec les costumes sombres des hommes. Des perles luisaient doucement au cou des femmes ; des diamants étincelaient à leurs doigts et à leurs oreilles. Et un subtil mélange de parfums flottait dans l'air. Daniel s'avança au cœur de la foule. Sa haute taille, sa présence et son allure désinvolte exerçaient une certaine fascination sur les femmes. Il prenait leurs marques d'attention avec gentillesse et détachement, estimant qu'une jeune femme aisément conquise se lasserait sans doute tout aussi vite. Et il ne recherchait pas une épouse sujette à de trop brusques changements d'humeur. Il avait déjà lui-même un caractère suffisamment emporté.

Sociable de nature, Daniel se liait facilement. Aussi bien avec les gens du monde qu'avec les maçons sur ses chantiers. Saluant des relations d'affaires, s'arrêtant ici et là pour bavarder avec quelque douairière lourdement harnachée, il n'en gardait pas moins son but à l'esprit. Son regard, inlassablement, scrutait la foule à la recherche d'Anna. Comme la plupart des hommes d'affaires, il avait la capacité de tenir des conversations suivies tout en ayant ses pensées fixées ailleurs.

Lorsqu'il repéra Anna, il ressentit un choc similaire à celui qui l'avait frappé au bal d'été, chez les Donahue. Ce soir, elle était en bleu pâle et sa peau était comme du lait. Ses cheveux qu'elle portait relevés étaient retenus par deux peignes en écaille. Son visage dégagé lui fit penser plus que jamais au camée de sa grand-mère.

Daniel ressentit un élan de désir — mais pas seulement. Une émotion plus profonde et plus grave lui fouailla les entrailles. Troublé, il attendit qu'elle tourne enfin la tête dans sa direction. Lorsqu'elle le vit elle ne rougit pas, ne minauda pas comme l'auraient fait d'autres jeunes femmes à sa place. Mais elle soutint calmement son regard.

Faire la conquête de sa future épouse était comme un jeu. Excité par le défi qu'elle représentait, Daniel s'avança pour la saluer. Poliment et dans les règles de l'art, il s'inclina devant elle.

— Mademoiselle Whitfield, veuillez accepter cette rose en souvenir de la valse que nous avons dansée ensemble.

Lorsqu'il lui tendit la rose, Anna hésita un instant. Mais elle ne voyait aucun moyen de refuser sans faire preuve de grossièreté. Elle accepta la fleur dont le subtil parfum, aussitôt, vint lui caresser les narines.

— Monsieur MacGregor, je crois que vous ne connaissez pas encore mon amie, Myra Lornbridge.

Daniel serra la main de la compagne d'Anna et se sentit jaugé par un regard attentif.

— Enchantée. On m'avait déjà beaucoup parlé de vous, monsieur MacGregor.

— J'ai eu l'occasion de traiter quelques affaires avec votre frère.

Myra sourit. Elle était plus petite et plus ronde qu'Anna. Au premier regard, Daniel jugea qu'elle avait du caractère, de l'intelligence et vraisemblablement de l'humour à revendre.

— Le peu que j'ai appris sur vous, je ne le tiens pas de lui, monsieur MacGregor. Jasper est d'une discrétion décourageante.

— C'est une des raisons pour lesquelles j'aime travailler avec lui… Vous aimez la danse classique, mademoiselle Whitfield ?

— Beaucoup, oui.

Par automatisme, Anna porta la rose à son visage. Contrariée d'avoir esquissé ce geste, elle laissa retomber son bras.

— Je vous avoue pour ma part être peu familiarisé avec cet art. On m'a dit que pour apprécier un ballet comme *Giselle*, il était conseillé d'en connaître le livret. Ou, à défaut, d'assister au spectacle en compagnie d'un amateur éclairé.

— C'est sans doute la meilleure manière, oui, admit Anna.

— A ce propos, je me demandais si je pouvais vous demander une immense faveur.

Aussitôt sur ses gardes, Anna lui jeta un regard suspicieux.

— Rien ne vous empêche de demander, rétorqua-t-elle d'un ton des plus dissuasifs.

— J'ai ma loge ici. Si vous acceptiez de venir vous y asseoir avec moi, vous pourriez m'aider à mieux suivre le déroulement du ballet.

Anna sourit, amusée par la manœuvre. S'il croyait qu'elle se laisserait piéger aussi bêtement, il se trompait.

— En d'autres circonstances, je vous aurais volontiers servi de conseillère. Mais je suis venue avec des amis. Je ne peux pas les abandonner alors que…

— Oh ! mais ne t'inquiète pas pour nous ! intervint Myra avec un sourire angélique. Ce serait tout de même dommage pour M. MacGregor qu'il assiste à un ballet aussi romantique que *Giselle* sans en apprécier chaque nuance. Montez donc dans votre loge, tous les deux.

Le regard pétillant d'humour, Daniel sourit à Myra.

— Je vous suis très reconnaissant de votre compréhension et de votre gentillesse… Mademoiselle Whitfield ?

Daniel lui offrit son bras. Anna hésita. Il eût été tentant de jeter la rose sur le sol, de la piétiner et de quitter les lieux au pas de charge. Mais elle se contenta de sourire et de poser la main sur la manche de Daniel. Elle trouverait un moyen plus subtil pour lui rendre la monnaie de sa pièce que de céder en public à un caprice de petite fille.

Daniel l'entraîna en direction de l'escalier en décochant un clin d'œil à Myra en guise de remerciement. Anna, elle, gratifia son amie d'un regard féroce. Mais Myra, imperturbable, leur adressa un aimable petit salut de la main, sans se départir de son sourire faussement naïf.

— A quoi bon avoir une loge dans cette salle de spectacle si vous n'appréciez pas la danse, monsieur MacGregor ?

— C'est mon comptable qui m'a suggéré cette idée. D'après lui, l'opéra est l'endroit idéal pour procéder à des transactions commerciales un peu délicates. Je reconnais que ma loge ne m'a encore jamais servi jusqu'ici. Mais, ce soir, je suis certain d'en tirer infiniment plus que je ne l'ai payée.

— Ah oui ? riposta-t-elle froidement. Votre enthousiasme pour *Giselle* est tout à votre honneur, monsieur MacGregor.

Anna entra dans la loge d'un pas ferme et s'assit, droite comme un i. Posant la rose sur ses genoux, elle autorisa Daniel à retirer le châle en dentelle ivoire qu'elle avait jeté sur ses épaules avant de quitter la maison. Lorsque les mains de Daniel effleurèrent sa peau, ils se figèrent l'un et l'autre. Pendant une fraction de seconde, Anna se sentit prise de vertige et un léger brouillard se forma devant ses yeux.

Chassant ces sensations parasites, elle découvrit quelle forme donner à sa vengeance : puisqu'il voulait un avis éclairé sur la danse classique, il allait en avoir pour son argent…

— Ce soir, donc, monsieur MacGregor, vous allez assister à une représentation de *Giselle ou les Wilis*, considéré comme le chef-d'œuvre absolu du ballet romantique, commença-t-elle doctement. Créé pour la première fois en 1841 d'après un poème de Heinrich Heine…

Elle poursuivit sur le même ton monocorde et savant, lui livrant un exposé complet sur *Giselle* en particulier et le ballet classique en général. Même si elle n'avait pas des connaissances encyclopédiques en la matière, elle en savait suffisamment pour endormir n'importe quel non-amateur de danse digne de ce nom.

— Ah ! ça y est ! Le rideau se lève. Soyez très attentif maintenant, intima-t-elle.

Satisfaite de ses tactiques, Anna se renversa contre son dossier et se prépara à ne plus avoir d'yeux que pour le spectacle. Mais pas moyen de garder son attention centrée sur la scène. Pendant les dix premières minutes, son esprit ne cessa de vagabonder. Assis à côté d'elle, Daniel avait écouté son laïus sans broncher. Mais elle était consciente que sa manœuvre dissuasive n'avait pas porté ses fruits. Si elle se risquait à tourner la tête de son côté, elle le verrait sans doute afficher un petit sourire hautement ironique.

Naturellement, elle garda les yeux rivés droit devant elle. Tout en se promettant de régler ses comptes avec Myra à la première occasion. Comment son amie avait-elle pu la lâcher aussi ignominieusement ? Et en compagnie d'un barbare à la crinière rousse, en plus. Un comble.

Si encore elle parvenait à faire abstraction de sa présence ! Mais pas moyen de se détendre, pas moyen d'oublier qu'il était là. Elle tressaillit lorsque Daniel lui effleura la main.

— Au fond, c'est une histoire qui traite de l'amour et du destin, n'est-ce pas ?

Le son de sa voix était calme, presque profond. Contre toute attente, il semblait comprendre ce qui se passait sur scène. Et il était sensible à l'atmosphère, à la beauté poignante du ballet. Incapable de résister à la tentation, Anna tourna la tête vers lui. Leurs visages étaient proches, à peine éclairés par la faible lumière qui montait de la scène. La musique semblait couler en eux, sur eux, autour d'eux. Anna comprit que cet homme, qu'elle le veuille ou non, venait de toucher quelque chose en elle, de jeter un pont ténu entre son cœur et le sien.

— Tout n'est-il pas histoire d'amour et de destin ? rétorqua-t-elle à voix basse.

Il sourit. Dans la pénombre, il lui parut incroyablement viril, incroyablement doux aussi.

— Il serait sage de ne jamais l'oublier, Anna.

Avant qu'elle ait pu songer à résister, il mêla ses doigts aux siens. Main dans la main, ils assistèrent au ballet.

Pendant l'entracte, il ne la lâcha pas d'une semelle, accaparant son attention jusqu'à ce qu'il soit trop tard pour qu'elle rejoigne ses amis. Lorsqu'elle reprit sa place pour la fin du spectacle, Anna se persuada qu'elle restait dans la loge de Daniel par simple politesse et non pas parce qu'elle prenait plaisir à sa compagnie. Très vite, elle fut de nouveau captivée par la chorégraphie, par l'extraordinaire expressivité des danseurs.

Des larmes lui montèrent aux yeux lorsque Giselle plongea dans la tragédie. Bien qu'elle fasse de louables efforts pour n'en rien laisser paraître, Daniel, sans un mot, lui fit passer son mouchoir. Elle l'accepta avec un léger soupir.

— L'histoire est tellement triste. J'ai vu ce ballet je ne sais combien de fois et il me touche toujours autant.

— La beauté parfois doit s'accompagner de tristesse pour nous permettre d'apprécier les belles choses qui, elles, ne sont pas tristes.

Surprise par son commentaire, elle tourna les yeux vers lui, sans même chercher à dissimuler les larmes qui perlaient encore à ses cils. Lorsqu'il s'exprimait ainsi, il n'avait plus rien d'un barbare. Il se montrait même infiniment plus sensible et civilisé que la plupart des hommes qu'elle connaissait. Anna songea que la situation aurait été nettement plus simple si elle avait pu continuer à considérer Daniel Duncan MacGregor comme un rustre mal dégrossi.

Perturbée, elle concentra de nouveau son attention sur la scène pour regarder le final. Lorsque les derniers applaudissements eurent fini de crépiter dans la salle, Anna avait repris le contrôle d'elle-même. Impassible, elle accepta que Daniel l'aide à se relever.

— Je peux vous affirmer en toute sincérité que je n'ai encore jamais apprécié la danse classique comme ce soir, observa-t-il gravement en se penchant pour lui effleurer la main d'un baiser. Merci, Anna.

Troublée par la caresse de ses lèvres, par la surprenante douceur de sa barbe, elle s'éclaircit la voix.

— Je vous en prie. Maintenant, si vous voulez bien m'excuser, il serait grand temps que je rejoigne mes amis.

Il garda sa main dans la sienne pour sortir de la loge.

— J'ai pris la liberté de dire à votre amie Myra que je vous raccompagnerais chez vous.

— *Comment ?* Vous...

— Non, vraiment, ne protestez pas. C'est la moindre des choses que je fasse ce petit détour alors que vous avez eu la patience et la gentillesse de m'initier au ballet romantique. Je me suis d'ailleurs demandé en vous écoutant pourquoi vous n'aviez pas choisi de vous consacrer à l'enseignement. Votre exposé était... magistral.

Le ton était amusé, le regard clairement ironique. Mais Anna se garda bien de relever.

— Vous n'auriez pas dû prendre cette initiative, monsieur MacGregor. Qu'est-ce qui vous dit que je n'ai pas d'autres projets ce soir que de rentrer chez moi ?

— Mon chauffeur et moi sommes à votre entière disposition pour vous conduire là où vous le souhaitez.

Anna ne perdait pas facilement patience. Mais là…

— Monsieur MacGregor…

— Je vous en prie, appelez-moi Daniel.

— Daniel…

Anna prit une profonde inspiration pour tenter de recouvrer un minimum de calme.

— J'apprécie votre offre, mais je rentrerai par mes propres moyens.

— Anna, voyons, vous m'avez déjà accusé une fois d'être un personnage dépourvu de manières, protesta-t-il en l'entraînant en direction d'une Rolls argentée. Je ne voudrais pas aggraver mon cas en vous abandonnant toute seule sur le bord du trottoir. Quel genre d'homme cela ferait-il de moi ?

— Nous savons l'un et l'autre quel genre d'homme vous êtes.

— Le croyez-vous vraiment, Anna ?

Il s'immobilisa à quelques pas de la voiture.

— Cela dit, si vous avez peur, nous pouvons prendre un taxi.

— Si j'ai peur ? répéta-t-elle avec une fulgurance dans le regard que Daniel avait déjà repérée et qu'il aimait plus que tout susciter chez elle. Vous vous flattez, mon ami.

— Constamment, oui. C'est une habitude chez moi.

Le chauffeur s'inclina cérémonieusement avant de lui ouvrir sa portière. Sans même réfléchir à ce qu'elle faisait, Anna s'installa sur le siège arrière. Elle fut submergée d'emblée par le parfum des roses. Avec une légère exclamation contrariée, elle rassembla les fleurs sur ses genoux de manière à pouvoir se serrer contre la portière opposée. Mais une fois Daniel assis à côté d'elle, il fallut se rendre à l'évidence : sa silhouette était tellement massive qu'il était impossible de lui échapper de toute façon.

— C'est une habitude chez vous de stocker des roses dans votre véhicule ?

— Seulement lorsque je raccompagne une très belle femme chez elle.

Anna soupira. Elle regrettait de ne pas avoir le genre de tempérament qui lui aurait permis d'ouvrir sa vitre et de jeter les deux douzaines de roses sur la chaussée.

— La mise en scène était préparée, n'est-ce pas ? Vous aviez tout prévu jusque dans les moindres détails ?

Daniel déboucha la bouteille de champagne que McGee avait mise au frais.

— Tant qu'à programmer, autant ne pas faire les choses à moitié, vous ne pensez pas ?

Anna leva les yeux au ciel.

— D'après Myra, je devrais me sentir flattée.

— Votre amie Myra me fait l'effet d'être une jeune femme très sensée. Où aimeriez-vous aller ?

Elle accepta le verre de champagne et en prit une gorgée pour se donner une contenance.

— Chez moi. Je me lève tôt demain matin pour travailler à l'hôpital.

— A l'hôpital ? Pendant vos vacances d'été ?

Sourcils froncés, Daniel replaça le champagne dans son lit de glace.

— Je croyais qu'il vous restait encore une année d'études avant de devenir médecin ?

— Dans un an, je commencerai mon internat. Pour l'instant, je me forme à des tâches plus modestes. Comme vider les bassins, lança-t-elle en le regardant droit dans les yeux.

— Une jeune femme comme vous n'a pas à s'acquitter

de tâches pareilles, trancha Daniel d'un air féroce en vidant son verre d'un trait.

— C'est un point de vue. Il en existe d'autres.

— Vous n'iriez tout de même pas jusqu'à prétendre que vous y prenez plaisir ?

— J'irai jusqu'à prétendre que j'ai plaisir à me rendre utile, rétorqua Anna en lui tendant son verre vide. Pour vous, ça ne doit pas être facile à comprendre. Ce n'est pas quelque chose qui s'achète et qui se vend. C'est juste… humain.

Daniel aurait pu lui répondre qu'à aucun moment, même en s'enrichissant, il n'avait perdu son humanité de vue. Depuis des années, il versait des sommes consé-quentes pour financer une structure médicale destinée aux mineurs de la région d'Ecosse d'où il était originaire.

Mais il opta pour une riposte qui ne pouvait que mettre Anna hors d'elle.

— Une belle jeune femme comme vous devrait plutôt s'intéresser au mariage et aux enfants.

— Parce que vous croyez qu'une femme, c'est tout juste bon à assurer la reproduction de l'espèce ?

Daniel haussa les sourcils. Et songea qu'il ne s'ha-bituerait décidément jamais au franc-parler des jeunes Américaines.

— Il y aura toujours des différences entre les hommes et les femmes, Anna. La tâche de l'homme est simple : il doit faire rentrer de l'argent dans le foyer. Alors que la femme, elle, donne la vie. Elle est l'origine et le destin. C'est elle qui tient le monde au creux de sa main.

Le ton de Daniel était trop grave, trop convaincu pour qu'Anna puisse se contenter de lui assener quelque riposte cinglante. Luttant pour garder son calme, elle se renversa contre son dossier.

— Vous est-il arrivé de réfléchir au fait qu'un homme, lui, n'a jamais à faire le choix déchirant entre une famille et une carrière ?

— Non.

Elle faillit sourire.

— Naturellement, suis-je bête. Vous avez mieux à faire que de vous abîmer dans de pareilles considérations. Daniel, sérieusement, je vous conseille d'oublier mon existence. Il y a des quantités de jeunes femmes à Boston qui n'ont d'autre ambition dans la vie que de devenir épouses et mères. Trouvez-en une dont la philosophie de vie sera plus proche de la vôtre.

— Je ne peux pas.

Le sourire d'Anna s'évanouit lorsqu'elle vit l'expression de son regard. Ce qu'elle lut dans ses yeux provoqua une réaction immédiate d'excitation et de panique.

— Non, c'est ridicule, protesta-t-elle en prenant une gorgée du champagne qu'il venait de lui resservir.

Il cueillit son visage entre ses paumes.

— Peut-être. Mais que ce soit ridicule ou non, c'est vous que j'ai choisie, Anna. Et c'est vous que j'obtiendrai.

— On ne choisit pas une femme comme on choisit une cravate, protesta-t-elle d'un ton qu'elle aurait voulu indigné.

Mais son cœur battait trop vite et le souffle lui manquait. Le regard de Daniel se fit plus scrutateur, plus intense. Du pouce, il lui caressa la joue.

— Je suis d'accord avec vous, Anna. Une cravate, ce n'est qu'un bout de tissu. Une femme, c'est un trésor rare que l'on peut chérir une vie durant.

Anna lui posa la main sur le poignet pour se dégager. Mais elle aurait pu tout aussi bien tenter de repousser un mur.

— Je crois que vous avez perdu la raison, Daniel. Vous ne me connaissez même pas.

— Cela n'a rien d'irrémédiable. Nous avons la vie devant nous pour faire connaissance, non ?

— Daniel ! Je n'ai pas de temps à consacrer à ce genre de… de distractions.

Effarée, Anna tourna les yeux vers la vitre et constata qu'il leur restait une distance non négligeable à parcourir avant d'arriver chez elle. Que faisait-elle à l'arrière d'une Rolls avec un forcené ?

Daniel fut ravi de la voir céder à un élan de panique.

— Quel genre de *distractions* ? murmura-t-il en lui effleurant le visage.

— Tout ça… Les roses, le champagne, le clair de lune. De toute évidence, vous cherchez à créer un contexte romantique. Mais je…

— Vous, vous devriez juste vous taire un instant, lui conseilla Daniel d'une voix basse et amusée. Il y a un temps pour la parole et un temps pour le silence, Anna Whitfield.

La voyant sur le point de protester de nouveau, il mit un terme à la discussion en scellant ses lèvres avec les siennes. Les mains d'Anna se crispèrent sur les roses qu'elle tenait toujours sur ses genoux. Elle les serra même si fort qu'une épine pénétra dans sa chair. Mais ce fut à peine si elle eut conscience d'être piquée.

Comment aurait-elle pu prévoir que la bouche de Daniel serait si douce ? De la part d'un homme aussi massif, on aurait pu s'attendre à une certaine gaucherie. Mais il la prit dans ses bras avec le plus grand naturel et une aisance saisissante. Sa barbe glissa sur son visage, éveilla des milliers de sensations sur sa peau.

Réagissant de façon purement instinctive, Anna s'agrippa à sa chemise.

Des élans inattendus prirent le pas sur sa raison. Sa sensualité qui était toujours restée contenue s'éveilla comme les torrents endormis par l'hiver grondent sous les premiers soleils printaniers. L'image réservée qu'elle avait toujours eue d'elle-même s'effaça d'un coup. Qu'était devenue la personne calme et pondérée qu'elle avait toujours cru être ?

Si Daniel était un forcené, elle ne se sentait guère plus raisonnable de son côté. Avec un gémissement de crainte, d'excitation et de défaite, elle se cramponna à ses épaules et ne le lâcha plus.

Daniel s'était attendu à une claque, à une lutte, ou tout au moins à une protestation indignée. Il n'aurait pas été autrement surpris si elle s'était dégagée au bout de quelques secondes pour lui jeter un de ses regards foudroyants de duchesse offensée. Mais loin de le repousser, Anna se pressait contre lui, transformant ce qui aurait dû être un baiser rapide et chaste en une étreinte passionnée.

Il avait été loin d'imaginer que, par la force d'un seul soupir, elle pouvait l'amener à une intensité de désir qui flirtait avec la souffrance. La simple pression de ses doigts délicats sur ses épaules le rendait démuni, vulnérable, en proie à un manque si vertigineux que rien ne semblait devoir le combler.

Comment pouvait-elle provoquer en lui un raz-de-marée pareil ? Elle était certes la femme qu'il avait choisie. Mais s'il voulait une épouse et une compagne, c'était pour parachever son rêve de réussite. Qu'elle soit amenée à prendre une place dans sa vie, d'accord. Mais de là à effacer tout le reste…

La volonté, l'ambition, il connaissait. Il avait désiré l'argent, le pouvoir. Et certaines femmes aussi. Mais désirer Anna était sans commune mesure avec tout ce qu'il avait pu éprouver jusque-là. Il avait l'impression de serrer l'univers entier dans ses bras, comme si elle était devenue à elle seule la quintessence de toute chose.

Lorsqu'ils s'écartèrent l'un de l'autre, Anna respirait vite et fort. Avec le parfum des roses qui lui montait à la tête, elle avait l'impression de flotter dans un nuage de sensualité pure. Terrifiée par sa propre faiblesse, elle toisa Daniel avec toute la dignité dont elle se sentait encore capable.

— Une fois de plus, vous vous montrez incapable de surveiller vos manières.

— Il faudra me prendre tel que je suis, Anna.

— Je n'ai pas à vous prendre du tout. Un baiser volé à l'arrière d'une voiture ne pèse pas plus lourd que les quelques secondes qu'il a duré.

Au moment même où elle prononçait ces mots, Anna constata que la Rolls était à l'arrêt devant chez elle. Depuis combien de temps, déjà ? se demanda-t-elle, les joues en feu. Détournant la tête, elle ouvrit précipitamment sa portière, sans même attendre que le chauffeur s'acquitte cérémonieusement de cette tâche.

— Prenez les roses, Anna. Elles vous vont si bien.

Elle se contenta de lui jeter un regard furieux par-dessus l'épaule.

— Adieu, Daniel.

— Au revoir, rectifia-t-il en suivant des yeux la fine silhouette bleu pâle qui courait le long de l'allée.

Daniel prit une des roses sur le siège à côté de lui et la porta à ses lèvres. Les pétales étaient frais et doux, mais infiniment moins soyeux que la bouche d'Anna.

Reposant la fleur, il décida de lui envoyer le tout le lendemain matin. Et peut-être même d'en ajouter une troisième douzaine.

Sa cour, après tout, ne faisait que commencer.

D'une main qui tremblait presque, Daniel sortit la bouteille de champagne, remplit son verre, et le vida d'un trait.

Chapitre 3

Anna passa la journée du lendemain à l'hôpital. Jamais, elle n'avait réussi à expliquer à quiconque — pas même à ses amis les plus proches — pourquoi l'univers hospitalier la fascinait à ce point. Lorsqu'elle allait et venait parmi les malades, elle avait conscience que là, et nulle part ailleurs, était sa place. Comprendre, aider, soigner, guérir : tel était le but et le sens de son existence.

La plupart des gens craignaient les hôpitaux. Pour eux, l'atmosphère aseptisée, le pas pressé des infirmières, l'odeur même des lieux étaient synonymes de maladie, d'accident et parfois même de mort. Pour Anna, cette même ambiance symbolisait l'espoir et la lutte pour la vie.

Même si elle ne s'acquittait que des tâches les plus humbles, chaque journée passée à l'hôpital la confortait dans sa détermination à intégrer le corps médical. Tout comme les heures consacrées à l'étude attisaient sans cesse sa soif de connaissance. Elle avait un rêve dont elle n'avait encore jamais osé parler à personne. Un rêve qu'elle considérait comme simple et prétentieux à la fois : dans le combat quotidien que le monde médical livrait contre la mort, elle voulait prendre les armes et se battre en première ligne.

En attendant, même si elle se contentait de distribuer des magazines et de tenir compagnie aux malades, elle observait et apprenait à chaque instant. Elle voyait les internes de première année se traîner pour faire leur ronde, assommés de fatigue après leurs longues nuits de veille. Ils seraient nombreux à ne pas atteindre leur seconde année d'internat, même s'ils avaient fait de brillantes études par ailleurs. Elle savait que pour sa part elle tiendrait bon, en revanche. Qu'elle était portée par un désir si fort qu'elle soutiendrait l'épreuve jusqu'au bout, quoi qu'il arrive.

En triant le linge, en distribuant les journaux, en assistant les infirmières, elle découvrait petit à petit le fonctionnement de ce microcosme qu'était l'hôpital. Anna fit également un constat qu'elle se promit de toujours garder à la mémoire : la base réelle de la structure n'était pas formée par les chirurgiens, les internes ou les administrateurs. Ils étaient indispensables, bien sûr : les administrateurs géraient ; les médecins examinaient, diagnostiquaient, opéraient. Mais celles qui réellement *soignaient*, c'étaient les infirmières et les aides-soignantes. Elles passaient des heures debout, parcouraient des kilomètres de couloirs et, malgré leur fatigue, consolaient, égayaient, apportaient un peu d'écoute et d'espoir aux malades.

Cet été-là, Anna se fit une promesse : elle travaillerait dur et deviendrait médecin, puis chirurgien. Mais dans ses contacts avec ses patients, elle garderait la compassion, la simplicité des infirmières.

— Mademoiselle Whitfield ?

Mme Kellerman, l'infirmière chef, lui fit signe d'attendre, puis continua à remplir ses feuilles de température sans relever la tête. Veuve depuis vingt ans, Nancy Kellerman était une véritable figure de l'hôpital de Boston. Infatigable, toujours à pied d'œuvre, elle était aussi douce avec les patients qu'exigeante avec ses infirmières qui ne l'appelaient jamais autrement que « le Dragon ».

— Mme Higgs, chambre 521, a demandé à vous voir, mademoiselle Whitfield.

Anna hocha la tête.

— Comment va-t-elle ?

— Etat stable, marmonna Kellerman. Pas de problème durant la nuit.

Réprimant un soupir, Anna renonça à insister. Elle savait que Nancy Kellerman aurait pu lui fournir des informations plus précises. Mais l'infirmière chef faisait partie de la vieille école et considérait que c'était le rôle des femmes d'apporter les soins infirmiers, celui des hommes d'exercer la médecine. Et qu'il n'y avait aucune raison de mélanger ce qui ne devait pas l'être.

Décidée à se faire une opinion par elle-même, Anna poursuivit son chemin jusqu'à la chambre de Mme Higgs. Les stores étaient relevés et le soleil entrait à flots dans la pièce. Le poste de radio posé sur la table de chevet fonctionnait à faible volume. Mme Higgs reposait, les yeux clos. Son visage émacié était terriblement marqué pour une femme qui n'avait pas encore atteint la soixantaine. Ses fins cheveux gris avaient pris un aspect terne, presque jaunâtre. Et les quelques touches de blush qu'elle avait appliquées au réveil se détachaient tels deux cônes fiévreux sur la blancheur des joues.

Préoccupée par sa lividité, Anna examina la courbe de température affichée au pied du lit. La tension artérielle de Mme Higgs était trop basse et elle ne gardait pas la nourriture solide. Mais elle avait effectivement passé une nuit paisible. Anna posa ses magazines et alla baisser les stores.

— Non, laissez, mon petit. J'aime tant la lumière !

Tournant la tête, Anna vit que Mme Higgs lui souriait.

— Je ne vous ai pas réveillée, au moins ?

— Oh non ! je somnolais juste. De temps en temps, je ferme les yeux et je rêvasse un peu. Ça me fait plaisir que vous passiez me voir aujourd'hui.

— J'avais prévu de venir, de toute façon. Je vous ai apporté le magazine que je vous avais promis. Vous allez voir ce que Paris nous réserve pour cet automne. Une vraie folie !

Mme Higgs éteignit sa radio en riant.

— Ils auront beau faire, ça ne vaudra jamais la mode que nous avions dans les années vingt. Ils ne manquaient pas d'audace, les couturiers, à l'époque ! Naturellement, pour porter leurs créations, il fallait avoir de belles jambes et un maximum de cran. Ce qui était mon cas, dans le temps, précisa la malade avec un clin d'œil affectueux pour Anna.

— C'est *toujours* votre cas, madame Higgs.

— Pour ce qui est du cran, il m'en reste, oui. Mais au niveau des jambes, c'est un désastre.

Mme Higgs réussit, non sans mal, à changer de position. Aussitôt, Anna se pencha pour arranger ses oreillers.

— Ah ! si j'étais encore jeune, ma petite Anna…

— Vous me croirez si vous voulez, mais moi il me tarde de vieillir.

La patiente de la chambre 521 retomba faiblement contre ses oreillers.

— C'est un crime de vouloir brûler les étapes. La vie passe si vite, mon petit.

— C'est juste un an plus loin que j'aimerais être, précisa Anna en lui prenant le pouls.

— Votre diplôme, vous l'obtiendrez sans même y

penser. Et il viendra un temps où vous regretterez vos années d'études, vous verrez.

— Pour l'instant, cela me paraît inimaginable, admit Anna. J'ai envie de mettre mes connaissances en pratique, d'avancer, de me rendre utile.

Mme Higgs secoua faiblement la tête.

— Etre jeune, jolie Anna, c'est comme avoir un merveilleux trésor dans les bras et être infichue de savoir qu'en faire. Vous connaissez la petite infirmière rousse qui travaille dans ce service ?

Anna lâcha le poignet de la malade. Le pouls était un peu irrégulier. Mais Mme Higgs avait encore une heure à attendre avant que la prochaine dose de médicament puisse lui être administrée.

— L'infirmière rousse ? De vue, oui.

— Elle est gentille comme tout, cette petite. Vous saviez qu'elle se mariait en octobre ? J'aime bien quand elle me parle de son fiancé. Vous, vous ne le faites jamais, en revanche.

— Je ne fais jamais quoi ?

— Vous ne dites rien de votre amoureux.

Anna se pencha pour arranger le bouquet fatigué placé dans un verre à côté du lit. Une des aides-soignantes avait dû récupérer ces fleurs après le départ d'un patient et avait pris la peine de les apporter à Mme Higgs. Cette dernière n'avait pas de famille et ne recevait jamais aucune visite.

— Je ne peux pas vous parler de mon amoureux pour la bonne raison que je n'en ai pas, madame Higgs.

— Allons, allons. Je ne vous crois pas ! Une ravissante jeune femme comme vous doit avoir des admirateurs à ne plus savoir qu'en faire.

— C'est vrai. Tous les matins, ils forment une haie

d'honneur devant ma porte. Et quand je sors, ils s'incli-
nent plus bas que terre et embrassent l'ourlet de ma robe.

Elles rirent toutes les deux.

— Ça ne doit pas être si loin que ça de la vérité,
commenta Mme Higgs en la couvant d'un regard attendri...
Je vous ai dit que je n'avais que vingt-cinq ans lorsque
je suis devenue veuve ? Quand je vous vois maintenant,
je me rends compte à quel point j'étais encore jeune. Et
pourtant, l'idée de me remarier ne m'a pas tentée. Des
amants, j'en ai eu à la pelle, en revanche.

Le regard de Mme Higgs se fit rêveur, un peu triste.

— J'ai aimé et j'ai été aimée. Passionnément, même.
Si je vous racontais mes amours d'antan, vous seriez
choquée, ma petite Anna.

— Rien de ce qui est humain ne me choque.

Mme Higgs lui tapota la main.

— En bref, je n'étais pas très sérieuse à l'époque. J'ai
mené la belle vie, je me suis amusée. Mais maintenant,
je regrette que... que...

— Que regrettez-vous, madame Higgs ? demanda
Anna doucement.

Deux larmes perlèrent dans les yeux de la malade.

— Des choses toutes bêtes, en fait. Le mariage.
Les enfants. La vie de famille... Le fait de ne laisser
personne derrière moi, je suppose.

Avec un infini respect, Anna prit dans la sienne
la main devenue si fine, si incroyablement légère.
Mme Higgs serra un instant ses doigts entre les siens,
puis retrouva le sourire.

— Mais assez parlé de moi... Il doit bien y avoir un
homme dans votre vie, Anna. Un que vous appréciez
tout particulièrement.

— Il y a un homme, oui. Mais je ne l'apprécie pas du tout ! Il me casse les pieds, au contraire.

— Il vous harcèle à ce point ! s'esclaffa Mme Higgs. Comment est-il, ce garçon ?

Notant que le regard las s'animait de nouveau, Anna songea que ça ne l'engageait à rien de fournir une description de Daniel à une malade de l'hôpital.

— Il s'appelle Daniel MacGregor.

— Et il est beau ?

— Non… enfin, oui. Comment dire ?

Le menton dans les mains, Anna réfléchit un instant.

— Il n'a pas une beauté classique, comme on en voit dans les magazines. Mais il a un physique assez… saisissant. Il est très grand, pour commencer.

— Avec de larges épaules ? s'enquit Mme Higgs, les yeux luisants.

Anna dut se rendre à l'évidence : l'évocation de Daniel avait des effets infiniment plus thérapeutiques sur la malade que les dernières tendances de la mode parisienne.

— Très larges, oui. Je crois qu'il pourrait attraper un homme dans chaque main et en prendre un pour taper sur l'autre.

Mme Higgs parut charmée.

— J'adore les hommes solidement charpentés.

— Il a les cheveux roux. Et une barbe.

— Une barbe ! C'est romantique.

— Sur lui, non. Elle ne paraît pas tant romantique que féroce. Mais ses yeux sont très beaux, en revanche. D'un bleu à la fois intense et très doux… C'est le genre d'homme qui peut vous regarder fixement, sans ciller, pendant très longtemps.

Anna n'avait qu'à fermer les yeux pour que l'image

de Daniel lui revienne à l'esprit. Comment avait-elle pu garder de lui des impressions aussi nettes ? Avec un hochement de tête approbateur, Mme Higgs effleura le drap de sa main presque décharnée, aux ongles soigneusement vernis.

— Il a de l'audace, ce garçon. C'est bien. Les hommes timorés, ça n'a jamais été ma tasse de thé. Et que fait-il dans la vie, votre Daniel MacGregor ?

— Des affaires. Apparemment, il a le sens du commerce. Il gagne beaucoup d'argent et il est très content de lui.

— En somme, c'est un homme satisfait de la vie à qui tout réussit. Tant mieux. Il n'y a rien de plus déprimant que les mélancoliques tourmentés qui considèrent que l'existence n'est qu'un long calvaire. Il me plaît de plus en plus, votre Daniel. Que lui reprochez-vous, au juste ?

— Son entêtement. Je lui ai signifié très clairement que je voulais qu'il reste à distance. Et il s'obstine quand même à se rapprocher.

Saisie d'une soudaine nervosité, Anna se leva et se dirigea vers la fenêtre.

— Evidemment qu'il s'obstine ! s'exclama Mme Higgs. Il essaye de vous faire changer d'avis ! C'est de bonne guerre, non ?

De bonne guerre ? Avec un inexplicable frisson, Anna se remémora les paroles conquérantes de Daniel : « C'est vous que j'ai choisie et c'est vous que j'obtiendrai. »

— C'est un véritable état de siège, oui ! Il m'envoie des roses tous les jours, s'emporta-t-elle.

— Des roses ! Ah ! mon Dieu, comme c'est romantique ! Quel genre de roses ?

Amusée, Anna se retourna pour sourire à Mme Higgs.

— Pourquoi ? Ça a de l'importance ? Jusqu'ici il est toujours resté fidèle aux roses blanches.

— Des roses blanches…

Un soupir nostalgique mourut sur les lèvres de Mme Higgs. Pendant une fraction de seconde, Anna la vit telle qu'elle avait dû être à vingt ans, radieuse, attirante et rayonnante de vie.

— Si vous saviez depuis combien de temps aucun homme ne m'envoie plus de roses, Anna…

Notant que sa patiente commençait à fatiguer, elle se rassit à son chevet.

— Je vous apporterai un de mes bouquets. J'aurai bientôt de quoi remplir une serre entière, de toute façon. Et elles sentent merveilleusement bon.

— Vous êtes un ange, mon petit. Mais ce n'est pas tout à fait la même chose, n'est-ce pas ? Il y a eu un temps où les hommes…

Laissant sa phrase en suspens, Mme Higgs secoua la tête avec lassitude.

— Tout cela est tellement loin, désormais… Mais vous, Anna, pourquoi ne lui laisseriez-vous pas une chance, à ce Daniel ? En rejetant son affection, vous passez peut-être à côté d'une très belle histoire.

— Je n'ai pas besoin d'affection pour le moment. Plus tard, lorsque je serai installée dans ma vie professionnelle, peut-être…

— Plus tard, oui… On se dit toujours qu'on a le temps. Jusqu'au moment où la vie vous claque la porte au nez en ricanant « *trop* tard », chuchota Mme Higgs en fermant ses yeux las. Pour ma part, je mise sur Daniel.

Anna la regarda dormir un moment puis se retira sur la pointe des pieds en laissant le magazine de mode sur la table de chevet.

Lorsqu'elle quitta l'hôpital, cet après-midi-là, elle avait les pieds en feu mais le moral au beau fixe. Elle venait de passer deux heures dans le service maternité, à écouter les récits d'accouchement des jeunes mamans et à admirer les nouveau-nés.

— Vous êtes encore plus belle lorsque vous souriez.

Se retournant en sursaut, elle vit Daniel adossé à une voiture décapotable bleu sombre. Jusque-là, elle ne l'avait connu qu'en habit de soirée noir. Mais, dans la journée, il s'habillait de façon beaucoup plus décontractée, de toute évidence. Sa chemise était déboutonnée au col et il avait banni le veston et la cravate.

Il coûtait à Anna de l'admettre, mais il était superbe. Et plus royal que jamais avec ses cheveux au vent. Alors qu'elle hésitait sur la conduite à suivre, Daniel se redressa et s'avança jusqu'à elle.

— Votre père a eu la gentillesse de m'indiquer que je pourrais vous trouver ici.

Vêtue d'une jupe noire stricte et d'un chemisier blanc, Anna avait un air d'efficacité et de compétence qu'il ne lui connaissait pas encore. Mais si elle ne ressemblait plus à la fille fleur délicate qui l'avait tant séduit dans ses longues robes claires, elle était toujours aussi irrésistiblement jolie.

D'un geste gracieux, elle repoussa ses cheveux derrière une oreille.

— Mon père ? J'ignorais que vous étiez aussi intimes.

— Il a bien fallu que je trouve un nouvel avocat d'affaires à présent que Ditmeyer a été nommé procureur de district.

Anna eut un sursaut de colère qu'elle domina non sans mal.

— Et vous avez choisi mon père. J'ose espérer que ce n'est pas à cause de moi, au moins ?

Daniel sourit sans marquer le moindre embarras.

— Rassurez-vous, je ne mélange jamais les affaires avec des considérations privées. Vous n'avez pas retourné un seul de mes appels.

Elle sourit.

— Non.

— Et moi qui vous croyais tellement à cheval sur les bonnes manières… Ce n'est pas très poli, comme attitude, il me semble ?

— Puisque vous enfreignez les règles du savoir-vivre, pourquoi les respecterais-je avec vous de mon côté ? Notez quand même que j'ai pris la peine de vous écrire.

— Juste un mot bref pour m'interdire de continuer à vous envoyer des roses. Je n'appelle pas ça communiquer.

— Et vous avez continué à me faire livrer vos bouquets.

— Tout à fait. Vous avez travaillé toute la journée ?

— Oui, et je suis fatiguée. Donc si vous voulez bien m'excuser…

— Je vous raccompagne en voiture.

Anna inclina la tête avec cette froideur réservée à laquelle Daniel savait désormais devoir s'attendre avec elle.

— C'est très aimable à vous de me le proposer, mais ce ne sera pas nécessaire. Par ce beau temps, je préfère la marche.

— Je ne puis qu'approuver votre choix, belle Anna. Et j'aurai grand plaisir à vous escorter à pied.

Se surprenant à grincer des dents, Anna fit un louable effort pour se détendre.

— Daniel, je crois avoir été suffisamment claire avec vous.

Il prit ses deux mains entre les siennes.

— *Aye,* oui, pour être claire, vous avez été claire. Et moi de même, d'ailleurs. A présent que nous avons défini nos positions l'un et l'autre, il ne nous reste plus qu'à mettre notre ténacité mutuelle à l'épreuve. Comme j'adore ce genre de compétition, je compte bien l'emporter haut la main. Quel mal y aurait-il à ce que nous passions un peu de temps ensemble ? Cela ne vous engage à rien de faire connaissance avec moi.

Anna commençait à comprendre pourquoi il réussissait si bien en affaires. Son aplomb et son insolence auraient pu être insupportables, mais il y alliait une telle dose de charme qu'on avait toutes les peines du monde à ne pas se laisser prendre à son jeu.

Peu d'hommes s'y entendaient pour vous lancer un défi avec un sourire aussi amical.

— Il faudrait que vous me lâchiez les mains, Daniel.

— Mais certainement. Dès que vous aurez accepté de monter dans ma voiture.

Elle ne put s'empêcher de sourire.

— Je ne cède jamais au chantage.

Une lueur de respect brilla dans le regard de Daniel.

— C'est tout à votre honneur.

Il la laissa aller. Mais seulement pour mieux revenir à la charge :

— Anna, il fait un temps radieux… Venez faire un tour avec moi. Le soleil et l'air frais vous feront du bien. Vous avez déjà passé toute la journée enfermée.

Tentée par la balade, Anna se demanda s'il était vraiment stratégique de s'enfermer dans un refus obstiné. Que risquait-elle, au fond ? Peut-être qu'en lui cédant, juste pour cette fois, elle parviendrait à le convaincre de renoncer à elle et de tourner sa considérable énergie vers des buts plus aisément atteignables ?

— Bon, d'accord. Mais juste un petit tour, alors. J'adore votre voiture.

— Je l'aime beaucoup, moi aussi. Mais Steven, mon chauffeur, fait la tête chaque fois que je sors sans lui et sa Rolls. Il est très despotique, ce garçon, au fond.

Daniel allait lui ouvrir sa portière lorsqu'il se ravisa sur une impulsion.

— Vous conduisez, au fait ?

— Bien sûr.

— Alors à vous de jouer, déclara-t-il en lui tendant les clés.

Anna ouvrit de grands yeux.

— Vous me laissez le volant ?

— Sauf si vous n'en avez pas envie.

Les doigts d'Anna se refermèrent sur le trousseau de clés.

— J'adorerais, au contraire ! Mais qu'est-ce qui vous prouve que je ne suis pas un danger de la route ?

Daniel la regarda fixement un instant puis éclata de son grand rire. Avant qu'elle ait réalisé ce qui se passait, il la souleva dans ses bras et la fit tournoyer deux fois sur place.

— Anna Whitfield, j'ignore si vous êtes une folle du volant, mais je sais que je suis fou de vous.

— Fou tout court, marmonna-t-elle en tentant de conserver son équilibre et sa dignité lorsqu'il la reposa sur ses pieds.

Avec un large sourire, Daniel cala sa grande carcasse dans le siège du passager.

— Allez, Anna. Ma voiture et ma vie sont entre vos mains. Faites-en ce que bon vous semble.

Elle ne put résister à la tentation de lui adresser un sourire de défi.

— Vous avez le goût du risque, Daniel, n'est-ce pas ?

— Un goût prononcé, oui… Et si nous quittions un peu la ville ? Ce serait plus agréable de rouler en rase campagne.

— Juste sur quelques kilomètres alors.

Une demi-heure plus tard, ils en avaient déjà parcouru une bonne vingtaine. Et Anna riait tellement qu'elle ne songeait même plus à rentrer.

— C'est la première fois que je conduis une décapotable, cria-t-elle pour couvrir le bruit du vent. J'adore ça.

— Ce genre de voiture convient à votre style.

— Je m'en souviendrai lorsque j'achèterai la mienne, répondit-elle en négociant un virage serré. Même si je prends un appartement à proximité de l'hôpital, ce sera plus commode pour moi de disposer d'un véhicule. Surtout lorsque j'aurai des gardes de nuit.

— Vous avez l'intention de quitter le domicile parental ?

— Le mois prochain, oui. Je pensais que mes parents pousseraient les hauts cris, mais tout compte fait, je n'ai pas eu trop de mal à leur faire accepter ma décision. Choisir d'étudier dans le Connecticut a été une heureuse initiative, finalement. Ils se sont habitués à ne pas m'avoir sous leur coupe tout le temps.

— Cela ne me plaît pas que vous viviez seule.

Elle lui jeta un bref regard étonné.

— Que cela vous plaise ou non ne change rien à l'affaire, bien sûr. Mais je suis majeure et responsable, Daniel. D'ailleurs, vous vivez bien seul, vous aussi.

— C'est différent.

— Pourquoi ?

Daniel ouvrit la bouche pour répondre qu'il était un homme et qu'elle était une femme. Et qu'il aurait peur qu'il lui arrive quelque chose. Mais il connaissait suffisamment bien Anna, désormais, pour savoir comment elle accueillerait ce genre d'argument.

— Je n'habite pas seul, mais avec mes domestiques, riposta-t-il.

— Je ne pense pas que j'aurai de la place chez moi pour en prendre. Regardez comme l'herbe est verte.

— Vous détournez la conversation, Anna.

— Oui, c'est vrai. Vous prenez souvent des après-midi de congé ?

— Jamais.

Daniel grommela un peu mais renonça à insister. Il trouverait bien le moyen de vérifier si son futur appartement offrait des conditions de sécurité optimales. Quitte, le cas échéant, à racheter tout l'immeuble s'il voulait être entièrement rassuré sur son sort.

— Je ne passe pas mes journées à me promener. Mais j'ai pensé qu'en allant vous chercher à la sortie de l'hôpital, au moins, je serais certain de vous trouver seule.

— J'aurais pu refuser de vous accompagner.

— Vous auriez pu, oui… Comment vous occupent-ils donc, toute la journée, dans votre « hosto », comme on dit ? Vous n'êtes pas encore autorisée à piquer les malades à coups de seringue ni à les ouvrir avec votre scalpel et vos ciseaux.

Anna se mit à rire. Le vent portait à ses narines les odeurs suaves de l'été.

— Pour l'instant, je me contente de tenir compagnie aux patients qui souffrent ou qui trouvent le temps long. J'aide aussi à faire les lits, à plier le linge…

— Ce n'est pas à ces tâches subalternes que vous êtes formée à la faculté de médecine !

— Non. Mais c'est une bonne façon pour moi de me familiariser avec le fonctionnement de la structure hospitalière. Et puis je me rends utile, à ma façon. Ni les médecins ni les infirmières n'ont beaucoup de temps à consacrer aux malades. Et les gens ont besoin qu'on les écoute, qu'on les rassure. En parlant avec eux, j'arrive à me faire une idée de ce qu'ils endurent. C'est une réalité que je voudrais essayer de ne pas perdre de vue une fois que j'aurai le scalpel en main, comme vous dites.

Daniel hocha la tête. Il n'avait jamais vraiment réfléchi à ces questions. Mais il ne se souvenait que trop bien de la longue maladie qui avait fini par emporter sa mère alors qu'il n'avait que dix ans. Il n'avait pas oublié non plus à quel point elle avait souffert, sur la fin, d'être faible, alitée et dépendante. Et l'odeur de la chambre de malade lui était restée dans les narines aussi distinctement que celle de la mine.

— Ça ne vous gêne pas de vous trouver en permanence face à des personnes malades ou souffrantes ?

— Si ça ne me gênait pas que les gens soient malades ou souffrants, je n'éprouverais pas le besoin de devenir médecin.

Daniel ne parvenait pas à détacher les yeux d'Anna. Elle était belle avec le vent de la vitesse soulevant ses cheveux. Il avait tendrement aimé sa mère et il avait passé de longs moments à son chevet à lui tenir la main. Mais il avait eu peur de sa maladie, peur du déclin inéluctable. Et Anna, si jeune, si vibrante de vitalité, avait choisi de se colleter au quotidien avec le pathologique et le morbide.

— Je ne vous comprends pas, admit-il.

— J'ai parfois du mal à me comprendre moi-même.

— Parlez-moi de ce qui vous pousse à retourner tous les jours à l'hôpital. Que trouvez-vous là-bas que vous ne trouveriez pas ailleurs ?

Anna songea à son rêve secret. Puis elle pensa à Mme Higgs. A sa solitude face à la maladie qui la rongeait inexorablement. L'exemple de cette femme, peut-être, serait parlant pour lui ?

— En ce moment, il y a une patiente à l'hôpital à qui je rends visite tous les jours. Elle a été opérée d'une tumeur il y a quinze jours et il a fallu retirer une partie du foie. Je sais qu'elle souffre ; je sais qu'elle se sait gravement malade. Mais elle ne se plaint jamais. Elle a besoin de parler d'elle, de sa vie, en revanche. Je ne peux pas la guérir, mais je peux l'écouter.

Daniel réfléchit un instant puis il hocha la tête.

— Et c'est le plus beau cadeau que la vie puisse encore faire à cette femme : être entendue. Et accompagnée.

Surprise qu'il se montre aussi réceptif, Anna hocha la tête.

— Oui, c'est important. Autant pour moi que pour elle, d'ailleurs. Aujourd'hui, il a été question des hommes de sa vie. Elle regrette de ne pas avoir fondé une famille après le décès prématuré de son mari. Il lui est douloureux de s'en aller sans laisser personne derrière elle. Son corps est en train de la lâcher, mais elle a encore toute sa tête. Et lorsque je lui ai parlé de vous…

— Vous avez parlé de moi.

Anna se serait volontiers giflée pour avoir laissé échapper cette information malencontreuse.

— Mme Higgs aime beaucoup les hommes. Je lui ai révélé que j'en connaissais un qui était infernal.

Daniel lui prit la main et la porta à ses lèvres.

85

— Je le considère comme un compliment.

Réprimant un sourire, Anna enchaîna :

— Quoi qu'il en soit, elle a voulu que je vous décrive. Et le portrait que j'ai brossé de vous lui a fait une forte impression.

— Mmm… Quels termes avez-vous employés, au juste ?

— Seriez-vous vaniteux aussi, Daniel ?

— Absolument.

— J'ai dû prononcer les mots « arrogant », « féroce ». Je ne sais plus si j'ai pensé à mentionner votre absence de savoir-vivre. Quoi qu'il en soit, j'ai réussi à distraire cette patiente en faisant entrer un souffle du monde extérieur dans le confinement de sa chambre. Et elle s'est sentie un peu moins seule. Un médecin doit toujours garder à l'esprit qu'il ne suffit pas de poser un diagnostic et d'appliquer un traitement. Sans la compassion, ses interventions se résument à du simple charcutage.

— Je ne pense pas que vous l'oublierez lorsque vous serez en position d'exercer.

Touchée, Anna lui jeta un regard en coin.

— Vous essayez de me flatter ?

— J'essaye de vous comprendre.

— Daniel…

Comment était-elle censée se défendre, à présent ? Autant elle était armée contre son arrogance, autant sa gentillesse la laissait démunie.

— Essayer de me comprendre, c'est aussi respecter ce que je suis, n'est-ce pas ? Or, ma vocation médicale n'est pas seulement essentielle pour moi, elle est toute ma vie. Je me suis battue, j'ai travaillé dur pour arriver là où j'en suis. Et je refuse catégoriquement de me laisser distraire de mon but.

D'un doigt léger, il suivit la ligne de son épaule.

— Vous me considérez comme une distraction, Anna ?

— Je ne plaisante pas.

— Non, je sais. Je veux que vous deveniez ma femme.

La voiture fit une embardée. Avec un crissement de freins strident, la décapotable s'immobilisa au beau milieu de la route. Daniel ne put s'empêcher de sourire en voyant l'expression sidérée d'Anna.

— Dois-je interpréter cet arrêt brusque comme un oui retentissant ?

Il fallut dix bonnes secondes à Anna avant de recouvrer sa voix. Et le pire, c'est qu'il ne plaisantait pas ! Elle avait décidément affaire à un illuminé.

— Daniel MacGregor, auriez-vous par hasard perdu la tête ? Nous nous connaissons depuis une semaine et nous nous sommes vus trois fois en tout et pour tout. Et vous me demandez en mariage ! Si vous traitez vos affaires avec autant d'inconscience, expliquez-moi, s'il vous plaît, comment vous avez échappé à la faillite jusqu'à présent !

— Anna… J'aurais pu attendre avant de me déclarer, mais à quoi bon puisque je suis sûr de mon choix ?

— Sûr de votre choix…

Anna prit une profonde inspiration pour tenter de calmer le tumulte de ses émotions.

— Cela vous a-t-il traversé l'esprit, au moins, qu'il faut être *deux* pour conclure un mariage ? Que le choix que vous mentionnez constitue *l'aboutissement* d'un processus de rencontre entre deux personnes qui s'aiment, s'estiment, fonctionnent avec un minimum de valeurs communes et désirent construire une existence ensemble ?

Daniel balaya cet argument d'un haussement d'épaules.

— Et alors ? Vous et moi, ça fait bien deux, non ? Et j'ai toujours été rapide dans mes décisions.

— Deux, oui. Mais au cas où vous ne l'auriez pas remarqué, je ne suis pas *consentante* ! Je ne veux pas me marier, ni avec vous ni avec personne d'autre. J'ai encore quatre années difficiles devant moi et j'ai besoin de toute mon énergie pour terminer ma formation.

— Le fait que vous vous soyez mis en tête de devenir médecin ne me plaît pas beaucoup, c'est vrai. Mais je suis prêt à faire quelques concessions.

— Des *concessions* ?

Anna le gratifia d'un regard foudroyant.

— Ma carrière n'est pas une concession. C'est toute ma vie. J'ai fait des efforts démesurés pour essayer de rester calme et raisonnable avec vous, Daniel. Mais de toute évidence, c'était peine perdue. Alors mettez-vous ceci en tête, une fois pour toutes : vous perdez votre temps !

Il l'attira plus près, excité par sa colère, enragé par son rejet.

— Mon temps m'appartient. Je le perds si je veux, comme je veux et avec qui je veux.

Sans douceur aucune, cette fois, il s'empara de ses lèvres. En vérité, il n'aurait même pas su dire si elle lui opposa une résistance ou non. La pulsion à laquelle il obéissait était trop violente pour qu'il se soucie de vérifier s'il rencontrait une objection ou un assentiment.

La chaleur du soleil sur le visage d'Anna avait rendu sa bouche brûlante. Il la voulait pour lui, à lui. Entièrement. Ce n'était plus simplement une question d'objectif à atteindre. Un désir tout-puissant balayait ses calculs et ses ambitions. Il ne dominait, ne maîtrisait plus rien.

Anna aurait pu se défendre. Mais le baiser de Daniel

coïncidait de façon saisissante avec les fantasmes qu'elle s'était surprise à tisser autour de lui. Il était tel exactement qu'elle l'avait imaginé : fort, exigeant, dangereux, exaltant. Comment aurait-elle pu lui opposer de la froideur alors que tout en elle s'embrasait ? Comment aurait-elle pu lutter contre les sensations alors que le désir avait tout envahi, y compris sa volonté ?

En dépit d'elle-même, Anna accepta de plier, de ployer et de fondre. Et en s'abandonnant, elle donna plus qu'elle n'imaginait posséder ; elle prit plus qu'elle ne croyait désirer.

Et ce n'était pas fini.

Alors que le sang battait à ses tempes et pulsait follement dans ses veines, elle comprit que la simple présence de Daniel éveillerait désormais ces mêmes élans, susciterait la même ouverture de tout son être. Et elle sut également qu'elle n'aurait aucun moyen de lutter contre le phénomène.

Mais pour quelle raison, déjà, était-il vital à ce point de lutter et de dire non ?

« Il y a une raison. Une raison importante », se remémora-t-elle confusément. Mais elle avait beau faire appel à son sens logique, celui-ci refusait de fonctionner. Elle n'était que faiblesse dans les bras de Daniel. Mais à travers cette faiblesse même, ils créaient ensemble une puissance presque effrayante.

Lorsque, enfin, Anna trouva la force de se dégager, elle se redressa dans son siège et demeura quelques instants le regard rivé devant elle avant de se sentir capable de parler.

— Je ne vous reverrai plus après aujourd'hui.

Pendant une fraction de seconde, Daniel sentit une

peur panique le submerger. Mais il se ressaisit lorsqu'il nota le tremblement de ses mains.

— Ce n'est pas vrai et vous le savez aussi bien que moi.

— Je suis sincère.

— Je sais. Et pourtant, c'est faux.

— En voilà assez, Daniel! Vous n'entendez décidément rien de ce que l'on vous dit?

C'était la première fois qu'elle se laissait aller à exprimer sa colère. Même si elle la réprima presque instantanément, Daniel eut la confirmation que sous le calme visage angélique se cachait un sacré tempérament.

— Même si j'étais amoureuse de vous, ce qui n'est pas le cas, une nouvelle rencontre ne déboucherait sur rien. Il est donc inutile que nous nous revoyions.

Il enroula une mèche de ses cheveux autour de son doigt, puis la relâcha.

— Contentons-nous d'attendre et de laisser venir. La fuite n'est *jamais* une solution, Anna.

— Il ne s'agit pas d'une fuite mais d'une…

Un vigoureux coup de Klaxon réduisit Anna au silence. Une voiture déboîta derrière eux pour contourner la décapotable à l'arrêt. Le conducteur tourna la tête dans leur direction pour leur jeter un regard courroucé et prit le temps de lancer quelques invectives musclées avant de poursuivre sa route.

Lorsque Daniel éclata de rire, Anna posa la tête sur le volant et se joignit à son hilarité. Elle n'avait encore jamais croisé personne dans sa courte existence qui ait réussi à déclencher chez elle cette curieuse alternance de faiblesse, de fureur et d'amusement.

— Quelle situation absurde! s'esclaffa-t-elle en se redressant. Je serais tentée de dire que nous pourrions être amis, Daniel, si vous vouliez bien accepter d'oublier le reste.

Avant qu'elle puisse se dérober, il se pencha pour effleurer ses lèvres d'un baiser léger.

— Nous *serons* amis, Anna. Mais je veux aussi une épouse, une famille. Il arrive un moment dans la vie d'un homme où il a besoin de transmettre et de partager. Sinon tout le reste perd son sens.

Le menton posé sur ses bras croisés, Anna contempla l'herbe haute du talus, les fleurs des prés caressées par la brise.

— Je vous crois, Daniel. Je crois également que vous avez beaucoup d'ambition. Et que la décision que vous avez prise de « prendre femme » s'inscrit pour vous dans le cadre d'un projet plus vaste dont les grandes lignes sont déjà toutes tracées. Je pense qu'avant de porter votre choix sur moi, vous avez soigneusement défini vos critères et que votre décision est avant tout stratégique.

Surpris par sa perspicacité, Daniel songea qu'avoir une épouse aussi intelligente et lucide ne serait pas forcément facile tous les jours. Mais c'était Anna qu'il avait choisie et c'était Anna qu'il aurait.

— Pourquoi dites-vous cela ?

— Parce que vous raisonnez en bâtisseur d'empire. Et que vous gérez votre vie privée comme vous gérez votre portefeuille de titres.

Impressionné, Daniel ne chercha pas à biaiser :

— Je reconnais qu'il y a peut-être un peu de ça. Mais une chose est certaine : vous me correspondez.

Avec un imperceptible soupir, Anna se renversa contre son dossier.

— Le mariage n'est pas un arrangement pratique. Pas

à mes yeux, en tout cas. Je propose que nous fassions demi-tour et que nous prenions le chemin du retour.

Il lui posa la main sur l'épaule, alors qu'elle mettait le contact.

— Croyez-moi, Anna, il est déjà trop tard pour revenir en arrière. Autant pour vous que pour moi.

Chapitre 4

Des éclairs de chaleur sillonnaient le ciel et on entendait le tonnerre rouler au loin. Mais si l'air était bruissant d'électricité, la pluie, elle, continuait à se faire attendre. Et bien que l'été débutât à peine, la touffeur était suffocante. De temps en temps, une brise nerveuse agitait les frondaisons des arbres mais sans apporter la moindre fraîcheur. Avec un crissement de freins digne d'un cascadeur chevronné, Myra immobilisa sa vieille Chevrolet devant la maison des Ditmeyer.

— Quel bruit effroyable ! commenta-t-elle en tournant le rétroviseur pour inspecter son apparence. Il va vraiment falloir que je fasse quelque chose pour arranger ça.

— Arranger quoi ? Ton maquillage ? s'enquit Anna, impassible.

Myra fit la grimace.

— D'ici à la fin de la soirée, j'aurai sûrement quelques retouches à effectuer. Mais en attendant, je pensais à mon vieux tacot.

— Tu pourrais essayer de le conduire un peu plus en douceur, le tacot en question.

— Quelle idée ! Ce serait ennuyeux à mourir.

Anna descendit de la berline en riant.

— En tout cas, ne compte pas sur moi pour te prêter ma nouvelle voiture, fillette.

Claquant sa portière, Myra réajusta une bretelle de sa robe.

— Parce que tu as acheté une voiture !

— Pas encore, non. Mais je compte m'en occuper dès demain.

— Superbe idée ! Je t'aiderai à la choisir.

Myra glissa son bras sous le sien et elles empruntèrent l'allée pavée qui menait à la porte d'entrée de l'élégante demeure des Ditmeyer.

— Un appartement, une voiture... rien ne t'arrête plus, Anna. Qu'est-ce qui t'arrive, tout à coup ?

Levant la tête, Anna contempla avec exaltation le ciel épais, vivant, tourmenté où s'amassaient d'énormes nuages sombres.

— Ce qui m'arrive ? Je crois que j'ai pris la maladie de la liberté. Depuis que j'y ai goûté, je suis devenue insatiable.

Myra lui jeta un regard en coin.

— Mmm... Le seul domaine dans lequel tu étais insatiable, jusqu'à présent, c'était la lecture de gros pavés de physiologie. Je me demande dans quelle mesure Daniel MacGregor ne joue pas un rôle dans cette brusque transformation.

Très digne, Anna haussa les sourcils.

— Je ne vois vraiment pas quel rapport on pourrait établir entre Daniel MacGregor et l'achat d'une nouvelle voiture.

Myra rit doucement.

— Je ferais plutôt le rapport entre Daniel et le mot « insatiable ».

Au prix d'un remarquable effort sur elle-même, Anna réussit à rester impassible.

— Tu as une imagination terriblement fertile, Myra. J'ai tout simplement envie d'être autonome.

— Au volant d'un petit coupé rouge bien clinquant ?

— Je verrais plutôt quelque chose de blanc, de classique et d'élégant.

— Tu as raison. Choisis la classe, elle te va comme un gant.

Avec un soupir dépité, Myra recula d'un pas pour l'examiner.

— Si j'avais le malheur de mettre une couleur pêche comme celle de ta robe, on me confondrait avec le papier peint. Alors que toi, tu es à croquer là-dedans. La vie est d'une injustice criante.

Avec un léger rire, Anna lui reprit le bras.

— A croquer ? Merci bien. Je n'ai aucune envie d'être un objet de dégustation pour qui que ce soit. Et le clinquant te va extraordinairement bien, Myra.

Ravie, son amie lui posa un baiser sur la joue.

— Tu trouves, toi aussi ?

Lorsque le majordome des Ditmeyer vint leur ouvrir, Anna pénétra dans le vestibule d'un pas dansant. Pourquoi elle se sentait si heureuse, si excitée, elle n'aurait su le dire. Peut-être parce qu'elle commençait à prendre ses marques à l'hôpital de Boston. Ou était-ce à cause de la nouvelle technique chirurgicale de pointe dont le Dr Hewitt lui avait exposé les principes le jour même ? Une chose était certaine : sa bonne humeur n'avait rien à voir avec le flux de roses blanches qui continuait à déferler chez elle tous les jours.

Massive et imposante dans un ensemble en voile mauve, Mme Ditmeyer, la maîtresse de maison, s'avança pour les accueillir.

— Anna, comme vous êtes jolie, ce soir ! Les

couleurs pastel vont si bien aux jeunes filles. Quant à vous, Myra...

Louise Ditmeyer laissa glisser un bref regard désapprobateur sur le vert plutôt tonique de la robe de la jeune femme.

—... vous ne passerez pas inaperçue, conclut-elle en pinçant les lèvres.

— Oui, je vais très bien, merci, et vous ? répondit Myra d'une voix outrageusement suave.

Notant l'expression rebelle de son amie, Anna lui donna un discret coup de coude pour la faire taire.

— J'espère que nous n'arrivons pas trop tôt, madame Ditmeyer ?

— Mais pas du tout, mon petit. Pas du tout. Plusieurs invités sont déjà réunis dans le salon. Mais venez, suivez-moi, toutes les deux.

— Tu as vu sa démarche ? chuchota Myra. On dirait un navire de guerre, cette femme.

— Exact. Alors surveille ta langue si tu ne veux pas te faire torpiller sur place.

— Et va donc comprendre pourquoi elle s'habille en mauve avec le teint qu'elle a. On dirait qu'elle a la jaunisse, poursuivit Myra dans un murmure.

— Vos parents seront des nôtres, j'espère ? s'enquit poliment Mme Ditmeyer en se tournant vers Anna.

— Naturellement. Pour rien au monde, ils ne manqueraient cette soirée, lui assura Anna tout en songeant que le mauve, effectivement, n'était pas la couleur de Louise Ditmeyer.

Leur hôtesse fit signe à l'un de ses domestiques.

— Charles, servez donc un petit sherry à ces deux jeunes demoiselles. Je vous laisse vous débrouiller ? Vous trouverez bien à vous distraire, toutes les deux.

Les yeux étincelant de révolte, Myra se dirigea vers le bar.

— Donnez-moi plutôt un verre de bourbon, Charles.

— Et un Martini dry pour moi... Myra, essaye de te tenir, chuchota Anna à l'oreille de son amie. Je sais qu'elle est exaspérante, mais c'est la mère d'Herbert.

Myra prit son verre en maugréant.

— C'est facile à dire pour toi. C'est tout juste si elle ne te voit pas avec une auréole et deux petites ailes d'ange dans le dos.

— Tu exagères.

— Bon... juste avec l'auréole, si tu préfères.

— Tu veux que je renverse mon Martini sur le tapis, histoire de descendre de mon piédestal ? s'enquit Anna en picorant une olive.

Myra haussa les épaules.

— Comme si toi, tu étais capable de faire une... Oups ! Non, arrête ! s'exclama-t-elle en redressant le verre *in extremis*. Si tu l'avais jeté directement sur ce vieux dragon, j'aurais applaudi à deux mains. Mais ce serait dommage d'abîmer ce beau tapis. Pauvre Herbert... Tiens, regarde-le, le malheureux. Il s'est fait coincer par Mary O'Brian, grande chasseuse de beaux partis devant l'Eternel. Tu sais que je le trouve plutôt sympathique, au fond, notre Herbert ? J'aime assez son physique d'intellectuel. C'est dommage qu'il soit...

— Qu'il soit quoi ?

— Si terne, si sérieux, conclut Myra en riant. Mais voici quelqu'un de beaucoup plus fantaisiste, en revanche.

Anna n'eut même pas besoin de tourner la tête pour voir à qui Myra faisait allusion. Les dimensions de la pièce semblaient s'être rétrécies d'un coup. Alors que la température, elle, s'élevait en flèche. L'air était si lourd, si chargé qu'elle crut se trouver mal. Anna se souvint du baiser que Daniel et elle avaient échangé dans la voiture. Le frisson qui la parcourut fut si violent qu'elle connut un moment de panique. Avisant les portes-fenêtres ouvrant sur la terrasse, juste à sa droite, elle hésita à prendre la fuite.

Quitte à inventer une excuse quelconque par la suite.

— Eh bien…, commenta Myra en lui posant la main sur le bras. Tu trembles. J'étais loin de me douter qu'il t'affectait à ce point.

Furieuse contre elle-même, Anna porta son Martini à ses lèvres.

— Arrête de dire n'importe quoi, riposta-t-elle vertement.

Myra secoua la tête.

— Anna… hou hou ? C'est moi, O.K. ? Ton amie qui te veut du bien.

— Ce Daniel MacGregor m'affecte parce qu'il est affreusement collant, c'est tout. Ça m'angoisse qu'il se montre aussi insistant.

— Mmm… Si tu veux mon avis, ce n'est pas tout à fait aussi simple que cela. Mais en attendant que tu veuilles bien le reconnaître, allons sauver Herbert des griffes de Mary.

Anna se laissa entraîner sans protester. Elle tanguait un peu, comme si elle avait avalé quelque substance hallucinogène. Son attirance pour Daniel était purement physique, soit. Mais le phénomène avait une nette tendance à s'aggraver à chaque rencontre.

Et il lui était *insupportable* de se sentir dans cet état. Comme si la simple présence de Daniel dans un même espace suffisait à créer de violentes perturbations magnétiques.

« Et si tu te ressaisissais, tout simplement, Anna Whitfield ? » Elle avait toujours maîtrisé son corps à la perfection. Et exercé sur ses émotions un contrôle d'acier. Pourquoi, tout à coup, perdrait-elle toute emprise sur elle-même ? Sans compter que rien ne justifiait son état de panique. Ils étaient entre personnes de bonne compagnie, après tout. Et non plus seuls, sur une route de campagne, dans une voiture à l'arrêt...

— Bonsoir, Herbert. Bonsoir, Mary, lança Myra bruyamment.

Pendant que Mary se tournait vers Anna pour échanger quelques mots, Myra prit le bras d'Herbert d'un geste possessif.

— Alors, Herbert ? Tu as jeté du beau monde en prison, récemment ?

Mary pinça les lèvres d'un air indigné.

— Comment peux-tu poser une question pareille ? Herbert occupe une fonction importante au sein de notre système judiciaire.

— Ah tiens !... Et moi qui croyais qu'il se contentait de jeter des malfrats au trou.

Herbert hocha gravement la tête.

— C'est une de mes activités favorites, en effet. J'écume les rues le soir pour ramasser des voyous par paquets.

Ravie qu'il entre dans son jeu, Myra battit des cils en se penchant vers lui.

— Oh ! Herbert... J'adore les durs comme toi, minauda-t-elle.

L'imitation de Cathleen Donahue était si parfaite que Mary, qui était sa meilleure amie, lui jeta un regard noir, et s'éloigna sans un mot.

Myra ouvrit de grands yeux innocents.

— Tiens… Elle n'a pas l'air contente. De quel mal peut-elle bien être atteinte ? Tu as un avis médical sur la question, Anna ?

— Il pourrait s'agir d'un cas de méchanceté terminale. Mais attention, ma chère, c'est très contagieux, ajouta Anna avec un sourire affectueux en tapotant la joue de son amie.

— Belle manœuvre, ma foi.

Anna se figea au son de cette voix. Comment un être aussi massif parvenait-il à se déplacer avec une pareille discrétion ?

Myra salua Daniel avec un plaisir manifeste.

— Bonsoir, monsieur MacGregor. Vous avez apprécié le ballet, finalement ?

— Beaucoup, oui. Mais j'ai trouvé votre petit numéro d'actrice très distrayant également.

— Avec Myra, la vie n'est jamais terne, commenta Herbert en échangeant une poignée de main avec Daniel.

Myra parut agréablement surprise par cette observation.

— Voilà un compliment comme je les aime. Je crois que je prendrais bien un second apéritif avant le dîner. Tu me tiens compagnie, Herbert ? Tu me dois bien ça à présent que je t'ai sauvé la vie.

Daniel la suivit des yeux en secouant la tête.

— Eh bien… c'est une personnalité, votre amie.

« Et une immonde lâcheuse », compléta Anna intérieurement. Une fois de plus, Myra la laissait en tête à tête avec le seul homme présent à cette soirée avec lequel elle aurait voulu éviter de se retrouver seule.

— En effet, oui. Herbert n'a même pas eu le temps de placer un mot, commenta-t-elle avec un léger soupir.

— Mais il n'a pas l'air de s'en plaindre. J'aime beaucoup votre coiffure.

Anna faillit porter la main à ses cheveux. Comme elle n'avait pas eu le temps de se coiffer en sortant de l'hôpital, elle s'était contentée de les tirer en arrière. Avec le visage ainsi dégagé, elle se sentait plus exposée, plus vulnérable qu'à l'ordinaire.

— Merci. C'est la première fois que vous venez chez les Ditmeyer ?

— Oui. Mais vous changez de sujet une fois de plus.

— Ils ont de magnifiques Waterford dans leur salle à manger. Pensez à jeter un œil lorsque nous passerons à côté pour dîner.

— Vous aimez le cristal ?

— Beaucoup, oui. A première vue, c'est une matière qui paraît froide, sans vie. Mais il suffit de le regarder à la lumière pour avoir de belles surprises.

— Si vous acceptiez de venir dîner un soir chez moi, je vous montrerais ma collection.

La proposition lui parut si outrancière qu'elle ne prit même pas la peine de relever.

— Vous êtes collectionneur, Daniel ?

— J'aime les belles choses, murmura-t-il en plongeant les yeux dans les siens.

Affrontant son regard sans ciller, Anna réussit à garder son calme.

— Si c'est un compliment, je le prends pour ce qu'il est. Mais je n'ai pas l'intention de faire partie de votre assortiment d'objets rares.

— Je n'ai pas envie de vous mettre dans une vitrine ou sur une étagère. J'ai envie de vous tout court.

Il lui prit la main, resserrant sa prise lorsqu'elle chercha à se dérober.

— Vous avez un petit côté farouche qui ne me déplaît

pas, commenta-t-il avec une pointe de satisfaction possessive dans la voix.

— Je ne suis pas farouche, je suis distante. Vous pouvez me rendre ma main, s'il vous plaît ?

Daniel avait la ferme intention de la garder, au contraire.

— Vous avez vu qu'elle se loge à la perfection dans la mienne ?

— N'importe quelle autre main de femme y trouverait sa place.

— Je ne crois pas, non.

— Daniel…

— Notre hôtesse nous fait signe, ma chère. Allons dîner.

Anna ne put rien avaler. Elle avait rarement beaucoup d'appétit — ce qui avait le don de rendre Myra malade de jalousie. Mais ce soir, rien ne passait. Au début, elle avait cru à un mauvais tour du destin en découvrant que Daniel avait été placé *précisément* à côté d'elle. Mais en voyant son petit air satisfait, elle comprit qu'il avait manœuvré avec son impudence habituelle pour modifier le plan de table initialement prévu par leur hôtesse. *Lui* ne boudait pas la nourriture, constata-t-elle en l'observant du coin de l'œil. Il lui fit même honneur, au contraire. Alors qu'elle avait toutes les peines du monde à faire semblant de s'intéresser au contenu de son assiette.

Comme par hasard, Daniel était aux petits soins avec elle, alors qu'il n'accordait à sa voisine de droite qu'une attention des plus distraites. Régulièrement, il se penchait vers elle, l'incitait à faire honneur à son repas, à goûter ceci ou cela.

Elevée dans le respect du savoir-vivre, Anna se forçait stoïquement à surveiller ses manières. Ses parents, assis en face d'elle, les observaient avec un sourire attendri.

Et ils n'étaient pas les seuls à avoir remarqué le manège de Daniel. Tout autour de la table, on hochait la tête, on échangeait des commentaires à voix basse. Daniel faisait tout ce qu'il fallait pour donner d'eux l'image d'un couple d'amoureux.

Anna, qui se flattait de garder le contrôle d'elle-même en toute circonstance, sentit monter peu à peu une colère homérique. Faisant mine de se pencher pour ramasser sa serviette, elle finit par le menacer avec un sourire suave :

— Si vous n'arrêtez pas immédiatement de jouer les amoureux transis, je renverse mon vin sur vos genoux.

Daniel lui tapota la main.

— Vous ne feriez pas une chose pareille.

Anna ne répondit rien, s'arma de patience, et attendit le dessert. Puis, d'un geste rapide, elle fit basculer son verre. Daniel réussit à le redresser à la dernière seconde et le bourgogne s'étala sur la nappe au lieu d'atterrir sur lui. Il entendit Anna jurer tout bas et faillit éclater de rire.

— Mon Dieu ! que je suis maladroit avec mes grandes mains ! commenta-t-il à voix haute en se tournant vers leur hôtesse. Je suis absolument désolé.

— Cela n'a aucune importance, déclara aimablement Mme Ditmeyer. Les nappes sont faites pour être salies, après tout. Vous n'en avez pas renversé sur vous, j'espère ?

Daniel lui adressa un magnifique sourire.

— Pas une goutte, non.

Lorsque la rumeur des conversations reprit, il se pencha vers Anna.

— Jolie manœuvre. Vous avez été très rapide. Vous savez que je vous trouve de plus en plus excitante ?

— Vous auriez été encore plus excité si j'avais atteint mon but.

Il leva son verre et le fit tinter contre le sien.

— Comment croyez-vous que réagirait notre hôtesse si je vous embrassais ici et maintenant ?

Anna prit ostensiblement son couteau et l'examina comme si elle en admirait la forme. Elle lui jeta un regard tranchant comme l'acier.

— Si j'étais vous, je ne m'y risquerais pas.

Cette fois, il ne chercha même pas à contenir son rire.

— Anna, vous êtes extraordinaire. Je ne voudrai jamais d'autre femme au monde que vous, lança-t-il de façon à être entendu par une bonne moitié des convives en présence. Mais je ne vous embrasserai pas maintenant. Je n'ai pas envie que vous fassiez vos débuts en chirurgie en vous servant de moi comme cobaye.

Après le dîner, Anna se trouva entraînée dehors par tout un groupe de jeunes gens. L'orage était resté comme en suspens depuis le début de la soirée. Mais le vent qui s'était levé avait rafraîchi l'atmosphère et on sentait dans l'humidité de son souffle comme une caresse de pluie. Un savant éclairage d'extérieur conférait aux jardins une beauté presque irréelle. Par les fenêtres ouvertes de la maison on entendait pleurer les violons tziganes. Le petit groupe se scinda et les jeunes gens s'éloignèrent par paires pour flâner dans les allées.

— Vous vous y connaissez, en jardinage ? demanda Daniel.

Anna ne fut pas autrement surprise de le trouver à son côté. Se débarrasser de lui ne serait pas une mince affaire, de toute évidence.

— Un peu, répondit-elle avec un haussement d'épaules.

— Steven est meilleur chauffeur qu'il n'est jardinier, commenta Daniel en se penchant pour admirer une pivoine blanche. Ce n'est pas qu'il soit négligent, mais il manque d'imagination. J'espérais qu'il apporterait une touche plus…

— Spectaculaire ? suggéra Anna.

Le mot plut à Daniel.

— Spectaculaire, oui. Et colorée. En Ecosse, la lande était couverte de bruyère et les rosiers sauvages poussaient entre les ronces. Pas des rosiers de jardin comme on en voit ici, mais de solides églantiers de chez nous.

Sans tenir compte du murmure désapprobateur d'Anna, il cueillit une fleur de seringa et la glissa dans ses cheveux.

— Ces fleurs domestiquées sont agréables à contempler, surtout sur vous. Mais les églantines qui s'épanouissent sur la lande ont une beauté délicate et fragile qui vous prend aux tripes.

Anna avait oublié qu'elle ne voulait surtout pas de la compagnie de Daniel. Elle ne songeait même plus à vérifier du coin de l'œil que ses amis restaient à distance confortable. Elle n'avait plus en tête que des visions de roses pâles et de lande sauvage.

— L'Ecosse vous manque ?

— Parfois, oui. Généralement, je suis trop occupé pour y penser, mais de temps en temps, j'ai la nostalgie des collines aux couleurs étranges, de la mer grise et de l'herbe si verte qu'on n'en trouve nulle part ailleurs d'aussi belle.

Ainsi il pleurait son pays comme on pouvait pleurer la perte d'un être cher. Anna l'entendit aussi distinctement dans sa voix que s'il avait exprimé son déchirement par des mots.

— Vous avez l'intention d'y retourner, à terme?

Elle se surprit à attendre sa réponse avec une tension qui ressemblait presque à de la peur. Daniel détourna la tête et un éclair sillonna le ciel, dessinant ses traits comme au scalpel. Le cœur d'Anna se mit à battre follement. Il ressemblait à l'image qu'elle s'était toujours faite du dieu Thor : puissant, farouche, invulnérable.

— Non, dit-il. C'est ici que je veux construire ma maison. Ici que je veux faire ma vie.

— Vous n'avez plus de famille en Ecosse?

— Plus personne, non.

La tristesse était audible dans sa voix, mais son visage demeura impassible.

— Je suis le dernier de ma lignée. Et il me faut des fils, Anna.

Il la regarda fixement, sans la toucher.

— Je voudrais aussi des filles. Et que ce soit vous qui me les donniez.

La demande qu'il lui formulait était aussi absurde que choquante. Alors pourquoi sa requête lui paraissait-elle soudain si... naturelle? Mal à l'aise, Anna recommença à déambuler le long de l'allée bordée de chèvrefeuille.

— Je n'ai pas envie de me disputer avec vous, Daniel.

— Parfait. Alors j'en conclus que nous sommes tombés d'accord.

Il l'attrapa par la taille et la fit pivoter vers lui. Une lueur amusée dansait de nouveau dans ses yeux bleus.

— Partons dans le Maryland et marions-nous dès demain matin.

— Non!

Renonçant à garder sa sacro-sainte dignité, Anna se

tortilla pour lui échapper. Mais Daniel raffermit son étreinte.

— Si vous préférez un mariage dans les formes, je peux attendre une semaine de plus.

— Non, non et non !

Pourquoi la situation lui paraissait soudain si hilarante, elle n'aurait su le dire. Mais Anna se mit à rire aux éclats. Elle plaqua les mains contre son torse et le repoussa de toutes ses forces.

— Daniel MacGregor, sous cette masse de cheveux rouges se cache la pire tête de mule que j'aie jamais rencontrée ! Je ne vous épouserai pas, vous m'entendez ? Ni aujourd'hui, ni dans un an, ni jamais !

Il la souleva de terre pour amener son visage à hauteur du sien. Une fois le premier choc passé, Anna trouva que la situation ne manquait pas de charme.

— On parie ? lui lança-t-il simplement.

Haussant les sourcils, elle le toisa sans ciller.

— Je vous demande pardon ?

— Ah ! Anna… J'adore votre petit côté rebelle !

Il s'empara de ses lèvres pour lui prodiguer un baiser aussi bref que passionné. Des visions colorées explosèrent derrière les paupières closes d'Anna.

— Si seulement, je n'avais pas ces fichues intentions honorables envers vous, je vous jetterais sur une épaule et la question serait vite réglée.

Comme elle lui lançait un regard outré, il éclata de rire et la gratifia d'un second baiser.

— Mais comme je suis un homme sérieux, je me contenterai de passer un pari avec vous.

Un pari ? Anna cligna des paupières. S'il l'embrassait une troisième fois comme il venait de l'embrasser, elle ne serait même plus capable de citer sa propre adresse de mémoire.

— Reposez-moi, ordonna-t-elle.

— Pourquoi vous reposerais-je ?

— Parce que vous êtes en danger de prendre un coup de genou mal placé.

Daniel se souvint du verre de vin et du couteau et décida qu'un compromis s'imposait. Il la remit sur ses pieds mais garda les mains autour de sa taille.

— Un pari, répéta-t-il.

— Je ne comprends pas de quoi vous me parlez.

— Vous m'avez dit que j'avais le goût du risque. Et c'est vrai : j'aime jouer. Qu'en est-il pour vous ?

Les joues en feu, elle découvrit que ses mains étaient toujours plaquées contre la poitrine de Daniel.

— Moi ? Je ne joue pas. Jamais.

— Là, vous mentez, protesta-t-il, le regard étincelant. Une fille qui décide d'exercer le métier de chirurgien, de faire un pied de nez aux conventions et aux usages, et de vivre seule dans son appartement n'est pas quelqu'un qui assure forcément toujours ses arrières. Des risques, vous en prenez. Et pas des moindres.

Il avait raison. Entièrement raison. Relevant la tête, elle soutint son regard.

— Alors, ce pari ? Ça vient ?

Un sourire de triomphe s'épanouit sur les traits de Daniel.

— Ah ! Je savais que nous allions nous comprendre.

Il l'aurait soulevée dans ses bras de nouveau si elle n'avait pas plissé les yeux d'un air dissuasif.

— Moi je dis que, dans moins d'un an, vous serez ma femme.

— Et moi je soutiens le contraire.

— Voilà qui résume assez bien nos positions mutuelles. Si je gagne, vous passez la première semaine de votre vie de femme mariée au lit avec moi. Pendant sept jours et sept nuits, nous mangerons, nous dormirons et nous ferons l'amour.

S'il avait pensé la choquer, il en était pour ses frais. Anna se contenta de hocher la tête.

— O.K. Et si vous perdez ?

— Posez vos conditions.

Anna sourit. Tant qu'à fixer un enjeu, autant viser haut.

— Vous faites un don à l'hôpital. Suffisant pour construire une nouvelle aile.

Il accepta sans une hésitation.

— Ça marche.

Anna savait qu'il tiendrait parole, même si les termes du contrat étaient totalement absurdes. Elle lui tendit la main et scella leur pacte. Daniel porta ses doigts à ses lèvres.

— C'est la première et la dernière fois de ma vie que je joue mon avenir sur un coup de dés. Maintenant, laissez-moi vous embrasser, Anna.

Effleurant ses tempes de ses lèvres, il murmura :

— Nous avons fixé les enjeux, mais quelle est la cote, Anna, mon amour ? Quelles sont nos chances respectives ?

Sa bouche glissa lentement sur son visage. Ses mains allaient et venaient dans son dos, caressaient la peau sensible de son cou, puis revenaient à la taille. Il la sentit se dénouer peu à peu dans son étreinte, se faire plus douce, plus réceptive, s'ouvrir peu à peu comme le plus délicat des calices.

Le tonnerre vibra au loin, mais ce furent ses propres battements de cœur qu'Anna crut entendre exploser autour d'elle. Lorsqu'un éclair jaillit, il lui sembla que son sang entier s'embrasait, se consumait et retombait en cendres. Que savait-elle, au fond, du désir, de la passion ? Aucun homme, jamais, ne l'avait amenée là où Daniel la conduisait sans effort.

Etrangement, son impression première fut de beauté. Beauté de leurs gestes, beauté de leur attirance, beauté de ce qui s'échangeait de leurs corps et de leurs regards. La bouche de Daniel, qui n'avait cessé d'errer sur son visage, vint enfin se poser sur la sienne. Mais, à peine posée, s'éloigna de nouveau. Avec un murmure de frustration, elle se pressa plus étroitement contre lui.

Au même moment, le ciel s'ouvrit et une pluie torrentielle s'abattit sur eux. Jurant avec force, Daniel la souleva dans ses bras.

— Vous me devez un baiser, Anna Whitfield, cria-t-il pour couvrir le fracas de l'orage.

Un instant, il demeura immobile sous le déluge, ses yeux bleus reflétant les éclairs qui trouaient la nuit.

— Et croyez-moi, je saurai exiger le paiement de votre dette, murmura-t-il avant de prendre son élan pour courir jusqu'à la terrasse couverte.

Fallait-il vraiment s'étonner, après cela, si Anna passa la journée du lendemain dans un état de distraction avancée ? A plusieurs reprises, elle se surprit à partir dans une direction pour découvrir trois mètres plus loin qu'elle avait oublié ce qu'elle faisait et où elle allait. Son incapacité à se concentrer la mettait dans une colère noire. Aussi bien contre elle-même que contre Daniel. Que se passerait-il si, une fois médecin et responsable de ses patients, elle continuait à se laisser déstabiliser ainsi par des épisodes contingents relevant de sa vie privée ? Tant qu'elle était à l'hôpital, elle ne pouvait se permettre de penser à autre chose qu'aux tâches qui lui incombaient.

Mais comment oublier l'exaltation ressentie lorsque Daniel l'avait emportée dans ses bras sous l'orage ? En arrivant, il avait franchi les portes-fenêtres avec fracas et interrompu la paisible partie de bridge que Mme Ditmeyer avait organisée avec quelques-uns de ses invités. Il avait fait un foin de tous les diables, décrétant qu'elle risquait un refroidissement et exigeant qu'on lui apporte sur l'heure un cordial ainsi que des serviettes de toilette.

Anna aurait pu se sentir mal à l'aise. Et même mortifiée. Au lieu de quoi elle avait trouvé l'attitude de Daniel parfaitement attendrissante. Même avec le recul, elle ne pouvait s'empêcher de sourire en se remémorant la réaction stupéfaite de Louise Ditmeyer.

Elle passa l'essentiel de sa journée dans les différents services, à distribuer des livres et des magazines et à passer de lit en lit, prenant le temps d'échanger quelques mots avec chaque malade. Dans les salles communes, ces derniers n'étaient séparés les uns des autres que par de simples paravents. La promiscuité, pour certains, était aussi lourde à vivre que la maladie. Mais la place et les médecins manquaient. Anna sourit en songeant au pari qu'elle avait passé avec Daniel. De ce point de vue-là, au moins, son étrange histoire avec lui pouvait se montrer bénéfique pour l'hôpital.

Dans moins d'une heure, elle avait rendez-vous avez Myra, calcula-t-elle en regardant sa montre. Son amie avait promis de l'accompagner pour l'aider à choisir sa future voiture. Anna sourit, égayée par cette perspective.

Elle n'avait pas menti en affirmant à Myra qu'elle aspirait à une nouvelle liberté. Mais même si elle était pressée de faire le tour des concessionnaires, elle ne voulait pas quitter l'hôpital avant d'avoir consacré quelques instants à Mme Higgs.

Poussant la porte de la chambre 521, elle entra avec un large sourire et s'immobilisa net.

— Oh! Anna, vous voilà! Nous commencions à nous demander si vous passeriez ou non aujourd'hui.

Assise toute droite dans son lit, les yeux brillant d'excitation, Mme Higgs lui adressa un sourire radieux. Un magnifique bouquet de roses rouges était placé sur sa table de chevet. Et, assis dans un fauteuil près du lit, comme un prétendant fidèle, trônait… Daniel MacGregor.

— Je vous l'avais bien dit, madame Higgs, qu'elle ne quitterait pas l'hôpital avant d'être venue vous dire un petit bonjour.

— Daniel a raison, acquiesça Anna, troublée, en s'approchant du lit. Vous avez l'air en forme aujourd'hui.

Mme Higgs porta la main à ses cheveux.

— Si j'avais su que j'aurais un visiteur, je me serais coiffée un peu mieux que cela.

Elle tourna vers Daniel un regard presque adorateur.

— Vous êtes très belle, madame Higgs, dit-il en prenant une de ses mains entre les siennes.

Anna fut agréablement surprise par le respect qui transparaissait dans la voix de Daniel. Elle était toujours très choquée par la façon condescendante dont la plupart des gens traitaient les personnes âgées ou malades.

Mme Higgs, elle, était aux anges.

— C'est important de se faire belle lorsqu'on a un monsieur en visite. Vous ne trouvez pas, Anna?

— Je suis de votre avis.

S'approchant du pied du lit, Anna vérifia discrètement la courbe de température.

— Quel bouquet magnifique ! Vous ne m'aviez pas dit que vous comptiez passer à l'hôpital, Daniel ?

Il décocha un clin d'œil complice à Mme Higgs.

— J'ai toujours aimé les surprises.

— N'est-ce pas charmant de la part de votre bon ami d'avoir pris le temps de venir bavarder un moment avec moi ?

— Daniel n'est pas mon…

Se reprenant juste à temps, Anna poursuivit d'un ton plus calme :

— Oui, c'était une bonne idée.

— Maintenant, filez donc vous promener, tous les deux. Vous avez mieux à faire ensemble que de traîner dans une chambre d'hôpital.

Si le ton de Mme Higgs restait enjoué, elle était manifestement épuisée. Serrant la main de Daniel dans la sienne, elle leva vers lui un sourire fatigué.

— Vous repasserez à l'occasion, n'est-ce pas ? J'ai eu tant de plaisir à bavarder avec vous.

Dans la voix de Mme Higgs, Daniel entendit la solitude et la peur qu'elle cherchait si désespérément à cacher. Il se pencha pour l'embrasser sur la joue.

— Bien sûr que je reviendrai. Vous croyez que maintenant que nous avons fait connaissance, je voudrais me priver du plaisir de votre compagnie ?

Avant de quitter la chambre, Anna arrangea les oreillers de Mme Higgs et l'aida à se coucher dans une position plus confortable. Daniel la regarda procéder avec fascination. Pour la première fois, il vit que les mains d'Anna n'étaient pas seulement fines, gracieuses et faites pour être couvertes de baisers. C'étaient aussi des mains de soignante, fortes, compétentes, assurées.

Ce constat suscita chez lui comme une pointe de malaise.

— Vous avez fini votre journée, Anna ? s'enquit-il dès qu'ils eurent pris congé de Mme Higgs.

— Oui, j'allais partir, justement.

— Je vous raccompagne ?

— Non, ce ne sera pas nécessaire. J'ai rendez-vous avec Myra.

— Je peux vous déposer, alors, proposa-t-il tandis qu'elle appelait l'ascenseur.

Il la voulait pour lui seul, quelque part loin de cet hôpital où elle avait l'air si forte et si sûre d'elle.

— C'est à deux pas d'ici.

— Dînez avec moi ce soir, Anna, murmura-t-il en pénétrant à sa suite dans la cabine d'ascenseur.

— C'est impossible. J'ai déjà d'autres projets.

— Demain, alors ?

— Je ne sais pas, je…

En proie à un tourbillon d'émotions compliquées, Anna franchit la porte de l'hôpital et offrit son visage à la chaude caresse du soleil.

— Daniel, pourquoi être venu ici aujourd'hui ?

— Pour vous voir, bien sûr.

— Mais c'est au chevet de Mme Higgs que je vous ai trouvé.

Elle avait juste mentionné le nom de la malade une fois. Comment expliquer qu'il l'ait retenu ? Et pourquoi avait-il pris la peine de consacrer son temps précieux à une inconnue dont il n'avait rien à attendre ?

Daniel parut désarçonné par sa remarque.

— Vous pensez que ma présence l'a fatiguée ? J'ai

eu l'impression qu'elle appréciait d'avoir un peu de compagnie.

Anna secoua la tête en cherchant les mots justes. L'authentique gentillesse dont il avait fait preuve la prenait au dépourvu. Elle l'avait accusé de gérer sa vie privée comme il gérait ses affaires. Mais quel gain pouvait-il espérer retirer d'une visite à Mme Higgs?

— Ce que vous avez fait pour elle, au stade où elle en est, constitue une aide infiniment plus précieuse que celle que la science médicale peut encore lui apporter.

Elle s'immobilisa sur le parking et lui fit face.

— Pourquoi ce geste envers une malade incurable, Daniel? Vous essayez de m'impressionner favorablement à votre égard?

Daniel hésita. Mais il lui fut impossible de mentir face au regard empreint de gravité qu'elle posait sur lui. C'était bel et bien pour se valoriser auprès d'Anna qu'il avait eu la brillante idée d'aller voir « sa » malade. Mais une fois assis au chevet de Mme Higgs, il avait retrouvé comme le reflet de sa propre mère dans la beauté fanée, la courageuse dignité de l'ancienne femme fatale. Il retournerait voir Mme Higgs, comme il le lui avait promis. Mais pas pour Anna, cette fois.

— L'idée de base, c'était de faire impression sur vous, en effet. Et puis je voulais passer un moment à l'hôpital pour tenter de comprendre ce qui vous fascinait tant dans cet univers. Je n'ai pas encore réussi à percer entièrement le mystère. Mais certains aspects se sont éclaircis.

Comme Anna ne disait rien, il fourra les mains dans ses poches. Anna Whitfield et ses états d'âme devenaient une source de préoccupation constante pour lui. Il avait envie de la voir sourire. Il voulait la voir heureuse, entendre encore et encore l'éclat joyeux de son rire.

En l'occurrence, il se serait même contenté d'un de ses regards hautains. Mais son absence de réaction le rendait fou.

— Alors? C'est tout ce que vous avez à me dire? Vous avez été impressionnée, oui ou non?

Anna s'immobilisa pour lever les yeux vers lui. Son regard était calme, fixe, indéchiffrable. Daniel tomba des nues lorsqu'elle tendit les bras vers lui pour porter les mains en corolle autour de son visage. Sans la moindre précipitation ni nervosité, elle pressa ses lèvres contre les siennes. Et demeura ainsi un long moment, ses yeux grands ouverts arrimés aux siens.

Puis, toujours sans un mot, elle le lâcha et s'éloigna.

Pour la première fois, en trente années d'existence, Daniel MacGregor se trouva frappé de mutisme.

Chapitre 5

Installé derrière son bureau présidentiel, au cœur du vieil établissement financier qu'il venait d'acquérir, Daniel tirait pensivement sur son cigare en écoutant le rapport circonstancié que lui faisait son directeur. Il devait admettre que l'homme connaissait son métier. Très à l'aise avec les chiffres, Bombeck jonglait habilement avec les taux, les pourcentages et les indices.

Le seul problème, c'est qu'il avait une vision étriquée de la finance et qu'il ne voyait pas plus loin que le bout de son nez.

—... je recommande donc que la banque saisisse les biens des Halloran. La vente de leur propriété aux enchères devrait couvrir le principal restant dû et assurer de surcroît à la banque un profit d'au minimum cinq pour cent sur le montant investi.

Daniel secoua négligemment la cendre de son cigare.

— Accordez-leur le délai dont ils ont besoin.

— Je vous demande pardon ?

— Accordez aux Halloran le report de crédit qu'ils ont demandé, Bombeck.

Donnant des signes d'agitation manifeste, le directeur de banque remonta ses lunettes sur son nez.

— Peut-être ne me suis-je pas exprimé de façon claire. Ces gens ont pris six mois de retard sur leur remboursement d'emprunt. Et même si Halloran trouve du travail rapidement, comme il le prétend, il ne pourra pas redresser sa situation ce trimestre. J'ai tous les chiffres ici, si vous désirez vérifier par vous-même.

— Je n'ai aucun doute sur les chiffres, marmonna Daniel en réprimant un bâillement.

Il s'ennuyait, ce qui était mauvais signe. Pour rester pointu en affaires, il ne fallait jamais laisser la lassitude s'installer. Bombeck plaça son rapport devant lui.

— Tenez, le plus simple serait que vous jetiez un œil là-dessus. A la vue des chiffres, vous comprendrez que...

— Vous avez bien entendu, je crois ? Accordez un délai supplémentaire de six mois aux Halloran afin de leur laisser le temps de se récupérer.

Bombeck pâlit.

— Six mois ! Monsieur MacGregor ! Votre générosité est admirable mais vous savez aussi bien que moi que ce n'est pas avec des bons sentiments que l'on fait tourner une banque.

Daniel tira sur son cigare. Un sourire jouait au coin de ses lèvres mais son regard était glacial.

— Ah vraiment, Bombeck ? C'est très aimable à vous de m'en informer.

Bombeck s'humecta les lèvres.

— Monsieur MacGregor, en tant que directeur de la Old Line...

— Qui était sur le point de couler, il y a un mois lorsque je l'ai rachetée, l'auriez-vous oublié ?

Bombeck s'éclaircit la voix.

— Justement, monsieur MacGregor, justement... En tant que directeur de cette banque depuis quinze ans, je me sens tenu de mettre mon expérience à votre service.

— Quinze ans, vraiment ?

En vérité, Bombeck occupait son poste depuis exactement quatorze ans, huit mois et trois jours. Daniel avait étudié de près les dossiers de chacun des membres du personnel, du directeur à la femme de ménage, en passant par les guichetiers. Et il était capable de réciter la plupart des *curriculum vitæ* de mémoire.

Il se renversa contre son dossier et un rayon de soleil éclaira sa fière crinière d'un halo de feu.

— Je vais essayer de vous présenter ma façon de voir, Bombeck. Vous estimez que la saisie et la vente des biens des Halloran nous rapporteraient un profit d'environ cinq pour cent, n'est-ce pas ?

Bombeck eut un petit rictus sarcastique.

— C'est *exactement* cela, monsieur MacGregor.

— Bien, bien. Si les Halloran continuent à rembourser leur emprunt pendant les douze années qui restent à courir, nous pouvons compter sur des bénéfices environ trois fois plus élevés, vous êtes d'accord ?

— A long terme, oui, bien sûr, si l'on compte les intérêts cumulés. Je pourrais vous procurer les chiffres exacts. Mais…

— Parfait. Je vois que nous nous comprenons. Alors accordez-leur les six mois dont ils ont besoin.

Daniel, qui aimait ménager ses effets, laissa planer une seconde de silence avant de lâcher sa bombe :

— Dès le mois prochain, nous baisserons notre taux d'intérêt sur l'emprunt.

— Baisser notre taux d'intérêt ? Mais, monsieur MacGregor…

— Nous augmenterons également notre taux de rémunération de l'épargne.

— Monsieur MacGregor, vous êtes conscient, je suppose, qu'une telle mesure précipiterait les comptes de la Old Line dans le rouge ?

— A court terme, oui, concéda Daniel patiemment. Mais à *long terme* — c'est un concept avec lequel vous êtes familier, je suppose ? —, nous compenserons par le volume de crédits accordés. Il va sans dire que nous attirerons une large clientèle avec les conditions avantageuses que nous serons en mesure d'offrir.

Livide, Bombeck hocha la tête.

— Avez-vous la moindre idée de ce que de telles mesures coûteraient à la banque ? Je ferai le calcul exact et je vous fournirai les chiffres dans quelques jours. Mais je peux d'ores et déjà vous assurer qu'avec une pareille politique, dans six mois, nous...

— Dans six mois, la Old Line sera le plus gros établissement financier du Massachusetts, en effet, compléta Daniel avec un large sourire. Je suis ravi que vous pensiez comme moi sur ce point. Nous allons devoir passer quelques annonces publicitaires pour faire connaître nos nouvelles orientations, bien sûr.

— *Des annonces publicitaires*, répéta Bombeck d'une voix faible, comme un homme qui s'enfonce irrémédiablement dans les affres du cauchemar.

— Une annonce d'une page fera l'affaire. Elle devra accrocher l'œil sans tomber pour autant dans la vulgarité. Je vous laisse plancher tranquillement sur le sujet et nous nous reverrons demain matin à 10 heures pour refaire le point. Bonne journée.

Se voyant proprement congédié, Bombeck se leva comme un automate et quitta le bureau en bredouillant quelques syllabes indistinctes.

Avec un soupir d'impatience, Daniel écrasa son cigare dans le cendrier. Tout banquier digne de ce nom devrait comprendre que la prise de risque faisait partie intégrante de son rôle, bon sang ! C'était en tout cas la façon dont il concevait le métier. Et la frilosité poussiéreuse de tous les Bombeck de la Création avait le don de l'exaspérer.

Se levant de son fauteuil, Daniel se dirigea vers la fenêtre et contempla la rue élégante avec ses belles façades en brique. A ce stade, sa vie entière pouvait encore basculer. Il avait de l'argent, certes, mais rien ne prouvait qu'il n'aurait pas tout perdu dans six mois.

Avec un haussement d'épaules, Daniel alluma un second cigare. Cette perspective, étrangement, ne l'effrayait pas. S'il perdait sa fortune nouvellement acquise, il repartirait de zéro et trouverait le moyen de se refaire. Il avait confiance en ses propres capacités.

S'il perdait l'argent, il perdrait aussi son prestige, ses relations et la plupart de ses amitiés. Mais là encore, il n'éprouvait aucune crainte. Des réseaux, il saurait toujours en recréer.

S'il perdait Anna en revanche, rien, jamais, ne pourrait la remplacer.

Depuis quand avait-elle cessé de faire partie de ses objectifs stratégiques pour devenir une part essentielle de lui-même ? Et à quel stade avait-il oublié son rêve et ses ambitions pour tomber tout simplement amoureux ? Il y avait eu un moment précis où tout avait basculé : lorsqu'elle lui avait pris le visage entre les mains pour plonger son regard dans le sien et effleurer ses lèvres d'un baiser. Depuis lors, il avait cessé d'être le stratège planifiant son empire. Il ne restait plus de lui que l'homme ensorcelé.

Daniel ouvrit le carreau et s'accouda à la fenêtre. A présent qu'il avait fait ce constat, quelle ligne de conduite adopter ? Il avait toujours voulu une épouse gardienne du foyer. Une femme pour s'occuper de ses enfants, de sa maison ; une compagne pour tisser la trame de ses plaisirs domestiques.

Or, Anna Whitfield ne correspondait en rien au profil recherché.

Il y aurait toujours tout un pan de sa vie sur lequel il n'aurait aucune prise. Dans un an, si elle maintenait son cap, elle serait docteur en médecine. Et pour elle, il ne s'agirait pas seulement d'un titre mais d'un mode d'existence. Quelle vie commune pouvaient-ils espérer construire s'ils étaient totalement absorbés dans leur univers professionnel l'un et l'autre ?

Qui s'occuperait du jardin ? Qui fleurirait la maison ? Qui serait l'âme du foyer ? Et qui élèverait leurs enfants, surtout ? Daniel se passa la main dans les cheveux et secoua la tête. Non, ce n'était même pas la peine d'y penser. Une telle union serait vouée à l'échec. Il ferait mieux d'oublier Anna tout de suite et de concentrer ses efforts sur une jeune fille moins farouchement indépendante.

Daniel soupira longuement en rejetant la fumée de son cigare. Même s'il se considérait comme quelqu'un d'indépendant, il aspirait à une vraie vie de famille, à la douceur d'un foyer. Avec Anna, ce rêve n'avait que fort peu de chances de se concrétiser.

Et en même temps, sans Anna pour partager sa maison, son lit, son quotidien, quel intérêt trouverait-il encore à la vie domestique ?

Pestant contre les femmes en général et Anna en particulier, Daniel consulta sa montre. Elle devait avoir terminé sa journée à l'hôpital. S'il partait maintenant, il avait tout juste le temps de la cueillir à la sortie. Dans moins d'une heure, cependant, il avait un rendez-vous important à l'autre bout de la ville. Daniel hésita puis décida qu'Anna pouvait attendre. Il avait d'autres chats à fouetter.

S'installant résolument à son bureau, il prit le rapport que lui avait remis Bombeck et commença à l'étudier. Au bout du premier paragraphe, il le referma en jurant et quitta la banque au pas de charge.

Elle avait passé cinq heures debout à courir d'un bout à l'autre de l'hôpital, en consacrant autant de temps qu'elle le pouvait à chaque malade. Fatiguée mais satisfaite de sa journée, Anna n'envisageait plus l'avenir que sous la forme d'un bain chaud prolongé suivi d'une paisible soirée de lecture. Si elle n'avait pas eu les pieds en feu, elle aurait sans doute fait un crochet par le quartier des antiquaires, cela dit. Dans deux semaines, jour pour jour, elle aurait les clés de son appartement. Et il serait grand temps qu'elle commence ses repérages si elle voulait avoir de quoi se meubler.

Pêchant les clés de sa décapotable blanche au fond de son sac, elle les fit tinter joyeusement dans sa main. Elle était ravie de sa nouvelle voiture. Même son père en était tombé amoureux. Si bien qu'elle avait sillonné les rues de Boston, la veille, avec ses parents installés comme deux adolescents ravis sur la banquette arrière.

Peu à peu, ils commençaient à admettre qu'elle n'était plus la petite fille naïve qu'ils avaient eu pour mission d'éduquer et d'orienter. Même s'ils n'en avaient pas encore vraiment conscience, ils découvraient l'adulte en elle et apprenaient à la respecter. Qui sait s'ils ne finiraient pas, à la longue, par souscrire à son choix de carrière ?

En quelques semaines, sa vie avait pris un tour si positif que les espoirs les plus fous semblaient soudain permis. Riant toute seule, Anna jeta ses clés en l'air, les rattrapa et se retrouva nez à nez avec Daniel.

— Vous marchez sans regarder où vous mettez les pieds, Anna Whitfield.

Le croiser là, sur son chemin, acheva d'enchanter Anna.

— C'est vrai, admit-elle gaiement.

Daniel, lui, avait décidé pendant le court trajet jusqu'à l'hôpital de prendre le taureau par les cornes. Il opterait désormais pour la manière forte avec Anna.

— Vous dînez avec moi ce soir, décréta-t-il.

Lorsqu'elle ouvrit la bouche pour répondre, il la saisit d'autorité par les épaules. D'une voix de stentor qui fit tourner toutes les têtes autour d'eux, il enchaîna avant qu'elle ait pu prononcer un mot :

— Je ne tolérerai aucun refus. Je suis fatigué de vous entendre dire non, et je n'ai pas de temps à perdre. Soyez prête à 19 heures. Je passerai vous prendre.

Anna demeura un instant frappée de mutisme. Puis, entre toutes les contre-offensives possibles qui se présentèrent à son esprit, elle choisit la plus désarçonnante :

— Oui, Daniel, répondit-elle docilement.

— Et je me fiche de savoir si cela vous convient ou non. Je… *Quoi ?*

— J'ai dit que je serais prête à 19 heures, Daniel.

Avec un sourire serein, elle soutint son regard. Daniel se frotta le crâne.

— Eh bien… euh… c'est parfait, grommela-t-il en enfonçant ses poings dans ses poches. Et veillez à ne pas être en retard, surtout.

Daniel se détourna et repartit à grands pas vers sa voiture. Il avait obtenu exactement ce qu'il voulait. Mais avec une facilité tellement déconcertante qu'il se retourna quand même une fois pour vérifier qu'il ne rêvait pas.

Anna n'avait pas bougé. Debout, le visage baigné de soleil, elle souriait comme un ange.

— Les filles sont incompréhensibles, marmonna-t-il en ouvrant sa portière d'un geste brusque. On ne sait jamais sur quel pied danser avec elles.

Anna attendit que la Rolls de Daniel se soit éloignée pour éclater de rire. Le voir stupéfait et à court d'arguments avait été un vrai régal. Elle souriait toujours lorsqu'elle s'installa au volant de sa voiture. Passer la soirée avec Daniel serait sûrement plus intéressant que de rester plongée dans un livre. Prenant de la vitesse sur le boulevard, elle se surprit à rire de nouveau. Elle était libre.

Libre de vivre comme elle l'entendait, de choisir sa compagnie à sa guise et d'exercer bientôt le métier qu'elle aimait.

Daniel lui apporta des fleurs. Non pas des roses blanches comme celles qu'il continuait imperturbablement à lui envoyer tous les jours, mais un modeste petit bouquet de pensées qu'il avait lui-même cueillies dans son jardin. Du coin de l'œil, il voyait Anna arranger les délicates floraisons veloutées dans un petit vase en cristal pendant qu'il faisait poliment la conversation à ses parents.

Daniel se trouvait à l'étroit dans le salon surchargé où il avait été reçu par M. et Mme Whitfield. Normalement sa grande carcasse ne l'encombrait pas, mais tassé dans l'élégante petite bergère qu'on lui avait désignée, il ne savait plus quelle position adopter. Stoïque, il accepta une tasse de thé tiède pour tenir compagnie à Mme Whitfield.

— J'espère que nous aurons le plaisir de vous recevoir prochainement à dîner, monsieur MacGregor, proposa aimablement la mère d'Anna.

Mme Whitfield avait remarqué la livraison quotidienne de roses blanches, bien sûr. Et elle avait vu Anna et Daniel côte à côte, au dîner de Louise Ditmeyer. Tout semblait indiquer qu'entre Anna et le géant roux venu d'Ecosse, une idylle était en train de naître. Ce dont elle ne pouvait que se féliciter.

Mais après tant d'années, la soudaine irruption d'un homme dans la vie de sa fille la prenait un peu au dépourvu. Dieu sait qu'elle avait attendu et espéré qu'un beau jeune homme surgirait pour ravir le cœur d'Anna. Mais jusqu'ici, elle avait paru tellement déterminée à tenir tous ses prétendants à distance ! Sa propre fille avait toujours été un mystère pour Mme Whitfield. Elle admirait Anna, mais avait renoncé depuis longtemps à la comprendre.

Que Daniel MacGregor soit amoureux d'elle ne faisait aucun doute, en revanche. Il y avait des signes qui ne trompaient pas. Imaginer sa fille mariée et mère de famille suscitait en elle un mélange déconcertant de soulagement et de regret.

Tout brillant homme d'affaires qu'il était, Daniel MacGregor avait gardé quelques côtés mal dégrossis. Mais Anna aurait tôt fait de lui inculquer le raffinement qui lui manquait. Mme Whitfield n'avait aucune inquiétude à ce sujet.

— Ainsi vous êtes un client de mon mari, commenta-t-elle en observant Daniel. Mais John est un vrai tombeau dès qu'il s'agit de son travail. Il refuse de me dire quoi que ce soit, même si je le presse de questions.

— Pour me harceler, elle me harcèle, en effet, observa M. Whitfield.

— John, voyons…

Sous le couvert d'un rire amusé, Mme Whitfield décocha un regard assassin à son mari. Compte tenu de ce qui se passait entre leur fille et ce M. MacGregor, il était bien normal qu'elle cherche à prendre tous les renseignements possibles.

— La curiosité est naturelle, non ? Tout le monde a envie de savoir ce qui se passe. Tenez, l'autre jour seulement, Pat Donahue m'a appris que vous aviez acheté un terrain à Hyannis, monsieur MacGregor. Vous ne songez pas à quitter Boston, j'espère ?

Daniel opta pour une réponse prudente :

— Je suis très attaché à la ville de Boston, madame Whitfield.

Anna décida qu'elle l'avait suffisamment mis à l'épreuve comme cela. Posant son vase sur une console, elle s'avança vers lui et tendit son châle. Daniel ne se fit pas prier pour reposer sa tasse en délicate porcelaine. Se levant avec promptitude, il drapa la fine pièce de soie sur les épaules d'Anna.

— Passez une agréable soirée, mes enfants.

Mme Whitfield voulut les raccompagner jusqu'à la porte mais son mari la retint d'une légère pression sur l'épaule. Surprise et touchée par la finesse dont il faisait preuve, Anna sourit à son père.

— Amuse-toi bien, ma fille, fit-il en lui tapotant affectueusement les cheveux.

Daniel prit une profonde inspiration lorsqu'il se retrouva dehors.

— Votre maison est très… comment dire ?

Avec un léger rire, Anna glissa son bras sous le sien.

— Surchargée est le mot. Ma mère a tendance à acheter tout ce qui lui tombe sous les yeux et elle entasse, elle entasse… Je me rends compte depuis quelques années que mon père est d'une indulgence méritoire avec elle.

Anna constata avec plaisir que Daniel était venu la chercher sans sa Rolls et son chauffeur. Rassemblant ses jupes, elle prit place à bord de son cabriolet bleu.

— Alors, où m'emmenez-vous dîner, ce soir ?

Daniel s'installa au volant et fit rugir son moteur.

— Chez moi, lâcha-t-il, le regard rivé droit devant lui.

Chez lui ? Anna en eut des papillons dans l'estomac. Avec un effort de volonté, cependant, elle réussit à contenir sa nervosité. Elle avait le contrôle de sa vie en main. Que risquait-elle ?

— Chez vous ?

— Je suis fatigué des restaurants, fatigué de la foule.

La voix de Daniel était tendue, sa mâchoire crispée. « Il est angoissé, ni plus ni moins ! » comprit Anna, sidérée. Cet homme qui la dominait d'une bonne tête et dont la voix pouvait faire trembler les vitres était troublé à la perspective de passer une soirée seul avec elle !

Un subtil sentiment de triomphe lui monta à la tête.

— Je pensais que vous étiez un être éminemment social qui adorait naviguer au cœur de la foule ? commenta-t-elle, faussement candide.

— J'aime bien la compagnie, c'est vrai. Mais je n'ai pas forcément envie d'avoir des dizaines de regards rivés sur moi pendant que je dîne.

Anna réprima un sourire.

— C'est vrai que les gens sont intenables. Cette manie qu'ils ont de fixer les yeux sur vous et de ne pas vous lâcher de la soirée…, ironisa-t-elle gentiment.

— Et si j'ai envie de parler avec vous, je ne vois

pas pourquoi il faudrait que le Tout-Boston participe à notre conversation ! fulmina Daniel.

— C'est en effet très gênant, acquiesça gravement Anna.

Le regard étincelant, il s'engagea dans l'allée qui menait chez lui.

— Et si c'est votre réputation qui vous inquiète, les domestiques seront présents.

— Je ne suis pas inquiète du tout, Daniel.

Il lui jeta un regard à la dérobée.

— Vous êtes bien sûre de vous, Anna, tout à coup.

Elle poussa sa portière et descendit de voiture.

— Daniel… J'ai *toujours* été sûre de moi.

Au premier regard, Anna sut qu'elle aimerait sa maison. Elle était imposante, déjà ancienne, séparée de la rue par une jolie haie de charmilles. Tout en contemplant les hautes fenêtres élégantes, elle huma le parfum délicat des pois de senteur qui envahissaient le jardin.

— Qu'est-ce qui vous a fait choisir cette maison plutôt qu'une autre ? s'enquit-elle lorsque Daniel l'eut rejointe.

Il contempla un instant les belles briques patinées de la façade. La vieille demeure avait de l'allure, de l'élégance. Mais il savait qu'il n'y passerait pas sa vie. Ce n'était pas lui qui avait dessiné les plans de cette maison. Et il ne l'avait même pas vue sortir de terre. Comment se sentirait-il lié — viscéralement lié — à ce lieu ?

— Je l'ai achetée parce qu'elle était grande.

Avec un sourire amusé, Anna suivit des yeux le vol d'un merle qui se posa sur une branche d'érable en chantant à tue-tête.

— Je comprends que ce soit un critère pour vous. Vous

aviez l'air d'étouffer dans le boudoir de ma mère. Un habitat comme celui-ci convient mieux à votre gabarit.

— Pour le moment, je m'y trouve bien, admit-il... Et la vue sur Boston est très belle. Mais cela ne durera plus très longtemps.

— Ah bon, pourquoi ?

— Les temps changent, Anna. Les villes bougent et se transforment. Bientôt, il y aura des immeubles devant cette maison. De grands immeubles modernes qui se hisseront jusqu'au ciel... Mais venez visiter l'intérieur et profitons de la lumière du couchant, tant qu'elle arrive encore jusqu'ici.

La première chose qu'elle vit en pénétrant dans le vestibule fut les deux épées croisées suspendues au mur. Rien à voir avec les armes délicatement ciselées qu'utilisaient les duellistes vêtus de velours et de dentelles. Aucune fantaisie, aucune décoration ne venaient adoucir leur aspect redoutable. Fascinée, Anna se rapprocha pour contempler les deux lames acérées, usées par le temps et par l'usage.

— Ces épées appartenaient à mon clan. Mes ancêtres s'en sont servis pour défendre leur nom et leur honneur. Les MacGregor ont toujours été des guerriers.

Etait-ce un défi qu'elle entendait résonner dans sa voix ?

— Guerriers, nous le sommes tous plus ou moins à l'origine, non ? rétorqua-t-elle en effleurant une lame du bout du doigt.

Sa réaction surprit Daniel. A tort, d'ailleurs. Car il aurait dû s'y attendre. Anna n'était pas le genre de jeune fille à pousser des hauts cris à l'idée du sang versé ou à s'évanouir à la seule vue d'une arme.

— Le roi d'Angleterre nous a pris notre nom et nos terres. Mais une chose que personne ne nous prendra jamais, c'est notre fierté. Lorsqu'il a fallu couper des têtes, nous les avons tranchées sans hésiter.

Le regard de Daniel luisait d'un éclat redoutable. Anna ne doutait pas qu'il manierait l'épée avec autant de meurtrière fureur que ses ancêtres, s'il était amené à se battre pour une cause qu'il estimait justifiée.

Il se mit à rire et lui prit le bras.

— Les traîtres du clan Campbell ont essayé de nous chasser d'Ecosse, mais ils ne sont jamais arrivés à leurs fins.

Anna jeta un coup d'œil aux épées et hocha la tête.

— Cela ne m'étonne pas. Vous pouvez être fier de votre nom et de votre lignée, Daniel.

Il porta la main à sa joue et se pencha sur ses lèvres.

— Anna…

— Veuillez m'excuser, monsieur MacGregor ?

Le regard noir de contrariété, Daniel se tourna vers le domestique qui venait de surgir devant eux. Une dignité impeccable émanait de sa personne.

— Oui, McGee ?

Impassible, le majordome parla sans qu'un muscle de son visage ne paraisse bouger.

— Vous avez New York en ligne, monsieur. Un certain M. Liebowitz. Il affirme que c'est important.

— Faites entrer Mlle Whitfield dans le salon, McGee. Je regrette, Anna. Je vais être obligé de prendre la communication. Je tâcherai d'être le plus bref possible.

— Prenez tout le temps qu'il vous faudra.

Pas mécontente de disposer de quelques instants de solitude, Anna emboîta le pas au majordome. Et découvrit qu'à côté du salon de Daniel, celui de sa mère ressemblait à une maison de poupée.

— Puis-je vous servir quelque chose à boire, mademoiselle Whitfield ? demanda le majordome avec un fort accent écossais.

— Cela ira, non. Je vous remercie.

Elle n'avait qu'une hâte : se débarrasser du dénommé McGee pour examiner tranquillement les lieux. Dès que le majordome eut quitté la pièce, elle ouvrit grand les yeux. Pour obtenir un espace aussi considérable, Daniel avait sûrement dû faire abattre des cloisons, estima-t-elle. Si les dimensions du salon étaient inhabituelles, les meubles n'avaient rien d'ordinaire non plus. Il y avait un guéridon sculpté si finement que les bords ressemblaient à de la dentelle. A côté, se trouvait un immense fauteuil à dos droit tendu de velours incarnat.

Elle ne put s'empêcher de sourire en imaginant Daniel trônant là-dedans avec un sceptre à la main. Un canapé de dimensions royales occupait à lui seul toute la largeur de la pièce. Daniel n'avait pas hésité à mettre de la couleur. De vraies couleurs fortes qui revigoraient le regard et l'esprit. Anna aurait dû être choquée, habituée qu'elle était au raffinement discret, au luxe en demi-teinte, aux nuances étouffées. Mais l'audace des juxtapositions et des contrastes lui plut, au contraire. Peut-être avait-elle eu plus que sa part des douces teintes pastel qu'affectionnait sa mère.

Repérant la collection de cristaux de Waterford et de Baccarat dont il lui avait parlé, Anna alla l'examiner avec curiosité. Elle trouva une coupe qui tenait dans la paume de sa main et la prit, intriguée par sa fragilité.

Lorsque Daniel poussa la porte, il la vit ainsi, debout devant une fenêtre, éclairée par le soleil couchant, avec l'éclat du cristal au creux de la paume. Sa bouche se fit soudain si sèche qu'il ne parvint à prononcer un mot.

Elle se tourna vers lui avec enthousiasme.

— Vous ne pouvez pas imaginer comme j'aime cette pièce, Daniel ! Je suppose qu'en hiver, avec un feu dans la cheminée, elle doit être spectaculaire.

Comme il la regardait fixement sans répondre, le sourire d'Anna s'évanouit. Elle s'approcha pour lui poser la main sur le bras.

— Je suis désolée… Vous avez eu une mauvaise nouvelle ?

Il parut déconcerté par sa question.

— Une mauvaise nouvelle ?

— Comme vous venez de recevoir un coup de fil urgent de New York, j'ai pensé que…

Non seulement l'appel de New York n'avait apporté que des nouvelles positives, mais Daniel avait cessé d'y penser dès l'instant où son regard était tombé sur Anna. L'amour était décidément un sentiment inconfortable. Alors qu'il n'y avait pas grand-chose pour l'effrayer d'ordinaire, il se retrouvait avec l'estomac noué et la langue collée au palais par l'anxiété.

— Non, non, rien de dramatique. Il faudra juste que je fasse un saut à New York pour régler deux ou trois petites choses.

« Et tenter de me ressaisir par la même occasion », ajouta-t-il à part soi en sortant une boîte de sa poche. C'était la première fois de sa vie qu'il se sentait maladroit et emprunté en présence féminine.

— Ceci est pour vous.

La première réaction d'Anna fut de panique. Mais elle se raisonna aussitôt. Il ne s'agissait pas, de toute évidence, du classique écrin de velours qui abritait les bagues de fiançailles.

Soulevant le couvercle, elle découvrit un très joli camée

ancien. Le profil était doux, serein. Avec cependant quelque chose d'altier dans le port de tête.

— Je vous ai déjà dit qu'il vous ressemblait, n'est-ce pas ? murmura Daniel.

— Le camée de votre grand-mère…

Touchée, Anna suivit le contour du bijou du bout du doigt. Ce fut presque à contrecœur qu'elle replaça le couvercle.

— Il est magnifique, Daniel, vraiment. Mais je ne peux pas l'accepter, vous le savez.

— Non, je ne le sais pas.

Il sortit le camée de sa boîte et l'attrapa par le ruban de velours qu'il y avait fixé lui-même.

— Je vais vous le mettre.

Déjà, elle imaginait la caresse imperceptible de ses doigts effleurant sa nuque. Avec un léger frisson, elle secoua la tête.

— Ce ne serait pas correct que je le porte.

— Que redoutez-vous donc tant, Anna ? Les mauvaises langues ? Si vous aviez peur de choquer les bonnes âmes, vous ne seriez pas partie étudier la médecine dans le Connecticut.

— C'est vrai, reconnut-elle. Mais ce camée fait partie de votre héritage. Ce ne serait pas juste que je le prenne.

— C'est effectivement un bijou qui me vient de ma famille et j'en ai assez de le voir enfermé dans une boîte. Ma grand-mère aurait été furieuse qu'il finisse relégué au fond d'un tiroir. Un bijou n'a de réelle valeur que porté.

Avec une douceur inattendue pour un homme aussi massif, il attacha le ruban dans sa nuque. Le camée se logea dans le creux délicat à la base de son cou, comme s'il avait été créé exprès pour elle.

— Et voilà. Il est à sa place, constata Daniel avec une évidente satisfaction.

Anna ne put s'empêcher d'y porter les doigts. Et oublia qu'elle s'était promis de garder une distance prudente avec son hôte.

— Disons que vous me le confiez temporairement, alors. Dès que vous voudrez le récupérer, je…

— Ne gâchez pas ce moment, Anna, murmura-t-il en lui prenant le menton. Depuis que je vous connais, j'ai envie de vous voir le porter.

Elle ne put s'empêcher de sourire, malgré la troublante intimité de l'instant.

— Et vous obtenez toujours ce que vous désirez ?

— Toujours, oui… Je vous offre quelque chose à boire ? Un sherry ?

— Pas de sherry, non. Vous avez autre chose à me proposer ?

Le regard de Daniel s'éclaira.

— J'ai infiniment mieux que du sherry à vous offrir : un vieux whisky écossais comme vous n'en trouverez pas de pareil par ici. Je l'ai fait venir — tout à fait illégalement, entre nous — par l'intermédiaire d'un ami d'Edimbourg.

Anna fit la moue.

— Le whisky ? Je trouve que ça a le goût de savon.

— De *savon* ?

Daniel avait l'air tellement éberlué qu'elle éclata de rire.

— Ne le prenez pas comme un affront personnel ! La remarque n'était pas dirigée contre vous.

— Je vais vous faire goûter mon scotch et vous verrez qu'il n'a rien à voir avec le triste pipi de chat que l'on sert dans le beau monde par ici.

Anna rit doucement. Plus elle apprenait à connaître

ce diable d'homme, plus elle en venait à l'apprécier. Pour la seconde fois, elle se surprit à porter la main à la base de son cou où reposait le camée. Elle prit une profonde inspiration et tenta de retrouver la sensation d'indépendance, de maîtrise totale qu'elle avait eue au volant de sa nouvelle voiture, quelques heures plus tôt. Lorsque Daniel lui tendit son verre, elle en examina prudemment le contenu. Le liquide était sombre, odorant et sans doute tout aussi meurtrier que les deux épées qu'il avait accrochées à son mur.

— Vous n'auriez pas un glaçon ou deux pour le diluer ?

— Jamais de la vie ! Ce serait criminel.

Vidant son verre d'un trait, Daniel lui jeta un regard de défi. Anna rassembla son courage et avala une partie du sien.

— Mmm… Je reconnais que c'est sans rapport avec ce que j'ai pu goûter jusqu'à présent. Mais si je bois une goutte de plus de ce breuvage, je tombe ivre morte et vous ne me relevez plus de la soirée.

— Dans ce cas, il ne me reste plus qu'à vous caler l'estomac.

— Si c'est votre façon d'annoncer que le dîner est servi, alors je vous accompagne avec plaisir, fit-elle en lui tendant la main.

Daniel rit doucement.

— Il ne faudra pas compter sur moi pour vous tenir de beaux discours, Anna. Je ne suis pas un homme raffiné et je n'ai aucunement l'intention de le devenir.

Elle leva les yeux vers lui. Son extraordinaire crinière rousse tombait jusque sur le col de sa chemise. Et sa barbe faisait ressortir le guerrier qu'il était au fond de lui.

— Vous auriez tort de trop vouloir vous civiliser, en effet, commenta-t-elle doucement.

S'il n'était pas raffiné, il savait s'entourer de beaux objets. La beauté qu'il aimait était très différente de celle qu'Anna connaissait. Ce n'était pas une beauté sereine, discrète et conforme aux critères de « bon goût » en vigueur. Daniel avait un penchant pour tout ce qui se voyait de loin et qui sortait de l'ordinaire. Mais ses œuvres d'art, ses meubles, ses objets de décoration avaient du caractère, de la vigueur et la capacité d'émouvoir.

Dans la salle à manger, il avait suspendu un bouclier et un javelot au mur, juste au-dessus d'un buffet Chippendale qui aurait fait baver les amateurs d'antiquités les plus avertis. La table elle-même était massive mais la vaisselle était d'une délicatesse exquise. Anna prit place sur une chaise qui semblait tout droit sortie d'un château médiéval. Et elle se sentait totalement à l'aise dans ce décor improbable.

Le soleil couchant qui entrait par les hautes fenêtres ouvertes baignait la pièce d'une douce lumière rousse. Pendant qu'ils dînaient, l'obscurité tomba presque d'un coup. Aussitôt, McGee entra pour allumer les bougies, avant de se retirer de nouveau avec une impressionnante discrétion.

— J'éviterai de décrire ce repas à ma mère, sinon elle serait capable de vous voler votre cuisinière, commenta Anna en s'accordant une ultime bouchée de fondant au chocolat. Ce dessert est une pure merveille.

Daniel exultait de la voir assise chez lui, à partager son repas, à manger dans les assiettes qu'il avait lui-même choisies.

— Vous comprenez pourquoi je préfère dîner ici plutôt que dans un restaurant, si raffiné soit-il ?

— Absolument… la bonne cuisine maison me manquera, lorsque je serai installée dans mon appartement.

— Et la vôtre ?

Elle lui jeta un regard surpris.

— Ma quoi ?

— Votre cuisine.

Anna sourit en l'observant.

— Elle est inexistante. Mais rassurez-vous, Daniel, j'ai l'intention d'apprendre au moins les rudiments. Je n'ai pas envie de me laisser mourir de faim.

Elle appuya le menton sur ses mains jointes pour l'observer avec attention.

— Et vous ? Vous cuisinez ?

Il faillit éclater de rire mais se ravisa juste à temps.

— Non.

— Mais cela vous paraît étrange qu'une personne du sexe féminin soit incapable de se débrouiller aux fourneaux ?

— Vous avez une logique implacable, Anna. Et vous êtes sans pitié pour le sexe opposé.

— Mais vous vous défendez plutôt bien, je dois le reconnaître. Je sais que c'est dangereux pour votre ego d'entendre des choses pareilles, mais je vous considère comme un adversaire intéressant.

— Mon ego est tellement grand qu'il est insatiable : dites-moi en quoi vous me trouvez intéressant, Anna ?

Elle se leva en souriant.

— Une prochaine fois, peut-être.

Il la retint par la main.

— J'entends qu'il y aura une prochaine fois, donc ?

Anna avait toujours eu le mensonge en horreur. Mais il lui arrivait d'éluder en cas de nécessité.

— Il se pourrait que nous soyons amenés à nous revoir, en effet. Mme Higgs ne m'a parlé que de vous, aujourd'hui. Elle semble avoir une haute opinion de votre personne, observa-t-elle alors qu'ils regagnaient le salon.

— Mme Higgs est une femme charmante. Et elle a bon goût, conclut Daniel avec tant d'évidente satisfaction qu'Anna ne put s'empêcher de sourire.

— Elle est convaincue que vous reviendrez lui rendre visite.

Daniel lut une question muette dans le regard d'Anna.

— Je lui ai promis que je repasserais la voir. Et je tiens toujours parole.

— Oui, c'est ce qu'il me semblait. C'est généreux de votre part, Daniel. Mme Higgs n'a plus personne au monde.

Mal à l'aise sous le compliment, il fronça les sourcils.

— N'allez pas me considérer comme un saint, surtout ! Ce n'est pas du tout mon style. J'ai l'intention de gagner mon pari, mais je ne voudrais surtout pas que vous acceptiez de m'épouser en ayant une fausse idée de ce que je suis.

— Rassurez-vous, je ne vous prends absolument pas pour un ange, Daniel. Loin de là. Et je n'ai pas l'intention de perdre notre pari.

Repoussant ses cheveux dans son dos, elle s'immobilisa à l'entrée du salon. En leur absence, McGee avait allumé des bougies par douzaines. Le subtil éclairage conférait à la pièce une atmosphère à la fois solennelle et enchantée. Un disque de blues tournait sur le Gramophone. Nostalgique, presque déchirante, la musique semblait émaner des plis mêmes de l'ombre et de la nuit. Le cœur d'Anna battait à un rythme accéléré mais elle s'avança dans le salon sans même marquer une hésitation.

— C'est très beau, Daniel, commenta-t-elle en notant

que le service à café en argent avait été disposé près du canapé.

Pendant qu'il leur versait un doigt de cognac à chacun, Anna demeura debout à le regarder. Très sûre d'elle-même, en apparence. Mais si nouée à l'intérieur qu'elle se sentait au bord de la crise d'asphyxie.

— Vous avez l'air d'un ange, dans cette lumière, Anna. Un ange au regard grave. Comme le jour où je vous ai rencontrée, lorsque vous vous teniez accoudée à la balustrade, chez les Donahue. Votre visage était éclairé par la lune et vos yeux étaient pleins d'ombre. Comme s'ils recelaient un mystère plus profond que la nuit même.

Lorsqu'il prit sa main dans la sienne, Daniel crut un instant qu'elle tremblait. Mais le visage d'Anna demeurait calme, serein et attentif.

— J'ai su dès ce moment-là que je vous voulais pour moi. Et je n'ai cessé de penser à vous depuis. Jour et nuit.

Anna demeurait parfaitement immobile, attentive à contenir le déchaînement d'images que suscitaient les mots brûlants de Daniel. Il suffirait d'un rien pour que son corps se mette à vibrer au souvenir de ses lèvres sur les siennes, de la caresse de sa barbe contre sa joue, du contact de ses grandes mains hardies allant et venant dans son dos.

Mais ce n'était pas cette voie-là qu'elle avait choisie.

— Vous n'en êtes pas arrivé là vous êtes, Daniel, sans savoir qu'il est dangereux de prendre des décisions trop impulsives.

— Le danger ne m'a jamais fait peur, murmura-t-il en portant sa main à ses lèvres pour lui embrasser les doigts un à un.

Le souffle coupé, elle réussit, par un effort ultime de volonté, à rétorquer calmement :

— Seriez-vous par hasard en train d'essayer de m'attirer dans votre lit, monsieur MacGregor ?

Stoppé net dans son élan, Daniel concentra son attention sur son verre de cognac. S'habituerait-il jamais à cette voix grave, détachée, énonçant sereinement les questions les plus directes ? Il rit doucement.

— Un homme ne séduit pas la jeune fille qu'il désire épouser, Anna.

— Bien sûr que si, il la séduit.

Elle lui tapota gentiment le dos lorsqu'il s'étrangla sur une gorgée de cognac.

— De la même manière qu'il séduirait une femme qu'il ne désire pas épouser. Mais je ne me marierai pas avec vous, Daniel.

Posément, elle se dirigea vers la cafetière et tourna la tête par-dessus l'épaule.

— Pas plus d'ailleurs que je ne me laisserai séduire. Je vous sers ?

Daniel comprit que ce n'était pas seulement de l'amour qu'il ressentait pour elle. Anna Whitfield le ravissait, ni plus ni moins. S'il lui restait une seule certitude, désormais, c'est qu'il n'accepterait pas de passer le reste de sa vie sans elle.

Il la rejoignit en deux pas et lui prit la tasse des mains. Puisqu'elle n'hésitait pas à appeler un chat un chat, il pouvait, lui aussi, jouer le jeu de la franchise avec elle.

— Dois-je en conclure que je vous laisse froide ? Glacée ? Insensible ?

Anna sourit. La surface entière de sa peau frémissait. Il suffisait que Daniel pose la main sur elle pour qu'une immense faiblesse l'envahisse.

— Vous ne me laissez ni froide ni insensible. Mais cela ne modifie en rien ma décision.

Daniel reposa son café. S'il ne s'était pas dominé, il l'aurait jeté contre le mur.

— Vous êtes pourtant venue, ce soir.

— Pour dîner, oui, lui rappela-t-elle calmement. Et puis, parce que, bizarrement, j'apprécie votre compagnie. Il y a des aspects de la situation que je peux accepter. Mais il est des risques que je refuse de prendre.

— Je les prends bien, moi, les risques, lâcha-t-il entre ses dents serrées.

Il posa la main dans sa nuque, la sentit résister mais l'attira contre lui quand même.

Lorsque la bouche de Daniel cueillit la sienne, Anna dut accepter l'inéluctable. Depuis le baiser dans la voiture, elle était parfaitement consciente de l'attirance explosive qu'un rien faisait resurgir entre eux. Et pourtant, elle était venue à lui librement, de son plein gré, d'égale à égal. Mais le feu qui faisait rage entre eux, pourrait-elle le contenir indéfiniment? Au moment précis où Daniel la prit dans ses bras, elle sut qu'un jour viendrait où rien ne pourrait plus empêcher les flammes de les consumer l'un et l'autre.

Nouant les bras autour du cou de Daniel, elle se rapprocha du brasier.

Lorsqu'il la coucha sur le canapé, elle ne protesta pas, mais l'attira plus près, au contraire. « Juste quelques instants », se promit-elle. Quelques instants pour toucher du doigt ce qui aurait pu être, si une vocation exigeante ne l'avait pas tirée vers des horizons plus austères. C'était si bon d'éprouver la force, la solidité de ce corps d'homme contre le sien. Elle sentait la puissance de son désir, aussi. De *leur* désir. Et elle avait beau savoir qu'elle jouait avec le feu, chaque baiser, chaque caresse étaient pure exaltation.

Les lèvres de Daniel allaient et venaient sur son visage. Contre sa bouche, au creux de son cou, il murmurait fiévreusement son nom. Sur sa langue brûlait encore la saveur puissante du cognac. La musique flottait autour d'eux, les enveloppait, faisait écho au fracas de leur sang.

Le désir, attisé par une longue attente, menaçait de submerger Daniel. Il ne contenait plus les gestes de ses mains fébriles. Il lui fallait toucher, prendre, posséder. Et tout en touchant et en prenant, il découvrait qu'il demeurerait insatiable, à jamais en demande d'elle. Malgré la passion qui l'aveuglait, il caressait Anna, son Anna, avec tant d'émotion et de tendresse qu'elle en tremblait de la tête aux pieds.

Lorsqu'il l'entendit chuchoter faiblement son nom, il plongea de nouveau au cœur de sa bouche offerte, sentit la douceur de sa langue qui s'alliait à la sienne.

Il s'attaqua aux boutons qui fermaient le devant de sa robe. Les boutons étaient innombrables, ses gestes trop fébriles, ses mains maladroites. Son sang se mit à bouillonner plus fort, martelant ses tempes. Pour son plus grand plaisir, il découvrit que la sage Anna ne portait à même la peau que dentelles et soies fines.

Lorsque Daniel trouva ses seins, Anna se tendit vers lui pour mieux recevoir ses caresses. Il l'emportait bien au-delà de tout ce qu'elle avait pu concevoir, l'entraînant dans un univers plus solide que les rêves, plus lumineux que la réalité. Incapable de résister à l'appel, elle laissa Daniel guider ses gestes. Ni contrôle ni maîtrise de soi n'avaient leur place dans ce microcosme plus vaste que le monde qu'ils faisaient naître de leurs étreintes. Pendant un laps de temps qui aurait pu durer quelques secondes ou quelques heures, Anna lâcha toute pensée et s'abandonna au langage du corps et de l'amour.

Daniel sentait grandir en lui un besoin, un désir tellement immense que tout en lui vacillait, jusqu'à la structure même de son être. Il savait qu'à cet appel fervent en lui, il n'existait qu'une seule réponse, et que cette réponse demeurerait la même jusqu'à la tombe : Anna. Seulement Anna. Sa bouche était brûlante, son corps fin, doux et ployant. Elle se cramponnait à lui et semblait tout vouloir lui donner. Des visions fiévreuses se bousculaient dans la tête de Daniel et la terre elle-même semblait tourner à un rythme accéléré.

Puis, sans prévenir, Anna enfouit son visage au creux de son cou et demeura parfaitement immobile.

— Anna ?

Si la voix de Daniel était rauque, ses mains restaient toujours aussi tendres.

— Je ne sais plus ce que je veux, Daniel, admit-elle dans un souffle.

Les deux tentations contradictoires qui se livraient bataille en elle la laissaient faible et terrifiée. Un spasme la parcourut et elle se dégagea de l'étreinte de Daniel. A la faible lumière des bougies, il vit qu'elle était livide.

— Je ne m'attendais pas à ce qui vient de se passer entre nous, Daniel. J'ai besoin de prendre du recul, de réfléchir.

Le désir qui continuait à brûler en lui ne fit que s'intensifier.

— Je peux réfléchir pour deux.

Alors qu'il se penchait pour reprendre ses lèvres, elle saisit son visage entre ses paumes et le maintint à distance.

— C'est très précisément ce qui m'inquiète, Daniel.

Elle se dressa sur son séant. Sa robe était ouverte jusqu'à la taille, exposant pour la première fois à la vue d'un homme la blancheur de ses seins. Mais elle ne ressentait aucune honte. D'une main déjà plus ferme, elle se rajusta.

— Ce qui arrive entre nous — ce qui *pourrait* arriver entre nous, du moins — correspondrait pour moi à une décision capitale. Et cette décision, j'ai besoin de la prendre par moi-même.

Il lui saisit les bras.

— Ta décision est déjà prise, Anna. Au fond de toi, tu le sais très bien.

Une part d'elle-même lui donnait raison. L'autre part était terrifiée à l'idée qu'il puisse ne pas avoir tort.

— *Toi*, tu es sûr de ce que tu veux, Daniel. Moi, non. Et tant que je n'aurai pas de certitude, il me faudra garder mes distances. Je ne suis pas persuadée du tout de pouvoir m'engager envers toi.

— Tu parles d'incertitude, mais quand je te tiens dans mes bras, tu sens que c'est *juste* non ? Cette *évidence* qui est là, pourquoi refuses-tu de la voir, de l'entendre ?

Plus Daniel s'agitait, plus elle se forçait à rester calme.

— Certaines évidences peuvent être trompeuses, Daniel. Et j'ai besoin d'avoir la tête parfaitement claire pour prendre ma décision, quelle qu'elle soit.

Furieux, révolté et torturé par le désir, Daniel se leva pour arpenter le salon.

— La tête claire, la tête claire ! Tu crois que j'ai la tête claire, moi, depuis que je te connais ? Je n'arrive même plus à penser correctement !

Anna se mit sur ses pieds à son tour.

— Dans ce cas, que tu le veuilles ou non, nous avons besoin d'un temps de réflexion l'un et l'autre.

Il prit le cognac qu'elle n'avait pas bu et le vida d'un trait.

— C'est toi qui as besoin de temps, Anna.

Lorsqu'il se tourna vers elle, il avait repris son air de guerrier farouche. Impressionnée malgré elle, Anna songea que n'importe quelle femme un tant soit peu avisée à sa place prendrait ses jambes à son cou et s'enfuirait sans se retourner.

— Je pars à New York pour trois jours, enchaîna-t-il, le regard étincelant. J'ai quelques affaires urgentes à régler là-bas. Mais ma demande envers toi est parfaitement claire : je veux que tu deviennes ma femme. Lorsque je reviendrai, tu me répondras oui ou non.

Anna redressa la taille.

— Je n'accepterai ni ultimatum ni date limite.

— Trois jours, répéta-t-il, inflexible, en résistant à la tentation de briser son verre en deux. Voici ton châle, Anna. Je te raccompagne chez toi.

Chapitre 6

Les trois jours du délai imparti s'écoulèrent, puis quatre autres journées suivirent. Au bout d'une semaine, Daniel n'avait toujours pas donné signe de vie. Anna était partagée entre le soulagement et la colère. Si encore elle avait pu continuer à vaquer tranquillement à ses activités en oubliant son existence ! Mais pas moyen de chasser son ultimatum de ses pensées. Ce rustre de Daniel lui avait imposé une date limite et il ne prenait même pas la peine de se montrer pour entendre sa décision ! Une décision à laquelle elle n'était toujours pas parvenue, cela dit. Mais quand même…

Anna avait toujours soutenu que, pour chaque difficulté, chaque dilemme, chaque complication de l'existence, il existait une solution. Il suffisait d'énoncer clairement les données du problème, d'examiner les différents aspects de réalité concernés et de définir ses priorités. Mais dans sa relation avec Daniel, les niveaux de réalité étaient trop nombreux, les interférences trop compliquées pour qu'elle puisse aborder les « pour » et les « contre » de façon rationnelle. On pouvait affirmer de lui qu'il était vantard, braillard et irritant. Mais, d'un autre côté, il avait de l'humour, une grande sensibilité et il était d'une compagnie toujours stimulante. Il pouvait être intolérablement arrogant, mais sa gentillesse était, par ailleurs, totalement désarmante. Il n'aurait jamais les manières policées du grand monde. Mais son intelligence était vive et son esprit fonctionnait à la perfection.

Il avait tendance à manœuvrer et à manipuler, certes. Mais il était capable d'autodérision. Il était dominateur, d'accord. Mais généreux également.

Anna se prit la tête entre les mains. Si elle ne parvenait à appréhender la personnalité de Daniel avec un minimum de clarté et de cohérence, comment pouvait-elle espérer analyser ses propres sentiments ? Il y avait du désir, de l'attirance, certes. Cela, elle était capable de l'identifier. Mais comment savoir si elle l'aimait vraiment ? Et même à supposer que ce soit le cas, allait-elle chambouler ses projets d'avenir pour autant ?

Anna acquit au moins une certitude pendant cette semaine d'absence : Daniel lui manquait. Elle avait pourtant cru qu'il lui sortirait de la tête dès qu'il aurait le dos tourné. Or, elle était incapable de penser à autre chose qu'à lui. Mais si elle cédait, si elle oubliait d'être raisonnable et prudente, qu'adviendrait-il de sa carrière ?

Elle pouvait l'épouser, lui donner des enfants, s'occuper de sa maison et lui consacrer son existence. Mais, tôt ou tard, elle finirait par éprouver leur vie commune comme un joug, une prison, voire une asphyxie. Parce que ses obligations d'épouse et de mère l'auraient détournée d'une vocation pour laquelle elle s'était toujours sentie appelée. Parce qu'elle se serait résignée à ne vivre sa vie qu'à moitié. Mais si elle renonçait à Daniel, aurait-elle pour autant l'impression de vivre pleinement ? Ou se sentirait-elle tout aussi amputée ?

Telles étaient les questions qui tourmentaient Anna. Et chaque fois qu'elle croyait être parvenue à une décision, elle la récusait dans les cinq minutes suivantes. Elle avait fini par se résigner à ne trancher ni dans un sens ni dans l'autre. Sachant qu'une fois sa décision prise, elle ne reviendrait pas en arrière.

Pour éviter de broyer du noir, Anna veillait à rester constamment occupée. Le soir, elle allait au théâtre avec des amis, se rendait aux diverses soirées dansantes qui se donnaient ici et là. Et dans la journée, elle se consacrait aux patients de l'hôpital avec une énergie redoublée.

Sa première visite de la journée était toujours pour Mme Higgs dont les forces, hélas ! ne cessaient de décliner. Avant d'accomplir les tâches qui lui étaient assignées, Anna passait bavarder un moment, lui faisait la lecture, lui racontait sa soirée de la veille.

Une semaine après le dîner fatidique chez Daniel, elle poussa, de bon matin, la porte de la chambre 521. Mais elle ne trouva pas les stores relevés, cette fois-ci. Les ombres qui avaient envahi la pièce semblaient épaisses, immobiles, comme figées dans l'attente.

Mme Higgs était réveillée et contemplait fixement le bouquet de fleurs fanées sur sa table de chevet.

— Je vous attendais, Anna, murmura-t-elle faiblement. Je craignais que vous ne passiez pas.

— Vous savez bien que je viens tous les jours, madame Higgs.

Anna posa ses magazines. Ce n'était clairement pas de photos de mode que Mme Higgs avait besoin ce matin. Faisant mine de tirer les draps, elle se pencha discrètement pour regarder la courbe de température affichée au pied du lit. Son cœur se serra dans sa poitrine. L'état de la malade s'était encore considérablement dégradé depuis la veille.

Sans cesser de sourire, cependant, elle prit sa place habituelle à son chevet.

— Il faut que je vous raconte ma soirée d'hier, madame

Higgs. Vous connaissez la dernière de mon amie Myra ? Elle est arrivée à une réception très collet monté vêtue d'une robe fourreau sans brides. Et tellement décolletée que j'ai cru qu'une des dames allait s'évanouir.

Mme Higgs sourit faiblement. Elle aimait tout particulièrement entendre parler des exploits de Myra, avait remarqué Anna.

— Et les hommes ? Comment ont-ils réagi ?

— Eh bien, disons que Myra n'a pas fait tapisserie. Elle n'a pas manqué une seule danse.

Mme Higgs se mit à rire puis poussa un léger cri. Anna bondit sur ses pieds.

— Vous avez mal ? Ne bougez pas, surtout. Je vais chercher le Dr Liederman.

— Non.

Avec une force étonnante, la main décharnée agrippa la sienne.

— Tout ce qu'il aura à me proposer, c'est une nouvelle piqûre pour m'abrutir.

Tout en prenant le pouls de la malade, Anna massa doucement les doigts frêles entre les siens.

— Juste pour soulager la douleur, madame Higgs.

Le visage plus calme, Mme Higgs se laissa aller contre ses oreillers.

— Je préfère sentir la douleur que ne plus rien sentir du tout. Et parler avec vous me fait plus de bien que la morphine… Il est rentré de New York, votre Daniel ?

Sans lui lâcher le pouls, Anna se rassit à son chevet.

— Pas encore, non. Je pense qu'il ne devrait plus tarder.

— C'est si gentil de sa part d'être venu me voir juste avant son départ. Quand je pense qu'il a fait une halte ici alors qu'il était déjà en chemin pour l'aéroport.

Qu'il ait pris le temps de rendre visite à Mme Higgs faisait partie des arguments « pro-Daniel » qui contribuaient à plonger Anna dans les affres de l'indécision.

— Il m'a dit qu'il repasserait dès qu'il serait de retour, poursuivit la malade en jetant un coup d'œil au bouquet de roses qu'elle avait interdit aux aides-soignantes d'enlever. C'est si beau d'aimer à l'âge qu'est le vôtre, Anna.

Ce fut au tour d'Anna de ressentir un élancement de souffrance. Daniel l'aimait-il ? Il l'avait choisie, certes. Mais cela signifiait-il pour autant qu'il était amoureux d'elle ? Si seulement elle avait eu quelqu'un à qui confier ses incertitudes et ses doutes ! Mais depuis quelque temps, Myra semblait très absorbée par d'obscures préoccupations personnelles. Et elle pouvait difficilement infliger le récit de ses problèmes à Mme Higgs alors qu'elle était déjà si faible.

— Vous devez avoir quantité de souvenirs amoureux magnifiques, madame Higgs.

— Ah, ça oui. Je pourrais écrire un traité sur la question, même… *Tomber* amoureux, ce sont les montagnes russes : on passe des sommets de la félicité aux abîmes du désespoir. *Etre* amoureux, c'est le manège : on tourne en musique, et c'est le bonheur enchanté des débuts. Mais construire un amour durable…

Mme Higgs soupira et ferma les yeux un instant.

—… ça, c'est le labyrinthe, Anna. Avec ses impasses, ses fausses bonnes directions, ses chausse-trapes. Pour le traverser, il faut faire confiance à son partenaire envers et contre tout et continuer à avancer, même lorsqu'on a l'impression que tout n'est plus que leurre et confusion. Avec mon époux, je l'ai parcouru, le labyrinthe. Et nous avons réussi à en venir à bout. Mais lorsque mon

Thomas est mort, je n'ai pas eu le courage de reprendre une seconde fois la course d'obstacles du début.

— Comment était-il, votre mari ? demanda Anna en caressant doucement les cheveux devenus si gris, si fragiles en l'espace de quelques semaines.

— Jeune. Ambitieux. Avec des milliers d'idées, de projets en tête. Mais il n'était pas fait pour vivre vieux, mon Thomas. Je me dis qu'il y a quelque chose comme un destin tracé pour chacun de nous. Vous êtes de cet avis, vous aussi ?

Anna songea à la profession à laquelle elle se destinait depuis si longtemps. A la passion qui l'animait dans ses études. Elle songea aussi à Daniel, mais se hâta de passer à d'autres considérations.

— Oui, je crois au destin, déclara-t-elle fermement.

— Thomas était appelé à mourir jeune mais quel punch il a eu, tant qu'il était en bonne santé ! Quand je pense, avec le recul, à tout ce qu'il a réalisé en quelques années, je suis sidérée... D'une certaine manière, votre ami Daniel me rappelle Thomas.

— Comment cela ? s'enquit Anna avec curiosité.

— Cette formidable énergie. C'est le genre d'homme que rien n'arrête et qui peut accomplir avec facilité ce qui pour d'autres paraîtrait insurmontable. Tout leur réussit, à ces hommes-là.

De nouveau, le visage de Mme Higgs se contracta sous l'assaut de la souffrance. Mais elle laissa passer la crise et reprit doucement :

— Ces hommes sont capables de balayer les obstacles devant eux pour atteindre leurs objectifs. Mais en même temps, ils ont une gentillesse fondamentale qui va faire qu'un Thomas donnera une poignée de bonbons à un enfant qui n'a pas d'argent ; qu'un Daniel prendra sur son temps précieux pour s'asseoir au chevet d'une vieille femme inconnue. J'ai modifié mes dispositions testamentaires, au fait.

Alarmée, Anna se redressa.

— Madame Higgs…

— Oh ! inutile de vous agiter, mon petit ! Ce n'est pas ce que vous redoutez.

Mme Higgs dut fermer un instant les yeux pour reprendre un peu de forces. Anna scruta ses traits ravagés avec inquiétude. Jamais elle ne l'avait vue aussi faible, aussi épuisée, comme si sa vie ne tenait plus qu'à un fil.

— Thomas m'a laissé un petit capital que j'ai investi. Cet argent m'a permis de vivre confortablement. Je n'ai ni enfants ni petits-enfants, Anna. Et il est trop tard maintenant pour m'inventer une descendance. Ce que Thomas m'a donné, j'aimerais pouvoir en faire profiter d'autres à mon tour. Ainsi je partirai en sachant que je laisse au moins une petite trace, un souvenir, un peu d'amour derrière moi.

La voix de Mme Higgs s'étrangla. Elle tourna les yeux vers Anna.

— J'en ai parlé à Daniel, poursuivit-elle.

— A Daniel ?

Troublée, Anna se pencha pour mieux entendre.

— Il est très intelligent, très avisé, comme Thomas. Je lui ai expliqué ce que je voulais faire et il m'a indiqué comment je devais procéder. J'ai fait venir mon notaire et il va créer une bourse en mon nom. Daniel a bien voulu devenir mon exécuteur testamentaire et il se chargera de mettre les détails au point après mon décès.

Sur le point de protester qu'un tel sujet n'était pas à l'ordre du jour, Anna se ravisa. En refusant de parler de la mort si proche de Mme Higgs, elle ne protégeait personne d'autre qu'elle-même.

— Quel genre de bourse ?

— Pour les jeunes filles ou les jeunes femmes qui désirent étudier la médecine.

Mme Higgs eut un sourire heureux en voyant l'expression sidérée d'Anna.

— Je savais que l'idée vous plairait. C'est en pensant à vous et à toutes les infirmières qui ont été si merveilleusement présentes pour moi que mon projet a pris forme.

— C'est une très belle initiative, madame Higgs, murmura Anna, profondément émue.

— J'aurais pu mourir seule — vraiment seule — sans personne pour s'asseoir à mon chevet, personne pour m'accompagner sur la fin du voyage. J'ai eu de la chance… beaucoup de chance, mon petit.

Mme Higgs tendit la main pour attraper celle d'Anna. Elle avait à peine la force de la tenir encore.

— Anna, je sais que vous deviendrez un excellent médecin, mais ne commettez pas la même erreur que moi : ne vous mettez pas en tête que vous n'avez besoin de personne et que vous pouvez vous en sortir toute seule. Prenez l'amour qui s'offre. Et n'ayez pas peur de vous engager dans le labyrinthe.

— Je ne me laisserai pas arrêter par la peur, promit Anna.

Le regard de Mme Higgs se fit lointain. Elle ne semblait plus souffrir mais ses forces déclinaient de façon alarmante.

— Vous savez ce que je ferais si je pouvais revivre ma vie une seconde fois, Anna ?

— Dites-moi.

— Je ne me contenterais pas de bribes de bonheur.

Je serais amante, mais aussi mère et grand-mère. Je prendrais tout ce qu'il y a à prendre. La vie est si courte, Anna… si courte.

Exténuée, Mme Higgs ferma les yeux.

— Restez encore un peu avec moi, vous voulez bien ?

Anna serra doucement sa main presque inerte dans la sienne.

— Je serai là, madame Higgs. Reposez-vous maintenant.

Dans la chambre plongée dans la pénombre, Anna demeura immobile à écouter la respiration de plus en plus faible, de plus en plus laborieuse. Peu à peu, une sorte de paix s'installait en elle. Lorsque tout fut terminé, elle se leva lentement et posa un baiser sur le front de la morte.

— Je ne vous oublierai pas, promit-elle doucement.

Anna sortit dans le couloir et lutta un instant contre le vertige. Une partie d'elle aurait voulu hurler de chagrin, de révolte et de désespoir. Une autre semblait s'être éteinte en même temps que Mme Higgs. Dans un état second, elle alla trouver l'infirmière chef. Mme Kellerman, qui avait cinq nouvelles admissions à gérer, leva brièvement la tête de ses dossiers pour lui jeter un regard impatient.

— Nous sommes un peu débordées, là, mademoiselle Whitfield.

Anna demeura très calme et très droite. Lorsqu'elle ouvrit la bouche, elle fut étonnée d'entendre l'autorité qui émanait de sa propre voix.

— Il faudra appeler le Dr Liederman pour Mme Higgs.

Mme Kellerman se leva aussitôt.

— Elle est en grande souffrance ?

— Elle n'est plus en souffrance du tout, madame Kellerman.

Une fugitive expression de chagrin passa dans le regard du « Dragon ». Elle hocha la tête.

— Merci, mademoiselle Whitfield. Mademoiselle Bates ? Allez chercher immédiatement le Dr Liederman pour la 521.

Sans attendre la réponse de l'infirmière, Nancy Kellerman se hâta dans le couloir pour gagner la chambre de Mme Higgs. Anna lui emboîta le pas et attendit sur le pas de la porte.

— Rien ne vous oblige plus à rester ici, mademoiselle Whitfield, observa l'infirmière chef après s'être penchée quelques instants sur la morte.

Déterminée à ne pas se laisser chasser, Anna soutint son regard.

— Mme Higgs n'avait plus personne au monde.

Nancy Kellerman tourna lentement la tête. Pour la première fois Anna vit dans son regard une lueur de respect. S'écartant du lit, l'infirmière chef lui posa la main sur le bras.

— Attendez un instant dehors, s'il vous plaît. Je dirai au Dr Liederman d'aller vous voir lorsqu'il en aura fini ici.

Anna alla s'asseoir dans le coin de couloir qui faisait office de salle d'attente et laissa ses pensées flotter librement. Ce premier rendez-vous avec la mort constituait le début d'une longue série de rencontres. Jour après jour, pendant toute sa carrière de médecin, elle aurait à la combattre, certes, mais aussi à l'accepter. La mort, désormais, serait intimement liée à sa vie.

Avec un profond soupir, Anna ferma les yeux. Lorsqu'elle les rouvrit, elle vit Daniel arriver à grands pas dans sa direction.

Pendant une fraction de seconde, le vide se fit dans

son esprit. Puis son regard tomba sur le bouquet de roses qu'il avait à la main. Non sans mal, elle réprima les larmes qui lui montaient aux yeux. Elle se leva lentement.

— Je savais que je te trouverais ici, Anna.

Tout était agressif chez Daniel : la démarche, l'allure, la voix. Se jeter dans ses bras pour pleurer tout son soûl lui apparut comme un luxe inenvisageable.

— Je suis ici tous les jours, répondit-elle calmement.

Et cela, pour les quarante années à venir. Aujourd'hui, plus que jamais, Anna était confortée dans la certitude que l'hôpital était sa voie.

— J'ai dû prolonger mon séjour à New York. Les négociations ont pris plus de temps que prévu.

Et il avait passé des nuits agitées à penser à elle — rien qu'à elle. Daniel allait poursuivre sur le même ton brusque lorsqu'il vit son regard.

— Anna ?

Sans répondre, elle baissa les yeux sur le bouquet de roses qu'il tenait à la main. Il ne lui en fallut pas plus pour comprendre ce qui s'était passé.

Jurant à voix basse, il laissa tomber le bouquet sur la table.

— Elle n'était pas seule, au moins ?

Qu'il pose cette question — précisément cette question — bouleversa Anna. Elle lui prit la main.

— Non. J'étais avec elle. Je veux voir le médecin qui l'a opérée. Il est avec elle en ce moment.

Daniel ouvrit la bouche pour protester. Puis se ravisa et glissa un bras autour de ses épaules.

— J'attends ici avec toi.

Ils demeurèrent côte à côte, en silence. Le parfum des roses montait jusqu'aux narines d'Anna. Elles étaient encore en bouton, jeunes et fraîches. Elle songea que les fleurs étaient soumises à un cycle, tout comme les être humains. Un cycle que Constance Higgs avait parcouru jusqu'à son terme. Anna savait qu'il était impossible de vivre pleinement tant qu'on n'avait pas admis que la mort faisait partie du processus.

Elle se leva lentement lorsque le Dr Liederman s'avança vers eux.

— Mademoiselle Whitfield ? Mme Higgs m'a souvent parlé de vous. Vous êtes étudiante en médecine, je crois ?

— C'est exact.

— Vous savez que nous avons procédé à la résection d'une tumeur maligne dans la sphère digestive, n'est-ce pas ? Une seconde s'est développée tout de suite derrière. Nous avons hésité à réopérer, mais les chances pour qu'elle survive à une nouvelle intervention étaient minimes. Nous avons préféré soulager la douleur et lui prodiguer des soins de confort dans l'espoir de lui offrir la meilleure fin de vie possible.

— Je comprends.

Anna comprenait aussi qu'en tant que chirurgien, elle serait amenée, dans quelques années, à prendre des décisions aussi terrifiantes que celle-là.

— Mme Higgs n'avait plus de famille. J'aimerais m'occuper des funérailles.

Le Dr Liederman la considéra un instant avec un mélange de surprise et de respect.

— Je pense que cela devrait pouvoir se faire. Je dirai au notaire de Mme Higgs de se mettre en rapport avec vous.

— Merci, docteur.

Ils échangèrent une poignée de main.

— Si vous faites votre internat ici, mademoiselle

Whitfield, passez éventuellement me voir, déclara le grand ponte avant de repartir à grands pas dans le couloir.

Dès qu'ils furent seuls, Daniel lui prit le bras.

— Partons d'ici.

— Je n'ai pas fini mon service.

— En tant que bénévole, tu es libre de définir tes horaires, trancha Daniel en l'entraînant vers l'ascenseur. Et tu as le droit de respirer de temps en temps.

Comme elle ouvrait la bouche pour protester, il la devança en posant un doigt sur ses lèvres.

— Disons que tu t'accordes quelques heures de liberté pour me faire plaisir. Je voudrais te montrer quelque chose.

Elle aurait pu camper sur ses positions et refuser. Ce fut précisément parce qu'elle se sentait suffisamment forte pour lui dire non qu'Anna accepta de le suivre.

— Mon chauffeur va nous conduire chez moi, juste le temps de récupérer ma voiture.

— J'ai la mienne ici si tu veux.

— Ça me va parfaitement.

Il renvoya Steven et rejoignit Anna devant sa décapotable blanche.

— Où allons-nous ? demanda-t-elle en s'installant au volant.

— Nous remontons vers le nord. Je te donnerai les indications.

Sentir le vent dans ses cheveux, le soleil sur son visage et conduire vers une destination indéfinie était exactement ce dont Anna avait besoin. Daniel la laissa à ses pensées pendant tout le temps qui lui était nécessaire.

— Pleurer n'est pas forcément un signe de faiblesse, observa-t-il lorsqu'ils eurent laissé Boston derrière eux.

Elle soupira, les yeux rivés sur les ondes de chaleur qui faisaient osciller le long ruban gris de la route.

— Je sais… Mais je ne peux pas. Pas encore, en tout cas. Parle-moi plutôt de New York.

Avec un large sourire, Daniel posa le bras sur le dos de son siège.

— C'est une ville de fous que j'aime bien. Je ne pourrais pas vivre sur place mais j'y fais d'excellentes affaires. Tu as entendu parler des Editions Dunripple ?

— Bien sûr.

— A présent, ce sera Dunripple & MacGregor.

— Mon cher ! Voilà qui va accroître ton prestige.

Il haussa les épaules.

— Tout prestigieux qu'ils sont, ils avaient besoin d'idées neuves et de capitaux.

— Et toi ? Que t'apportent les Editions Dunripple ?

— Elles me permettent de diversifier mes activités. Cela évite de dépendre de la santé d'une seule branche.

Sourcils froncés, Anna tenta de se représenter l'univers de Daniel.

— Et comment sais-tu ce qu'il faut acheter ?

— Je vise les vieilles firmes à la réputation bien établie menacées par le déclin. Mais aussi les toutes jeunes entreprises qui tentent de percer. Les premières me donnent une assise. Les secondes me permettent d'innover, de me projeter dans l'avenir.

— Mais il doit arriver que certaines de ces sociétés se cassent la figure, non ?

— Bien sûr. Ça fait partie du jeu.

— Un jeu féroce, il me semble ?

— Sans doute, oui ; féroce comme la vie.

Du coin de l'œil, Daniel observa son profil. Elle était un peu trop pâle, son regard un peu trop éteint.

— Un médecin sait que parmi ses patients, certains, forcément, ne s'en sortiront pas. Ça ne l'empêche pas de les accueillir en consultation quand même.

Anna lui sourit faiblement. Ainsi, il comprenait. Elle aurait dû s'en douter, d'ailleurs. Il était étonnamment intuitif pour quelqu'un qui semblait aussi extraverti.

— C'est vrai, admit-elle.

— Etre dans la vie, c'est prendre des risques, Anna.

— Et ne pas admettre la mort, c'est ne vivre qu'à demi, acquiesça-t-elle doucement.

Ils retombèrent de nouveau dans le silence. Daniel donnait des indications, Anna les suivait. Des pensées tourbillonnaient dans sa tête, des émotions montaient, menaçaient de la submerger, puis retombaient.

Lorsqu'ils arrivèrent sur la côte, Daniel lui fit signe de s'arrêter devant une épicerie. Anna se gara docilement sur le petit parking attenant.

— C'est ça que tu voulais me montrer?

— Non. Mais tu risques d'avoir faim si nous ne faisons pas quelques provisions avant de poursuivre.

Anna interrogea son estomac en descendant de voiture.

— Je crois que j'ai déjà un petit creux.

Tout en se demandant ce qu'ils pourraient trouver dans le magasin minuscule à part des biscuits et des conserves, elle suivit Daniel à l'intérieur. L'aspect des lieux la surprit agréablement. Le sol en bois ciré étincelait de propreté. Et une incroyable variété de produits était stockée dans un périmètre plus que restreint.

— Monsieur MacGregor!

Avec un plaisir évident, une femme massive se laissa glisser de son tabouret derrière le comptoir.

— Ah! madame Lowe! Toujours aussi jolie, ma foi.

La Mme Lowe en question avait un aspect distinctement chevalin et ne semblait se bercer d'aucune illusion sur ses atouts physiques. Elle accueillit le compliment de Daniel avec un bruyant éclat de rire.

— Alors, monsieur MacGregor, qu'est-ce qui vous amène aujourd'hui ? s'enquit-elle avec un large sourire qui dévoila le vide laissé par une incisive manquante.

— Cette demoiselle et moi avons besoin d'un pique-nique. Dites-moi qu'il vous reste quelques tranches de l'extraordinaire roast-beef que vous m'avez vendu la dernière fois ?

— Pas un gramme, monsieur MacGregor, pas un gramme. Mais j'ai là du jambon cuit maison qui vous fera saliver et remercier Notre Créateur.

Plus charmeur que jamais, Daniel prit la main potelée de l'épicière et la porta à ses lèvres.

— Je saliverai et je vous remercierai, vous, madame Lowe.

— Je prépare un sandwich pour la demoiselle. Deux pour vous. Et je peux ajouter une Thermos de limonade… A condition que vous achetiez la Thermos, déclara l'épicière qui, de toute évidence, ne perdait pas ses intérêts de vue.

— C'est une affaire qui marche.

Avec un gloussement de satisfaction, Mme Lowe disparut dans l'arrière-boutique.

— Tu es un habitué de la maison, apparemment ? commenta Anna, amusée.

— M. et Mme Lowe tiennent leur magasin eux-mêmes. Et ils font ça très bien. Je pense que s'ils avaient les moyens de s'agrandir, Mme Lowe pourrait faire un malheur avec ses sandwichs.

Elle vit danser dans ses yeux une lueur qu'elle commençait à bien connaître.

— Lowe & MacGregor ? conclut-elle en souriant.

Avec un grand rire, il secoua la tête.

— Je crois que ça restera « Lowe » tout court. Dans certains cas, il faut savoir rester discrètement à l'arrière-plan.

Mme Lowe revint un peu plus tard avec un grand panier d'osier. Daniel lui tendit quelques billets — une somme pour le moins généreuse, estima Anna — qui disparurent promptement dans une poche de tablier.

— Ma foi, profitez bien de votre pique-nique, votre petite dame et vous. Et ramenez-moi le panier au passage, si vous voulez bien.

— Vous pouvez compter sur nous, madame Lowe. Et transmettez mes amitiés à votre mari.

Daniel prit le panier et ils regagnèrent la voiture.

— Tu veux bien me laisser conduire, Anna ?

Jusqu'à présent, elle n'avait autorisé personne — pas même son père ou Myra — à prendre le volant de sa nouvelle voiture. Elle hésita à peine, cependant, avant de tendre ses clés à Daniel.

Très vite, ils bifurquèrent pour emprunter une route qui s'élevait en lacets serrés vers le sommet de la falaise. La vue était à couper le souffle sur la roche abrupte qui semblait avoir été tailladée, sculptée par une hache géante. Le gris de la pierre n'était pas uniforme. Anna distingua des touches de rouge, des soupçons de vert. En contrebas, les vagues se déchaînaient contre la base luisante de la muraille rocheuse. Même l'air et le vent semblaient porter en eux un peu de la force de l'océan. Anna perçut la violence des éléments arc-boutés dans une lutte permanente. Et sentit que, là aussi, mort et vie étaient intimement liées.

Ils continuèrent à grimper ainsi sur des kilomètres.

La route était si étroite que deux voitures ne pouvaient y circuler de front. Anna se demanda comment réagirait Daniel s'ils croisaient un autre véhicule. Mais elle ne ressentait aucune inquiétude. Elle se laissa aller contre le dossier de son siège et suivit des yeux le vol des mouettes. Lorsque, enfin, ils atteignirent le haut de la falaise, elle fut presque déçue que la longue ascension prenne fin.

Jusqu'au moment où elle découvrit le paysage devant elle. Hérissée d'herbes folles, c'était une terre solitaire, caillouteuse et sauvage qui s'étendait jusqu'au bord de la falaise. Anna ressentit une émotion étrange, acérée comme une flèche, douce comme un baiser. Comme si ce lieu, quelque part, la concernait depuis toujours.

Daniel immobilisa la voiture et descendit. Comme chaque fois qu'il venait là, il était attiré par la beauté sauvage de ce promontoire qui dominait l'océan. Dès le premier regard, il avait su qu'il était là chez lui.

Sans un mot, Anna alla le rejoindre. Le vent était fort, la falaise abrupte, l'océan violent. Et pourtant, une sorte de paix profonde sous-tendait ces turbulences. Comme si l'immobile, ici, était au cœur du mouvement.

— C'est ton terrain, n'est-ce pas ? murmura-t-elle.

— *Aye.*

Le vent balayait ses cheveux devant ses yeux. Elle les repoussa avec impatience pour mieux voir.

— C'est beau.

Elle le dit avec une simplicité, une conviction telles que Daniel fut incapable de répondre. Il ne s'était même pas rendu compte jusqu'à cet instant à quel point il avait redouté sa réaction. Il avait besoin qu'elle accepte, qu'elle comprenne. Et qu'elle tombe amoureuse de ce lieu au premier regard, comme cela avait été le cas pour lui.

Il lui prit la main et la porta à ses lèvres.

— C'est là que je ferai construire ma demeure, indiqua-t-il en l'entraînant vers le bord de la falaise. Juste au-dessus de l'océan pour entendre le choc des vagues. Ce ne sera pas une maison de bois. La pierre est plus durable. Je veux qu'elle résiste au temps et aux saisons. Les plafonds seront hauts et il y aura de grandes fenêtres. La porte d'entrée sera si large que trois hommes pourront y passer de front.

Daniel s'immobilisa pour calculer mentalement leurs positions.

— Là se dressera une tour, annonça-t-il.

— Des tours ! Mais c'est un château que tu as l'intention d'ériger ?

— Exactement, un château. Et les armes des MacGregor seront gravées sur la porte d'entrée.

Anna tenta d'imaginer à quoi ressemblerait pareil édifice. Mais il lui fut impossible de s'en faire une idée.

— Pourquoi si grand, si démesuré ?

— Pour que cette maison tienne encore debout à l'époque de mes arrière-petits-enfants. Je veux du durable.

Sur cette affirmation tranchée, Daniel retourna à la voiture pour récupérer le pique-nique. Dans un état d'esprit assez étrange, Anna l'aida à étaler sur l'herbe la couverture fournie par Mme Lowe. En plus des sandwichs, le panier contenait une salade et deux parts de tarte aux prunes maison. Sa jupe drapée sur ses genoux, Anna s'installa en tailleur pour grignoter et regarder les nuages voguer librement dans le bleu pur du ciel.

Tant de changements étaient survenus en l'espace de quelques semaines. Et pourtant, elle avait l'impression que sa vie était comme suspendue. Depuis des années, elle considérait qu'un avenir tout tracé s'étirait en ligne droite devant elle. Mais depuis sa rencontre avec Daniel, le chemin de sa vie n'était plus que tournants abrupts, virages en épingles à cheveux et méandres inattendus.

Daniel aussi semblait plongé dans ses pensées. Ce ne fut qu'une fois le pique-nique avalé qu'il se mit à parler lentement, comme pour lui-même :

— Le cottage dans lequel je suis né en Ecosse n'était guère plus grand que le garage attenant à ta maison. J'avais cinq ans — peut-être six — lorsque la maladie a frappé ma mère, quelques mois après la naissance de mon frère Alan. Lorsqu'elle a dû s'aliter, ma grand-mère est venue tous les jours pour faire la cuisine et s'occuper du bébé. Moi, je restais assis au chevet de ma mère. Je lui parlais un peu, ça l'aidait à passer le temps. Je ne m'en rendais pas compte à l'époque, mais c'était encore une toute jeune femme...

Les mains posées sur les genoux, Anna écoutait en silence. S'il lui avait parlé de son passé quelques semaines plus tôt, elle lui aurait prêté une attention tout juste polie. Aujourd'hui, elle retenait son souffle, comme si l'avenir du monde dépendait de ses paroles.

— Continue, murmura-t-elle.

Evoquer les vingt-cinq premières années de sa vie n'était pas chose facile pour Daniel. Mais Anna avait le droit de savoir d'où il venait, par où il était passé et ce après quoi il courait dans l'existence.

— Chaque soir, lorsque mon père rentrait de la mine, il avait la peau noire de charbon, les yeux rougis par la poussière. Quand je pense, avec le recul, à la vie qu'il menait, je me dis qu'il devait être exténué. Mais il prenait le temps de jouer avec mon petit frère, de m'écouter, de veiller sa femme grabataire. La maladie de ma mère a duré cinq longues années. Lorsqu'elle s'est éteinte, elle ne pesait quasiment plus rien. Elle a souffert du début jusqu'à la fin sans jamais émettre une seule plainte.

Anna songea à Constance Higgs qui avait fait preuve du même stoïcisme. Et les larmes, cette fois, coulèrent librement. Daniel se tut quelques instants en contemplant l'océan.

— Après le décès de ma mère, ma grand-mère est venue habiter avec nous. C'était une sacrée personnalité, cette femme-là, et elle ne plaisantait pas avec la discipline. Au lieu de me laisser vagabonder avec les copains, elle m'a pris par le col et ne m'a pas lâché avant que je sache lire et écrire. J'ai commencé à travailler à la mine à douze ans, mais je maniais les chiffres mieux que les hommes adultes. J'étais d'ailleurs plus grand que certains d'entre eux, déjà.

Daniel se mit à rire. Sa grande taille et sa carrure lui avaient été sacrément utiles à l'époque.

— Le travail à la mine, c'était la descente aux enfers tous les matins. Il y avait toujours cette odeur qui vous prenait à la gorge, cette poussière noire qui vous attaquait les poumons. Chaque fois que la terre tremblait, on se disait que notre compte était bon et on priait pour que la mort frappe vite. J'avais quinze ans lorsque McBride, le propriétaire de la mine, s'est intéressé à moi. Quand il a compris que je savais compter, il a commencé à me faire venir en dehors de mes heures de travail pour l'aider dans son bureau. Au bout d'un an, j'étais passé col blanc et je tenais toute sa comptabilité. Du jour où j'avais commencé à travailler, mon père m'avait obligé à mettre la moitié de ma paye dans une boîte de conserve que nous cachions à la cave. Et il a fait la même chose pour mon frère. On manquait de tout, pourtant, et cet argent nous aurait sacrément facilité l'existence. Mais mon père n'a jamais dérogé à la règle qu'il nous avait fixée.

— Il voulait que vous vous sortiez de là, ton frère et toi, murmura Anna.

— *Aye*, oui, c'était son rêve. Que nous nous fassions une existence d'hommes libres — en surface. Il disait que l'être humain n'était pas fait pour vivre sous terre, comme une bête.

Lorsque Daniel tourna les yeux vers elle, son regard luisait d'une rage douloureuse.

— J'avais vingt ans lorsque le puits principal s'est effondré. Nous avons creusé pendant trois jours et trois nuits. Vingt des mineurs au fond sont remontés à la surface les pieds devant. Mon père et mon frère faisaient partie du lot.

— Oh, Daniel... Je suis désolée.

Avec une infinie tendresse, Anna posa la tête sur son épaule. Elle comprenait son chagrin mais aussi sa révolte, sa culpabilité, sa colère.

— Lorsque nous les avons enterrés, j'ai juré que les MacGregor n'avaient pas dit leur dernier mot. Que tout allait commencer pour eux, au contraire. Je savais que je quitterais la mine et que je quitterais l'Ecosse. Mais lorsque j'ai eu les moyens de partir, il était déjà trop tard pour emmener ma grand-mère. Avant de mourir, elle m'a demandé une seule chose : que je ne laisse pas la lignée s'éteindre et que je n'oublie pas qui nous sommes et d'où nous venons. Cette promesse, Anna, je la tiens pour elle, mais aussi pour moi. Et elle se concrétisera dans chacune des pierres qui serviront à bâtir cette maison.

Elle le comprenait maintenant. Un peu trop bien,

peut-être. Elle comprenait aussi, désormais, ce que le mot « aimer » voulait dire. Ici, sur cette terre nue et balayée par le vent, elle venait de tomber irrévocablement amoureuse de Daniel Duncan MacGregor. Mais loin de résoudre son dilemme, ce constat ne faisait que le compliquer davantage.

Anna se leva et se dirigea vers l'endroit où Daniel avait le projet de construire sa maison. Son château verrait le jour, elle le savait. Et il serait superbe.

— Ta famille serait fière de toi, Daniel.

— Un jour, je retournerai là-bas pour voir le village, la mine, le cottage où j'ai vécu. Et j'aurai besoin que tu sois à mon côté.

Elle se tourna lentement vers lui et se demanda si elle n'avait pas attendu sa vie entière pour faire ce simple geste. « Et si c'était déjà poser un pied dans le labyrinthe ? » se demanda-t-elle, le cœur battant.

— Je crains de ne pas être en mesure de t'offrir tout ce que tu attends de moi, Daniel. Mais ce qui m'inquiète encore plus, c'est que je risque d'essayer de te le donner quand même, à ma façon.

Il se leva à son tour pour se placer devant elle.

— Tu m'as dit que tu avais besoin de temps et je t'ai laissé une semaine. J'aimerais maintenant connaître ta réponse.

Ainsi le moment était venu ? Debout au bord de la falaise, Anna se sentit vaciller. C'était donc ici, au-dessus de l'océan furieux, que leur avenir se jouait.

Et la balle, elle le savait, était dans son camp.

Chapitre 7

Anna était tiraillée — tellement tiraillée — entre deux aspirations contraires que choisir entre les deux paraissait presque inhumain. Elle aurait voulu donner à Daniel tout ce qu'il lui demandait et même plus encore. Et en même temps freiner des quatre fers et redevenir l'Anna d'avant, celle dont le plus grand bonheur était de se plonger dans ses livres de médecine. Tout son avenir était suspendu à la réponse qu'elle donnerait à Daniel.

Une réponse qui scellerait leur destin.

Et même si sa raison restait puissante, son cœur, peu à peu, faisait entendre sa voix. Qu'était-ce que l'amour ? Elle n'aurait su le dire. Mais la force qui la poussait dépassait la logique ordinaire — celle à laquelle elle s'était toujours référée jusque-là.

L'amour, Anna le savait, avait déclenché des guerres, fait tomber des empires, poussé les hommes à la folie et conduit des femmes intelligentes à se comporter en parfaites idiotes. Elle pouvait réfléchir et raisonner pendant des heures sans venir à bout de l'amour pour autant.

Ils se tenaient face à face au sommet de la falaise et le vent rugissait contre les rochers, sifflait dans l'herbe haute, gémissait dans les branches des arbres. Sur cette terre hautaine, Daniel avait choisi de concrétiser un rêve et une promesse.

Anna releva le menton. Si Daniel était son destin, elle irait à sa rencontre la tête haute.

Il avait l'air plus farouche que jamais, presque terrifiant avec son regard bleu arrimé au sien et le soleil dans son dos. Thor ou Zeus — il aurait pu être l'un et l'autre. Mais c'était un homme de chair et de sang qui se dressait devant elle. Un homme qui croyait au destin et qui était prêt à soulever des montagnes pour accomplir ce qu'il estimait être le sien.

Et c'était elle qu'il avait élue pour le partager.

Anna hésita. Elle aurait voulu être parfaitement lucide pour prendre sa décision. Mais son cœur n'était pas calme et sa raison s'affolait. Comment faire face à Daniel, lire l'éclat du désir dans ses yeux et garder la tête claire ? Il lui avait parlé d'engagement, de mariage, de famille, d'un avenir commun auquel elle n'était pas certaine de pouvoir adhérer.

Ce qu'elle savait vouloir partager avec lui, en revanche, elle ne pourrait le donner qu'une fois et une seule. Laissant son cœur prendre les commandes, Anna lui ouvrit les bras.

D'emblée, la rencontre de leurs corps fut électrique, comme le choc de deux nuages déclenche la foudre par temps d'orage. Leurs bouches se trouvèrent, s'épousèrent. Anna sentit le désir bouillonner, le feu gronder et se répandre. Il n'y avait plus que cet homme, que ce lieu, que la folle chorégraphie de leurs baisers et de leurs gestes.

Daniel enfouit les doigts dans ses cheveux, faisant tomber ses peignes en écaille sans que ni l'un ni l'autre ne se soucient de les récupérer dans l'herbe. La bouche de Daniel était impatiente, s'attachant à la sienne, puis repartant glisser sur sa joue ou dans son cou, comme s'il voulait la marquer partout de son empreinte. Il chuchota son nom comme un appel, le réitéra contre ses lèvres. Elle se pressa contre lui et découvrit le vertige d'une étreinte qu'aucune retenue ne limitait plus. Anna se sentit céder, ployer, tomber dans cet abandon fluide qui était l'apanage des femmes dans l'amour. En esprit, elle anticipa le plaisir d'un ton total. Puis ses pensées s'égaillèrent, ne laissant plus derrière elles qu'une seule certitude : elle était là où elle voulait être.

Ensemble, ils se laissèrent tomber dans l'herbe, si étroitement enlacés que même le vent n'aurait pu se glisser entre leurs corps amoureux. Comme deux amants que la vie aurait trop longtemps séparés, ils précipitaient leurs gestes. Pressée d'éprouver la nudité de sa chair contre la sienne, Anna déboutonna la chemise de Daniel. Les années de travail dans la mine avaient sculpté ses bras et son dos. Il était magnifique. Sa puissance physique exerçait sur elle un attrait fasciné. Elle le caressa sans retenue, laissant ses mains improviser une gestuelle qui les enchanta l'un et l'autre. Et ce fut ainsi qu'elle découvrit la joie si charnelle d'entendre un homme — son homme — gémir de désir sous ses attouchements.

Daniel avait envie d'elle. Ici. Maintenant. Et de façon totale et exclusive. Anna le sentait à chacun des battements du cœur d'homme qui cognait contre le sien. Il était important pour elle qu'il la désire — important pour elle de savoir qu'elle n'était pas seulement un objectif concret qu'il s'était fixé. La volonté, l'ambition n'avaient aucune place dans ce qui se passait entre leurs deux corps enlacés. Le désir qui les jetait l'un vers l'autre était pur, impérieux. Et il n'appartenait qu'à eux deux.

Daniel avait eu la ferme intention de procéder avec toute la douceur, toute la maîtrise dont il se savait capable. Mais Anna lui faisait tourner la tête comme aucune femme avant elle. Elle était infiniment plus qu'un but à atteindre ou une future épouse à courtiser. Ses mains étaient fines, fortes et désinhibées ; sa bouche chaude et insistante.

Dérouté, Daniel se sentait séduit plus encore que séducteur — initié presque autant qu'initiateur. Son sang rugissait si fort dans ses veines qu'il n'entendait même plus le fracas des vagues en contrebas. Une senteur prégnante d'herbe écrasée lui montait aux narines mais les fragrances mêlées qui faisaient l'odeur d'Anna étaient infiniment plus exaltantes. Elle était si menue, si extraordinairement délicate qu'il avait peur de la briser avec ses grandes mains en la déshabillant. Mais elle se soulevait à sa rencontre, l'encourageait de la voix, le suppliait de précipiter ses gestes.

Il était incapable de lui résister, incapable de modérer l'ardeur qui le possédait. Dans une sorte de course effrénée, il lui retira le reste de ses vêtements et s'adonna fiévreusement au culte de sa peau, blanche comme le lait sous le chaud soleil de l'été.

Anna avait cru impossible de ressentir une excitation plus intense, un plaisir plus grand que ceux que Daniel lui avait déjà apportés. Mais partout où ses lèvres se posaient sur son corps dénudé, elle découvrait de nouvelles sensations, encore plus confondantes. Jamais elle n'aurait imaginé qu'un homme et une femme puissent partager sous la pleine lumière de midi des sensations aussi nocturnes, aussi secrètes. Et comment aurait-elle pu concevoir qu'elle, si rationnelle, si contenue, se donnerait dans un élan de passion, au beau milieu d'un pré, en haut d'une falaise ? Mais peu importait où, peu importait quand et peu importait comment. Tout ce qui comptait, c'était Daniel. Et elle savait que ce serait lui, encore lui, toujours lui jusqu'à la fin des temps.

Tout allait vite, tellement vite. Chaque fois qu'elle découvrait une nouvelle sensation, une autre se dessinait, plus intense encore. Anna rit d'exaltation lorsqu'elle réalisa qu'il n'était pas nécessaire pour eux de se comprendre, qu'il leur suffisait d'avoir ce prodigieux ressenti en commun.

Daniel n'entendait plus que le fracas de son sang qui martelait ses tempes et cognait dans ses veines. Mais même si le corps d'Anna sous le sien brûlait d'un feu tout aussi sauvage, il la savait encore innocente. Même si elle se cramponnait à lui, même si ses hanches dansaient sous les siennes, il avait peur de sa propre puissance.

Elle était si précieuse, si délicate que sa propre force lui fut soudain odieuse. Il luttait pour reprendre son souffle lorsqu'elle le ramena à elle.

— Anna...

— J'ai envie de toi, Daniel.

Les mots à peine murmurés lui retentirent aux oreilles avec la force d'un coup de tonnerre. Une souffrance délicieuse se répandit en lui.

— Je ne te ferai pas mal, promit-il.

Il souleva la tête et vit l'ombre d'un sourire sur ses lèvres délicates, l'ombre du désir voiler ses yeux.

— Non, tu ne me feras pas mal.

Il vint en elle, non avec sa force, mais avec son amour. Anna s'ouvrit et fut pur accueil. Il avait déjà connu des femmes, mais il n'avait jamais rien vécu de semblable. Comme si leurs corps joints échangeaient un serment d'éternité.

Anna se sentit pénétrée et remplie — remplie d'amour, remplie de lui. La souffrance fut balayée aussitôt par une joie si vaste qu'elle demeura un instant parfaitement immobile à en savourer l'immensité. Après l'émerveillement, vinrent de nouveau le désir, le mouvement, l'exaltation. Comme ivre, elle s'agrippa à ses épaules puissantes. Daniel cria son nom avant d'arrimer sa bouche à la sienne. Alors, oubliant tout contrôle, ils se prirent mutuellement dans une même frénésie.

Rarement, Daniel avait éprouvé un contentement aussi absolu. Avec Anna allongée dans l'herbe à son côté, il se sentait comme un roi. De l'impatience qu'il ressentait parfois après l'amour, il ne détectait aucune trace. Au contraire. Il se sentait disposé à rester là jusqu'à la fin des temps.

Il avait sélectionné une jeune fille belle et intelligente pour en faire son épouse. Ce qui constituait un choix logique pour un homme déterminé à fonder une dynastie et à construire un empire. Le bonus, c'est qu'Anna était également douce, sensuelle et passionnée. Bref, la mère de ses enfants-encore-à-naître lui allait comme un gant. La chance, de nouveau, souriait au clan MacGregor.

Anna ne disait rien mais elle respirait paisiblement et sa main était logée en confiance dans la sienne. Il la sentait rêveuse, comblée. Sa tête était nichée au creux de son épaule. Et la position était si naturelle, si spontanée, qu'il aurait été prêt à jurer qu'ils avaient déjà été allongés ainsi des milliers de fois, côte à côte dans l'herbe verte, à regarder la parade mouvante des nuages.

Enfant, il n'avait que rarement eu l'occasion de rêver en contemplant le ciel. Mais il n'était pas trop tard pour rattraper le temps perdu. A part qu'avec Anna, il n'aurait pas besoin de se construire un univers de rêve. Car la réalité serait plus belle que tous les fantasmes.

Daniel aurait pu rester là durant des heures, avec le bruit du ressac, le sifflement du vent dans l'herbe et le soleil caressant leur peau. Il avait trouvé son lieu et il avait trouvé sa compagne. Que demander de plus ? Naturellement, il leur faudrait regagner la ville bientôt. La vie dont il rêvait exigeait un décor un peu plus élaboré qu'un simple carré d'herbe au-dessus de l'océan.

Gardant Anna serrée dans ses bras, il songea à leur avenir. Déjà, il l'imaginait chez lui, dans sa grande maison de Boston, disposant des fleurs dans un vase, palissant les rosiers du jardin.

— Ce n'est pas la place qui manque chez moi, observa-t-il en enfouissant les lèvres dans ses cheveux. Je suppose que tu auras envie d'apporter certaines modifications, de mettre quelques touches plus féminines.

Anna regarda le soleil filtrer à travers les feuillages. Elle venait de faire un grand pas en avant dans le labyrinthe. Et, déjà, il était temps d'en faire un en arrière.

— Ta maison est très bien telle qu'elle est, Daniel.

— De toute façon, nous n'y resterons pas très longtemps, observa-t-il en caressant la soie de sa chevelure.

Il contempla l'emplacement de sa future demeure. De *leur* future demeure. C'était tellement moins solitaire d'envisager désormais l'avenir à deux.

— Une fois que je serai marié, je m'arrangerai pour voyager moins.

Anna ne quittait pas des yeux les nuages paresseux qui, loin au-dessus de leur tête, voguaient presque immobiles, sans offrir la moindre prise au vent qui soufflait de l'océan.

— Je croyais que tu étais obligé de te déplacer pour tes affaires ?

Daniel haussa les épaules.

— Pour l'instant, oui. Mais dans quelque temps, les autres viendront à moi et non plus le contraire. J'installerai mes bureaux ici, pourquoi pas ? Si je me marie, ce n'est pas pour passer l'essentiel de mon temps ailleurs qu'auprès de mon épouse et de mes enfants.

La main d'Anna reposait sur la poitrine de Daniel. La satisfaction possessive avec laquelle il prononçait ce « mon épouse » l'aurait presque fait sourire. Comme s'il évoquait un modèle de voiture particulièrement convoité dont il s'apprêterait à faire l'acquisition.

Rassemblant son courage, elle s'éclaircit la voix.

— Je n'ai pas l'intention de t'épouser.

— Je continuerai sans doute à prendre l'avion pour New York de temps en temps. Mais rien ne t'empêche d'être du voyage.

— J'ai dit que je ne t'épouserai pas, Daniel.

Avec un grand rire, il la souleva de terre pour l'allonger sur lui. La peau d'Anna était brûlante de soleil et d'amour. Elle était belle à croquer.

— Qu'est-ce que tu racontes ? Naturellement que tu vas m'épouser.

Elle posa la main sur sa joue. Sa caresse était aussi douce que l'expression de son regard. Daniel sentit une crainte irraisonnée lui contracter soudain la poitrine.

— Non, Daniel. Je ne serai pas ta femme.

Il sentit poindre les premiers signes d'une colère homérique.

— Comment peux-tu me dire ça maintenant ? Tu crois que ce n'est rien, peut-être, ce qui vient de se passer entre nous ?

— Non, je ne crois pas que ce ne soit rien. Au contraire.

Face à la calme gravité de son regard, Daniel connut d'abord une réaction de pure panique. Mais il devait une partie de sa réussite à sa capacité à transformer la peur en colère, puis en détermination.

— Ce n'est pas le moment de jouer à des petits jeux, Anna.

— Non, tu as raison.

Se dégageant doucement, elle récupéra sa jupe dans l'herbe et la fit glisser sur ses hanches. Partagé entre la furie et la stupéfaction, il lui attrapa les poignets avant qu'elle puisse enfiler son chemisier.

— Nous venons de faire *l'amour*, Anna. Et tu es venue à moi de ton plein gré.

— Je suis venue à toi, oui. Le désir entre nous est très fort.

— C'est exact. Et il va le devenir de plus en plus. Nous sommes liés, Anna. Voilà pourquoi le mariage constitue pour nous un dénouement logique.

— Je ne peux pas.

— Mais *pourquoi*, nom d'un chien?

Anna sentit une peur panique lui tordre l'estomac. Elle avait froid soudain, alors que le soleil brillait avec une intensité toujours égale. Si elle avait obéi à ses réflexes, elle se serait dégagée pour se mettre à courir de toutes ses forces.

— Tu veux que je t'épouse, tu veux démarrer une famille, tu veux que je t'accompagne dans tes voyages d'affaires à New York. Mais pour prendre cette place dans ta vie, il faudrait que je renonce à mener à bien mes propres projets, Daniel. Et ce renoncement-là, je ne puis m'y résoudre, même pour toi.

Il la secoua sans ménagement.

— C'est parfaitement ridicule, ce que tu me dis là. Je ne vois pas en quoi le fait d'être mariée avec moi t'empêcherait de poursuivre tes études. Si tu tiens à ce point à avoir ton diplôme, tu le passeras, un point c'est tout. Il n'y a pas de quoi en faire un plat.

Anna se libéra et recommença à s'habiller. Elle refusait d'être tyrannisée, comme elle refusait d'être charmée, même si Daniel était manifestement un expert dans l'un et l'autre domaines.

— Si je retournais en faculté de médecine sous le nom de Mme MacGregor, je n'irais jamais jusqu'au bout de mes études. Tu m'en empêcherais, même sans le vouloir.

— Bon sang, mais c'est quoi, cette logique tordue ?

Il se leva, insouciant de sa nudité, beau comme une statue antique. « Lui ouvrir les bras, songea Anna. Refaire l'amour. Devenir celle qu'il attend que je sois. Sans poser de conditions. » Effrayée par sa propre faiblesse, elle se mit sur ses pieds à son tour pour lui faire face.

— Mon doctorat, je veux l'obtenir quoi qu'il arrive, Daniel. C'est une nécessité pour moi.

Daniel était blessé, en colère. Comme si on lui avait fait miroiter le paradis et qu'on l'en chassait brutalement après lui en avoir entrouvert la porte.

— Ainsi, ta médecine compte plus que moi ?

Anna déglutit. Ce qu'elle s'apprêtait à lui proposer était tellement étranger aux habitudes de son milieu qu'elle osait à peine prononcer les mots :

— Je suis disposée à vivre avec toi, en revanche.

— Quoi ?

— Je m'installerais avec toi dans ta maison de Boston jusqu'en septembre. Pour ma dernière année d'études, nous pourrions prendre un appartement dans le Connecticut, hors campus. Et ensuite…

— Et ensuite, quoi ?

Les mots tombaient des lèvres de Daniel comme autant de tirs d'obus. Avec un léger frisson, elle leva les bras en signe d'ignorance.

— Ensuite, je ne sais pas.

La tête relevée, les cheveux soulevés par le vent, elle soutint crânement son regard. Daniel fulminait. Sa colère était presque aussi grande, à ce stade, que son amour pour elle.

— C'est une épouse que je veux, bon sang, pas une maîtresse !

L'incertitude dans les yeux d'Anna disparut pour céder la place à une furie aussi violente que la sienne.

— Et je ne t'ai jamais proposé de le devenir, lança-t-elle, outrée, en partant à grands pas vers la voiture.

Daniel la rattrapa par le bras et la fit pivoter sur elle-même avec une telle force qu'elle faillit perdre l'équilibre.

— Alors tu me proposes quoi, au juste ?

— De vivre avec toi, je t'ai dit !

Anna ne criait pas souvent mais lorsqu'elle s'y mettait, elle ne faisait pas les choses à moitié. Si Daniel n'avait pas été dans une pareille rage, il aurait été dûment impressionné.

— Jamais je n'accepterai d'être une femme entretenue, tu m'entends ? Je ne veux ni de ton argent, ni de ta grande maison ni de tes douzaines de roses par jour. C'est toi que je veux. Pourquoi, Dieu seul le sait, en revanche !

— Si c'est moi que tu veux, il n'y a qu'une façon, et elle tombe sous le sens : le mariage.

Toujours nu et toujours courroucé, il l'attira contre lui. Le regard étincelant, Anna se rejeta en arrière.

— Tu crois vraiment qu'il te suffit d'élever la voix et de te servir de tes gros muscles pour obtenir tout ce que tu veux dans la vie ?

Elle se campa devant lui. Plus menue et plus décidée que jamais.

— Tu auras ce que je veux bien te donner. Pas une once de plus, pas une once de moins. C'est clair ?

Daniel secoua la tête. Comment un homme normalement constitué était-il censé dialoguer dans ces conditions ?

— Tu es complètement inconsciente, Anna. As-tu réfléchi, ne serait-ce qu'une seconde, à ce qu'il adviendrait de ta réputation ?

— Je te laisse le soin de te soucier de la tienne. La mienne, je m'en moque.

Haussant les sourcils d'un air souverain, elle l'examina des pieds à la tête.

— Tu n'as pas l'air de beaucoup t'inquiéter des convenances en ce moment, d'ailleurs.

D'un mouvement brusque, il enfila son pantalon. Un autre homme à sa place aurait sans doute eu l'air ridicule. Daniel, lui, restait plus royal et imposant que jamais.

— Il y a quelques minutes, je t'ai séduite, Anna.

— Détrompe-toi, l'interrompit-elle en se penchant pour récupérer sa chemise. Il y a quelques minutes, nous avons fait l'amour. Et la séduction n'avait rien à voir dans l'histoire.

Il lui prit la chemise des mains et l'enfila.

— Tu es une rude négociatrice, Anna Whitfield.

— Je sais.

Satisfaite d'elle-même, Anna entreprit de rassembler les restes du pique-nique.

— Tu m'as demandé l'autre soir chez toi de te prendre comme tu étais. Aujourd'hui, je te dis la même chose à mon tour. Si tu veux de moi dans ta vie, Daniel, il faudra tenir compte de qui je suis. Prends le temps de réfléchir et tu me donneras ta réponse lorsque tu auras pris une décision.

Le laissant à demi vêtu, elle s'éloigna d'un pas mesuré et regagna la voiture.

Ils parlèrent à peine pendant le long trajet du retour. La colère d'Anna était tombée mais elle se sentait à bout de forces. Elle avait besoin de temps pour réfléchir, faire le bilan et recharger ses batteries. Celles de Daniel n'étaient pas à plat, elles, en revanche. Même s'il gardait le silence, elle le sentait tendu, électrique. Et toujours aussi furieux.

Tant pis, songea Anna. Et même tant mieux. La colère seyait à Daniel. Il n'était pas donné à tout le monde de pouvoir rager et tempêter et de conserver quand même toute sa superbe.

Sa maîtresse ! Et puis quoi encore ? Jamais elle ne serait la *maîtresse* de qui que ce soit. Anna se renversa contre son dossier et croisa les bras. Et pas plus que maîtresse, elle ne serait épouse, d'ailleurs. Jusqu'au jour où elle en déciderait autrement. Un frisson courut sur la peau d'Anna et son cœur battit plus vite au souvenir de ce qui s'était passé dans l'herbe, au-dessus de l'océan déchaîné. Pour Daniel, elle serait une amante, une compagne. Et elle ne reviendrait pas sur ses positions avant l'obtention de son doctorat.

Vivre avec lui ! pesta Daniel, les mains agrippées au volant, tandis qu'il négociait un virage sans se préoccuper des règles élémentaires de prudence. Elle se moquait de lui ou quoi ? Il lui offrait la moitié de tout ce qu'il possédait, la moitié de ce qu'il était. Et, plus que tout, il lui offrait de porter son nom. Et Anna lui renvoyait dédaigneusement l'ensemble à la figure.

Jamais, au grand jamais, il n'aurait pris son innocence s'il n'avait pas été persuadé que le don qu'elle lui faisait de sa virginité constituait un engagement. Quel genre de fille était-elle pour refuser une honnête demande en mariage et faire un tel pied de nez aux conventions ? Il voulait une épouse, bon sang ! Pour fonder une vraie famille. Et Anna était prête à tout gâcher entre eux pour obtenir un vague bout de papier qui l'autoriserait à découper de la chair humaine au bistouri.

Il aurait dû l'écouter dès le début, lorsqu'elle lui avait conseillé de reporter son choix sur une jeune fille dépourvue de toute ambition professionnelle. Jamais Anna Whitfield ne ferait une épouse satisfaisante. Il ne lui restait donc plus qu'une chose à faire : l'oublier. Il la déposerait devant chez elle, la saluerait froidement et poursuivrait son chemin. Si seulement il n'avait pas gardé le goût de ses baisers sur ses lèvres, si seulement l'odeur de sa peau ne restait pas inscrite dans ses narines ; si seulement il n'avait pas été définitivement ensorcelé...

— C'est non, non et non ! Tu m'entends ?

Il s'immobilisa devant chez Anna en freinant si brutalement que Mme Whitfield, occupée à tailler ses rosiers à quelques mètres de là, tourna la tête, effarée à l'idée de ce que pourraient penser les voisins.

— C'est ton droit de refuser, admit Anna avec un calme exaspérant.

— Ecoute-moi, maintenant.

Daniel se tourna pour la prendre par les épaules.

Il n'avait pas envie de discuter et encore moins de se battre. Et lorsqu'elle leva les yeux vers lui, il n'eut plus qu'une obsession : la ramener de force chez lui et lui faire l'amour jusqu'à épuisement réciproque.

Anna haussa les sourcils.

— Tu as toute mon attention.

— Ce qui s'est passé entre nous là-haut, sur la falaise, n'avait rien d'ordinaire. Que ce soit aussi fort d'emblée constitue l'exception et non la règle.

Cette affirmation la fit sourire.

— Je vais être obligée de te croire sur parole.

— Justement !

Daniel prit une profonde inspiration et s'ordonna de rester calme.

— Je veux t'épouser, Anna. Dès le premier instant où je t'ai vue, j'ai su que tu deviendrais ma femme.

Mme Whitfield, sidérée, en laissa tomber son sécateur.

Comme une partie de son cœur lui appartenait déjà, Anna posa les mains en corolle autour du visage de Daniel.

— Tu as décidé que tu voulais faire un mariage solide et que je convenais pour le rôle. Tu veux me faire entrer de force dans une case que tu as tracée à l'avance.

— C'était peut-être ainsi que je voyais les choses au départ. Mais aujourd'hui, c'est bien plus fort que ça, Anna.

Lorsqu'il l'attira contre lui, elle vit l'éclair de désir dans son regard se répercuter jusque sur ses lèvres. Sans hésitation et sans artifice, Anna lui rendit son baiser avec une passion égale à la sienne. Oui, ce qu'ils ressentaient l'un pour l'autre allait bien au-delà de ce qu'ils avaient pu imaginer. Et bien au-delà de ce qu'ils étaient capables de maîtriser, surtout. Lorsqu'ils étaient dans les bras l'un de l'autre, tout ce qui n'était pas eux se perdait dans l'oubli. La puissance même du phénomène terrifiait Anna et l'émerveillait à la fois.

Ce fut Daniel qui se dégagea le premier.

— Ce qu'il y a entre nous, tu le sais aussi bien que moi, observa-t-il d'une voix rauque. Cela pourrait être notre quotidien, Anna.

Même si elle se sentait vaciller, sa conviction restait inébranlable.

— Oui, je sais. Et c'est exactement ce que je veux. Etre avec toi, oui. Me marier, non.

— Je désire te donner mon nom.

— Et moi j'aimerais d'abord que tu me donnes ton cœur.

Daniel lui lâcha les épaules.

— Tu n'as pas la tête claire. Il te faut sans doute un temps supplémentaire de réflexion.

— Je resterai sur mes positions, Daniel.

Avant qu'il ait pu l'arrêter, elle descendit de voiture.

— Mais je pense que tu as besoin de t'habituer à l'idée de ton côté. A bientôt.

Ulcéré, Daniel démarra en trombe et parcourut une bonne centaine de mètres avant de se rendre compte qu'il était au volant de la voiture d'Anna. Il fit une marche arrière précipitée, abandonna la décapotable sur place et s'éloigna au pas de charge.

Mme Whitfield, qui avait assisté à la scène, porta la main à sa poitrine et se précipita à la suite de sa fille.

— Anna! s'écria-t-elle, affolée. Mais que se passe-t-il, pour l'amour du ciel?

Anna n'avait qu'une envie : se retrouver seule dans sa chambre, fermer sa porte et s'allonger sur son lit. Elle avait besoin de revenir sur les événements de l'après-midi, besoin de sentir les transformations dans son corps, besoin de pleurer aussi, sans qu'elle sache trop pour qui ni pour quoi.

Mais elle se tourna patiemment vers sa mère.

— Comment ça, que se passe-t-il ?

— J'attachais mes rosiers dans le jardin et, sans le vouloir, j'ai... j'ai entendu...

Déconcertée par le regard placide de sa fille, Mme Whitfield balbutia :

— Il va sans dire que je ne vous espionnais pas ! Ce serait bien la dernière chose que je me permettrais de... Oh ! mon Dieu ! Anna, est-ce que M. MacGregor et toi, vous avez... ?

Tripotant son panier de roses, elle laissa le reste de sa question en suspens. Avec un sourire intérieur, Anna descendit les marches pour rejoindre sa mère dans le vestibule.

— La réponse est oui. Daniel et moi, nous avons fait l'amour cet après-midi.

— Ah... murmura faiblement Mme Whitfield.

Anna détacha le panier de ses mains inertes.

— Maman... je ne suis plus une enfant.

— A l'évidence, non.

Avec un profond soupir, Mme Whitfield se résigna à faire son devoir de mère :

— Puisque M. MacGregor t'a séduite, il lui appartient à présent de réparer et de...

— Daniel ne m'a pas séduite.

Mme Whitfield cligna des paupières.

— Mais tu viens de me dire que...

— Nous devrions peut-être nous asseoir, maman, tu ne crois pas ?

Consciente qu'elle tremblait de tous ses membres,

Mme Whitfield se laissa guider jusqu'au salon où Anna prit place à côté d'elle sur le canapé.

— Maman, c'est la première fois que je me donne à un homme. Je voulais que ce soit Daniel. Je ne l'ai pas fait sur un coup de tête. J'avais réfléchi au préalable.

— Je t'ai toujours dit que tu réfléchissais trop, rétorqua Mme Whitfield par automatisme.

Habituée depuis toujours à ce type de critique parentale, Anna croisa les mains sur ses genoux.

— Je sais que tu n'as pas envie d'entendre ce que j'ai à te dire, maman. Mais je ne veux pas te mentir non plus.

— Tu as toujours été si franche, si fiable.

Dans un élan d'amour aussi rare qu'inattendu, sa mère la prit dans ses bras.

— Anna, ma chérie... Ce que tu as vécu aujourd'hui, tu ne le vivras pas deux fois.

Touchée, elle abandonna la tête contre l'épaule maternelle.

— Je suis heureuse, tu sais. Je me sens, comme... déverrouillée. Ouverte.

Mme Whitfield hocha la tête. Elle en avait les larmes aux yeux.

— J'avais l'intention de te parler de tout ça, mais une fois que tu as commencé tes études et que j'ai vu quel genre de livres tu étudiais... j'ai pensé que je n'avais plus rien à t'apprendre.

— Ce qui s'est passé entre Daniel et moi n'a rien à voir avec ce que j'apprends dans mes livres d'anatomie, observa Anna doucement.

A sa grande surprise, elle commençait à prendre plaisir à la conversation. Mme Whitfield lui libéra les épaules pour prendre ses deux mains dans les siennes.

— Les livres, eux, peuvent être refermés, Anna. Je ne veux pas que cet homme te fasse souffrir, ma chérie.

— Daniel ne me fera jamais de mal. Il a tendance à me traiter un peu trop comme une poupée de porcelaine, au contraire, précisa-t-elle avec un léger sourire en songeant à la façon dont ils s'étaient aimés dans l'herbe. Et il veut à tout prix m'épouser.

Sa mère poussa un soupir de soulagement.

— C'est bien ce que j'avais cru comprendre. Mais comme, en même temps, il me semblait percevoir les échos d'une dispute, j'ai eu un moment de doute.

— Daniel et moi sommes en désaccord, en effet. Car je n'ai pas l'intention de me marier.

Le visage figé en un masque sévère, Mme Whitfield se redressa en sursaut.

— Anna ! Que signifie cette attitude ? Je n'ai peut-être pas toujours su te comprendre, mais s'il y a *une* certitude que j'ai à ton sujet, c'est que tu n'aurais jamais accepté de te donner à cet homme si tu n'avais pas été profondément éprise de lui.

— Je le suis, admit Anna avec une soudaine lassitude en pressant le talon de ses mains contre ses paupières. Peut-être même trop. Mais Daniel veut une épouse, maman, comme d'autres rêveraient d'un costume taillé sur mesure.

Sa mère lui tapota la main d'un geste rassurant.

— C'est tout ce qui t'inquiète ? Mais ma pauvre Anna, les hommes sont ainsi faits. Si on trouve quelques poètes, quelques rêveurs dans leurs rangs, l'écrasante majorité d'entre eux est terriblement pragmatique. Je sais bien qu'une jeune fille rêve d'entendre des mots d'amour au clair de lune, mais les hommes sont très concrets, ma chérie.

Intriguée, Anna songea au mariage de ses parents.

— Tu rêvais de mots doux et d'atmosphère romantique, toi, maman ?

— Bien sûr. Ton père est un homme merveilleux. Mais l'essentiel de son vocabulaire, il le tire de ses livres de droit. Je pense que M. MacGregor est un homme honorable, Anna.

— C'est un fait. Et je n'ai pas envie de le perdre. Mais je ne veux pas l'épouser non plus.

— Anna…

— J'ai décidé de vivre avec lui, en revanche.

Mme Whitfield ouvrit la bouche, la referma, déglutit.

— Apporte-moi à boire, murmura-t-elle d'une voix faible.

Anna se leva pour ouvrir le placard à liqueurs.

— Un petit sherry, maman ?

— Non. Du whisky. Un grand verre. Et sec.

Amusée, Anna lui tendit la boisson dans les doses requises.

— Je ne t'ai jamais rien caché, maman.

— Des fois, j'en arrive à me demander si je ne préférerais pas ne rien savoir, admit Mme Whitfield d'un ton lugubre.

— J'aime Daniel, vois-tu. Et comme l'amour ne se commande pas, j'ai besoin de récupérer un minimum de maîtrise pour ne pas me perdre complètement. Si je l'épouse, je n'irai jamais au bout de ce que j'ai entrepris.

Mme Whitfield reposa le verre qu'elle avait vidé d'un trait.

— Ta médecine, autrement dit ?

Anna passa la main dans ses cheveux et se souvint des peignes qui étaient restés dans l'herbe. Les peignes n'avaient pas d'importance, ils pouvaient être remplacés.

Mais elle avait perdu autre chose là-haut qu'elle ne retrouverait plus jamais.

— Je sais que si j'épouse Daniel, je ne terminerai pas mes études.

— Il arrive que l'on ait à faire des choix dans la vie, Anna.

Avec un léger sanglot, elle se laissa choir aux pieds de sa mère.

— Pourquoi une femme aurait-elle forcément à sacrifier ou sa carrière ou son amour ? Je veux être médecin *et* je veux vivre avec Daniel. C'est beaucoup demander, sans doute. Mais c'est ainsi.

— Et Daniel ?

— Il est fixé sur son idée de mariage. Pour l'instant, il refuse d'envisager une autre possibilité. Mais je saurai le faire changer d'avis.

Mme Whitfield secoua la tête.

— Tu as toujours été tellement sûre de toi, Anna. D'un côté, on dirait qu'un rien te suffit. Et, de l'autre, tu as des exigences démesurées.

— Je n'ai pas choisi la médecine, maman. Elle s'est imposée à moi. Et pour ce qui est de tomber amoureuse de Daniel, ça a été la même chose : une fatalité et non pas un choix.

— Anna, ma chérie, pense aux risques insensés que tu prendrais en vivant en union libre avec M. MacGregor ! Tu n'aurais aucune espèce de garantie !

Désespérant de réussir à se faire entendre, Anna se leva pour arpenter la pièce de long en large.

— Tout ce que je sais, c'est que je veux être auprès de lui. Ce n'est peut-être pas très conventionnel, mais ça a le mérite d'être clair. Tu ne parviendras pas à me convaincre que ce serait plus « convenable » si nous continuions à nous voir quelques heures ici et là, en nous aimant en secret.

— Te convaincre ? Je n'essayerai même pas. Je ne suis jamais parvenue à te persuader de quoi que ce soit, de toute façon, rétorqua Mme Whitfield, fataliste.

Plus effrayée par la situation qu'elle ne voulait l'admettre, Anna se tourna vers sa mère.

— J'aimerais tellement que tu comprennes… Ce que je ressens pour Daniel n'est pas seulement physique. J'ai besoin d'être avec lui, à son côté, de partager les moments forts avec lui. Je ne suis pas prête à l'épouser, mais je ne veux pas me cacher non plus.

— Oh ! Anna… Tu sais ce qui t'attend, n'est-ce pas ? Ce que les gens chuchoteront dans ton dos ? La désapprobation de la famille, des amis, des domestiques ?

— Je sais. Je m'en moque.

Mme Whitfield soupira.

— Tu as toujours été ainsi. Tu es majeure, Anna. Je ne peux rien t'interdire. Mais ne me demande pas ma bénédiction.

— Je sais que tu ne peux pas me la donner, murmura-t-elle en posant la tête sur les genoux de sa mère. Mais si, quelque part au fond de toi, tu comprenais, cela me suffirait.

Avec un profond soupir, sa mère lui caressa les cheveux.

— Je sais ce que c'est d'être amoureuse, Anna. Et c'est justement parce que je crois comprendre ce que tu ressens que j'ai peur pour toi. Tu as toujours été une fille exemplaire pour nous, mais…

— Mais ?

— Mais tellement énigmatique, admit Mme Whitfield avec l'ombre d'un sourire. Je crois que je ne te l'ai jamais dit, mais je suis fière de toi.

— Je crois que je ne te l'ai jamais dit non plus, mais j'ai toujours eu envie que tu le sois.

— Même si j'espérais que tu renoncerais à tes études pour trouver le bonheur dans le mariage, j'ai toujours été secrètement admirative. Tu es si calme, si déterminée. Si compétente, aussi.

Anna saisit la main de sa mère dans la sienne.

— Tu ne peux pas imaginer ce que cela représente pour moi, ce que tu viens de dire là, maman. Quant à papa…

Elle ferma les yeux, n'osant imaginer sa réaction.

— Ne t'inquiète pas pour ton père, Anna, déclara Mme Whitfield avec une assurance inhabituelle. Je me charge de lui.

C'était la première fois que sa mère et elle parlaient ainsi, de femme à femme. Anna se redressa et appuya la tête contre l'épaule maternelle.

— Est-ce trop te demander que de me souhaiter bonne chance ?

— C'est trop demander à la mère, rétorqua Mme Whitfield en se laissant aller à sourire. Mais de la femme, le soutien t'est acquis.

Chapitre 8

Un jour s'écoula. Puis deux. Puis trois.

Au bout d'une semaine, Daniel n'avait toujours pas donné signe de vie, et Anna commença à se demander si elle n'avait pas définitivement perdu la partie. Même la livraison quotidienne de roses blanches s'était interrompue. Et les fleurs qui restaient encore de la semaine précédente commençaient à pencher tristement la tête dans leurs vases.

De plus en plus souvent, Anna se surprenait à jeter un regard par la fenêtre lorsqu'elle entendait une voiture ralentir dans la rue ; à se précipiter sur le téléphone, le cœur battant, dès la première sonnerie. Chaque jour, en quittant l'hôpital, elle balayait le parking des yeux dans l'espoir de repérer sa décapotable bleue.

Non seulement elle ne parvenait plus à se passer de Daniel, mais elle ne concevait plus le bonheur sans lui. Si elle devait ne plus le revoir, elle connaîtrait certes des satisfactions professionnelles, des amitiés fortes, et même de grands moments de joie et de plaisir. Mais son amour lui ferait défaut et elle ne se sentirait jamais complètement épanouie.

Un matin, alors qu'elle lisait un conte de fées à une petite fille hospitalisée, les pensées d'Anna s'éloignèrent de l'histoire qu'elle avait sous les yeux. Qu'attendait-elle de la vie, au fond? Que le prince se décide enfin à venir la chercher, pantoufle de vair à la main?

Elle ne croyait ni aux bonnes fées ni aux baguettes magiques. Et ce n'était pas un prince charmant qu'elle souhaitait avoir à son côté mais un compagnon, un partenaire de vie. Autrement dit, si elle ne voulait pas passer le reste de ses jours accroupie devant la cheminée, à remuer les cendres et à attendre, elle aurait tout intérêt à prendre son avenir en main.

Anna avait toujours défendu l'idée que le bonheur, ça ne se recevait pas, ça se construisait. Alors pourquoi restait-elle si passive, en l'occurrence? Si elle avait été aussi indépendante qu'elle aimait le croire, elle n'aurait pas perdu ses soirées en restant bêtement plantée devant le téléphone à guetter un signe de vie que Daniel ne donnait pas!

Puisque Daniel ne daignait pas venir à elle, elle irait à Daniel.

Une fois sa décision arrêtée, Anna continua à lire jusqu'à ce que la petite fille s'assoupisse. Puis elle ferma le livre de contes et sortit dans le couloir. En croisant un interne à la mine hagarde, elle songea que, dans un an, elle ne pourrait plus se permettre de quitter l'hôpital en pleine journée sur un coup de tête. Alors autant mettre à profit les quelques mois de liberté dont elle disposait encore.

Le temps avait tourné depuis la veille et une pluie chaude d'orage se déversait sous un ciel de plomb. En atteignant sa voiture, Anna était trempée mais d'excellente humeur. Elle se gara à proximité de la Old Line, essuya une nouvelle averse tout aussi copieuse que la précédente et s'engouffra dans le hall d'entrée de la banque.

*
* *

Un étage au-dessus, Daniel examinait les annonces publicitaires qu'ils feraient passer dès la semaine suivante. Le directeur de la banque avait été horrifié, mais le jeune assistant qu'il venait d'embaucher avait participé au projet avec enthousiasme. Dans deux ans, se jura Daniel, il ouvrirait une succursale dans la ville voisine.

Mais même si de nouvelles idées continuaient à germer, Daniel n'était qu'à moitié présent dans ce qu'il faisait. Une vision tenace d'une jeune femme aux cheveux noirs et au regard grave le tenaillait sans répit. Il lui suffisait de revoir Anna en pensée, frêle et dévêtue dans l'herbe haute, pour que son désir toujours latent recommence à flamber de plus belle. Le goût, l'odeur de sa peau s'étaient inscrits en lui à l'encre indélébile. Même ici, dans son bureau présidentiel au décor sévère, Anna restait omniprésente.

Avec une sourde exclamation d'impatience, Daniel se leva pour se diriger vers la fenêtre. Le plus simple, bien sûr, serait qu'il voie d'autres femmes, comme il s'était juré de le faire. Mais la pensée même de passer une soirée en une autre compagnie que celle d'Anna l'assommait d'avance. Elle était si solidement implantée en lui qu'il la sentait comme mêlée à sa substance, immiscée jusque dans le sang qui coulait dans ses veines.

A travers l'épais rideau de pluie, la ville de Boston paraissait brune, sombre et triste. Ce qui seyait à son humeur. Lorsqu'il aurait fini d'éplucher le gros rapport qui l'attendait sur son bureau, il irait marcher le long de la rivière. Il avait besoin d'eau et de solitude. Et tant pis s'il pleuvait si fort qu'on n'y voyait pas à un mètre.

Daniel soupira. Même s'il suivait la rivière Charles de

la source à l'embouchure, Anna ne le lâcherait pas pour autant. Il avait beau se prétendre libre de ses choix, de ses envies et de ses gestes, elle le tenait ligoté par des chaînes d'autant plus puissantes qu'elles étaient invisibles.

Sourcils froncés, Daniel se détourna de la fenêtre. Il voulait l'épouser, bon sang ! Se réveiller le matin et la trouver à son côté, rentrer le soir chez lui et l'avoir à portée de main. Voir son ventre s'arrondir lorsqu'elle attendrait son premier enfant de lui. Et tout cela, il le désirait avec une intensité qui lui était presque aussi étrangère que l'échec.

L'échec ? Le mot seul le fit frémir. Il y avait presque une semaine, maintenant, qu'il n'avait pas revu Anna. Et il était hors de question qu'il la laisse filer sous son nez avec Dieu sait quel médecin de son fichu hôpital.

Le téléphone sonna sur son bureau juste au moment où il posait la main sur la poignée de la porte. Jurant avec force, il revint sur ses pas pour décrocher.

— Monsieur MacGregor ? Ici Mary Miles, à la réception. J'ai ici une jeune femme qui désire que vous la receviez.

— Dites-lui de prendre rendez-vous auprès de ma secrétaire.

— C'est ce que je lui ai proposé, monsieur. Mais elle veut absolument s'entretenir avec vous aujourd'hui. Elle est prête à attendre le temps qu'il faudra.

Daniel regarda sa montre et soupira avec impatience.

— Mademoiselle Miles, vous ne croyez pas que j'ai mieux à faire de mon temps que de recevoir n'importe quelle inconnue qui se permet de faire un caprice dans ma banque ?

— Je comprends, monsieur... Mais cette jeune personne est... comment dire ? A la fois très polie et très déterminée. Et elle aimerait juste vous voir quelques minutes.

Perdant patience, Daniel jura sans retenue.

— Dites-lui d'aller se faire…

Il s'interrompit net lorsque le portrait ébauché par Mary Miles évoqua soudain une image familière.

— Très polie mais très déterminée, vous dites ? Comment s'appelle-t-elle ?

— Whitfield, monsieur. Anna Whitfield.

— Et c'est maintenant que vous me le dites ! Faites-la monter tout de suite.

Avec un sourire de triomphe, Daniel reposa le combiné. Ainsi Anna avait décidé de rendre les armes. La victoire était à lui. Même s'il avait souffert comme un damné en gardant ses distances, sa stratégie avait été payante. Anna avait repris ses esprits et opté pour la seule solution raisonnable : le mariage. Qu'elle ait choisi de venir sur son lieu de travail pour discuter des modalités de leur future union lui paraissait pour le moins inattendu. Mais il était prêt à faire quelques concessions, vu les circonstances.

Daniel sortit un cigare de la poche de sa chemise. La vérité, c'était qu'il était disposé à lâcher beaucoup de lest. Mais puisque Anna avait cédé avant lui, les choses s'arrangeaient au mieux.

Quelques secondes plus tard, sa secrétaire fit entrer Anna. Elle était trempée de la tête aux pieds. Et sa beauté, plus que jamais, lui coupa le souffle.

— Tu es toute mouillée, commenta-t-il — un peu stupidement, il dut le reconnaître.

Anna sourit.

— Il pleut à verse.

« Mon Dieu, comme c'est bon de le revoir ! » Figée

sur place, elle se contenta de sourire bêtement et de le regarder sans rien dire. Il avait retiré sa cravate et déboutonné sa chemise. Et ses cheveux étaient en désordre comme s'il y avait longuement promené les doigts.

Daniel qui l'avait contemplée tout aussi fixement de son côté fut le premier à se ressaisir.

— C'est bien la peine d'avoir étudié la médecine pendant des années pour se promener dans la rue, trempée comme une soupe, bougonna-t-il en sortant une bouteille de cognac d'un bar encastré. Si tu continues comme ça, c'est au fond d'un lit que tu vas te retrouver à l'hôpital !

— Je doute qu'une simple pluie d'été puisse provoquer de gros dommages sur ma santé.

Daniel lui fourra un verre dans la main.

— Bois quand même. Et assieds-toi.

Soudain consciente de l'aspect qu'elle offrait, avec ses cheveux dégoulinants et ses vêtements qui lui collaient à la peau, Anna hésita.

— Je ne voudrais pas abîmer ton…

— Assieds-toi, aboya-t-il.

Haussant les sourcils, elle accepta le fauteuil qu'il lui désignait.

— Très bien, puisque tu me le demandes si gentiment.

Daniel, lui, demeura debout. A en juger par l'expression d'Anna, elle n'était pas venue jusqu'à lui pour reconnaître ses torts. Au contraire, même. Et quoi d'étonnant, d'ailleurs ? Jamais il ne serait tombé aussi amoureux si elle avait été versatile et changeante.

Anna n'avait manifestement pas changé d'avis sur la question du mariage. Pas plus qu'il n'était décidé à adopter son projet de vie commune.

Il ne put s'empêcher de sourire. Ainsi le *statu quo* était

maintenu : ni l'un ni l'autre n'avait modifié sa position d'un iota. Mais il était enchanté de la voir. Même s'il était bien décidé à n'en rien laisser paraître.

— Qu'est-ce qui me vaut l'honneur de ta visite, Anna ? Un investissement ? Un emprunt à long terme ?

Elle porta son verre de cognac à ses lèvres. Ainsi, il était toujours en colère. Mais quoi d'étonnant, au fond ? Elle ne serait jamais tombée amoureuse de Daniel s'il avait été trop aisément influençable.

— J'avais juste envie de voir où tu travaillais… J'aime beaucoup ton bureau, au fait. Il est élégant sans être prétentieux.

Elle examina le tableau abstrait qu'il avait accroché au-dessus de sa table de travail. Un érotisme évident se dégageait des figures enchevêtrées.

— Cette œuvre est très suggestive.

Daniel hocha la tête. Il avait payé le prix fort pour ce Picasso. Mais il ne regrettait pas son achat. Il était convaincu qu'en l'espace d'une génération, les toiles de ce peintre déjà célèbre vaudraient une fortune.

— Tu es difficile à choquer, Anna.

Elle se détendit légèrement.

— C'est vrai. J'ai toujours pensé que la vie était trop courte pour que l'on perde son temps à faire semblant de s'en offusquer. Tes roses m'ont manqué.

Daniel prit appui contre son bureau de bois massif.

— Je croyais que tu n'appréciais pas que je t'en envoie.

— Cela m'a irritée, oui. Jusqu'au moment où elles ont cessé d'arriver, admit-elle avec une totale franchise… Comme cela fait un certain temps que je n'ai plus de nouvelles de toi, je me suis demandé si je t'avais choqué ?

— Si tu m'avais choqué ?

Daniel secoua la tête. Avec une fille comme Anna,

il n'aurait jamais l'occasion de s'ennuyer. Ses questions étaient toujours tellement directes qu'elles le prenaient au dépourvu chaque fois.

— Moi non plus, on ne me choque pas si facilement, Anna.

— Alors je t'ai offensé, peut-être, en te proposant la vie commune à la place du mariage ?

Daniel sourit. Dire que quelques semaines plus tôt encore, il avait soutenu que ce n'était pas très féminin pour une jeune femme de s'exprimer de façon trop ouverte. Depuis qu'il connaissait Anna, il avait radicalement changé d'avis sur la question.

— J'ai été irrité, disons. On pourrait même aller jusqu'à dire que cela m'a rendu furieux.

— Et tu es toujours en colère.

— *Aye*. Et toi ? Tu campes sur tes positions ?

— Bien sûr.

Daniel tira pensivement sur son cigare. Il devait pourtant bien exister un moyen de lui faire entendre raison. Mais lequel ? Lorsqu'il négociait le rachat d'une société, il avait tendance à pousser l'adversaire dans ses retranchements. Or, rien ne l'empêchait d'appliquer cette même tactique à Anna.

— Pour quelle raison es-tu venue me trouver ici, au juste ?

Elle le regarda droit dans les yeux.

— Parce que je ne voulais pas passer une journée de plus sans te voir. Cela t'ennuie ?

Daniel souffla la fumée de son cigare. Décidément, elle n'avait pas froid aux yeux.

— Comment voudrais-tu que cela m'ennuie ? Un homme ne peut être désireux d'épouser une femme sans avoir envie de passer du temps avec elle.

— Parfait. Alors tu dînes avec moi ce soir, décréta Anna en se levant.

Daniel se raidit.

— C'est à l'homme de lancer ce genre d'invitation, jusqu'à preuve du contraire.

Avec un léger soupir, Anna alla se placer devant lui.

— Tu oublies dans quel siècle nous vivons. Je passe te prendre à 19 heures.

— *Tu* passes me prendre…

— A 19 heures, oui, confirma-t-elle en se dressant sur la pointe des pieds pour lui effleurer les lèvres. A ce soir.

Il retrouva sa voix au moment où elle allait franchir la porte.

— Anna ?

Elle tourna la tête, un sourire amusé aux lèvres. Conscient qu'elle s'attendait à une vigoureuse protestation de sa part, Daniel précisa, impassible :

— Disons plutôt 19 h 30, j'ai un rendez-vous qui risque de se terminer tard.

Il eut la satisfaction de la voir se troubler un instant. Mais Anna se ressaisit très vite.

— Entendu. A tout à l'heure.

Une fois seul, Daniel commença par sourire, puis à rire doucement. Moins d'une minute plus tard, il était hilare. Il aurait été bien en peine de déterminer qui d'Anna ou de lui était sorti gagnant de leur petite passe d'armes. Mais l'essentiel, c'est qu'elle ait fait un pas dans sa direction. Si Anna avait envie de modifier les règles du jeu, il était prêt à la laisser distribuer les cartes et à mener la partie à sa façon. Tout ce qui l'intéressait, au fond, c'était de l'emporter au final.

La pluie de l'après-midi s'était transformée en une bruine légère lorsque Anna arriva chez elle. Ses parents étant absents pour la soirée, elle disposait de la maison pour elle seule. Ravie, elle s'offrit le luxe d'un bain prolongé pour réfléchir tranquillement à son entrevue avec Daniel. Elle ne regrettait pas d'avoir pris l'initiative, même si elle était consciente de ne pas avoir marqué autant de points que prévu.

Daniel MacGregor n'était pas homme à se laisser manipuler. Et elle le savait depuis le début, d'ailleurs. Mais c'était quelqu'un avec qui on pouvait négocier. Avec un léger soupir, Anna renversa la tête en arrière et s'immergea entièrement dans l'eau. La difficulté, pour elle, serait de tenir fermement ses positions et de ne jamais lui laisser deviner qu'elle était parfois à deux doigts de céder sur tous les plans.

Les yeux clos, elle promena doucement une éponge sur ses épaules et sa poitrine. Si Daniel découvrait à quel point elle était faible, il ne la lâcherait pas avant de lui avoir arraché une promesse pour l'éternité. Seule une détermination inébranlable avait pu permettre à cet homme de se hisser du fin fond de la mine jusqu'à la place qu'il occupait aujourd'hui. A présent qu'il avait décidé de l'épouser, il mettrait sans doute autant d'acharnement pour y parvenir qu'il en avait eu pour devenir millionnaire.

A cette pensée, Anna sentit son ventre s'éveiller, ses seins se tendre. Elle aurait pu traverser l'existence sans qu'aucun homme, jamais, ne porte sur elle un regard tel que celui de Daniel. Jusqu'à la fin de ses jours, sa sexualité aurait pu rester verrouillée, étouffée par les interdits qu'elle s'était fixés en mettant la priorité absolue sur ses études.

Quelles auraient été les couleurs de son existence si Daniel ne l'avait pas révélée à elle-même ? Elle aurait vécu comme une monomaniaque, pour et à travers l'hôpital et ses patients. Et elle ne voulait pas sacrifier la femme en elle. Il lui fallait Daniel et elle aurait Daniel. Dans son lit et dans sa vie.

Satisfaite de sa résolution, Anna enfila une sortie de bain. Même si la partie entre eux risquait d'être serrée, c'était elle qui l'invitait à dîner ce soir et non l'inverse. Son initiative lui conférait un léger avantage qu'elle s'efforcerait de conserver.

Sourcils froncés, Anna inspecta sa garde-robe. D'habitude, elle trouvait sans difficulté la tenue qui lui convenait. Mais aujourd'hui, rien ne semblait aller. Peut-être qu'en allant fouiller dans les placards de Myra, elle dégoterait quelque chose d'un peu plus excitant que cette discrète robe verte ? songea-t-elle en laissant retomber sur le lit le modèle en question.

Comme on sonnait en bas, elle descendit en ronchonnant. C'était tellement peu dans ses habitudes de réagir de façon aussi inhospitalière, qu'elle se força à afficher un large sourire en ouvrant la porte.

Myra se rua à l'intérieur comme si elle était poursuivie par une armée de démons.

— Oh ! Anna, j'ai eu tellement peur de ne pas te trouver chez toi ! Tes parents sont là ?

Anna regarda son amie avec étonnement.

— Non, ils sont sortis.

— Ouf ! Alors offre-moi vite un cognac.

Amusée, Anna conduisit Myra dans le salon.

— Tiens, assieds-toi, le temps que je te trouve un verre. Il est très joli, ton chapeau, au fait.

— Tu dis ça sincèrement ou seulement pour me faire plaisir ? Il est un peu trop tape-à-l'œil, non ?

Sidérée, Anna lui servit une double dose de cognac.

— Je rêve ou *toi,* Myra, tu t'inquiètes de savoir si quelque chose que tu portes est trop voyant ou non ?

— Je te demande de répondre à ma question, pas de faire une analyse psychologique, marmonna Myra en se plantant devant le miroir. Et si j'enlevais la plume ? Il serait déjà plus discret, qu'est-ce que tu en penses ?

— Myra, cette plume est adorable ! Tu vas m'expliquer ce qui se passe, à la fin ? Je ne t'ai encore jamais vue dans cet état !

Otant un imperméable d'un beau rouge cerise, Myra dévoila une robe de soie ivoire avec une fine dentelle ornant le col et les poignets. Anna siffla entre ses dents.

— Mon Dieu, quelle élégance ! Il y a longtemps que tu l'as ?

— Ça fait très exactement vingt minutes.

Anna se percha sur l'accoudoir d'un fauteuil et regarda Myra avaler une solide lampée de cognac.

— J'apprécie que tu fasses de pareils efforts de toilette pour venir me voir, mais il ne fallait vraiment pas te sentir obligée.

Myra vida son verre d'un trait et le reposa sur la table.

— Ce n'est *vraiment* pas le moment de faire de l'humour, ma vieille. Je ne suis pas d'humeur à plaisanter.

Anna sourit.

— Je vois, oui. C'est le moment de quoi, alors ?

— Il te faut combien de temps pour enfiler ta plus belle robe et pour jeter quelques affaires dans un sac

— juste le nécessaire pour passer une nuit hors de chez toi ?

— Un sac pour la nuit ? Tu veux partir en voyage ?

— Je me marie, Anna, annonça Myra d'une voix faible avant de s'effondrer comme une poupée de chiffon sur le canapé.

Sidérée, Anna retira la serviette toujours nouée autour de sa tête.

— Myra ! Je sais que tu es la reine des décisions rapides, mais à ce point ! Qui est l'heureux élu ? Peter ?

— Qui ça ? *Peter ?* Tu es folle. Jamais de la vie.

— Alors je sais : c'est Jack Holmes !

— Ne sois pas ridicule.

— Mais bien sûr, que je suis bête ! C'est Steven Marlowe !

Myra tripota nerveusement l'ourlet de sa jupe.

— Tu plaisantes ? Je le connais à peine.

— Comment ça ? Il y a six mois, toi et lui, vous…

— Ce qui était valable il y a six mois ne l'est pas forcément maintenant, protesta Myra en rougissant pour la première fois depuis qu'Anna la connaissait. Alors sois gentille, oublie tout ce que j'ai jamais pu te dire au sujet de Steven Marlowe. Je suis fiancée, désormais. Regarde.

Myra tendit sa main gauche et Anna contempla le diamant carré étincelant à son doigt.

— Myra, quelle bague extraordinaire ! Je suis tellement heureuse pour toi.

Elle se leva spontanément, serra son amie dans ses bras, puis secoua la tête en protestant :

— Mais qu'est-ce que je raconte ? Je ne peux pas être heureuse pour toi alors que je ne sais même pas encore qui tu as l'intention d'épouser !

— Herbert Ditmeyer.

Comme Anna demeurait muette de stupéfaction, Myra sourit non sans timidité.

— Oui, je sais, c'est inattendu. J'en suis aussi étonnée que toi.

— Mais je n'imaginais même pas que toi et lui, vous… Enfin, tu m'as toujours dit que tu le trouvais beaucoup trop…

Se reprenant juste à temps, Anna déglutit.

— Sérieux, rasoir, guindé, compléta Myra avec un large sourire. Et c'est vrai qu'il est grave, posé et horriblement raisonnable. Mais c'est également l'homme le plus adorable qui m'ait jamais serrée dans ses bras.

Avec un soupir rêveur, Myra se renversa contre le dossier de son fauteuil et son regard se perdit dans le vide.

— Des hommes, j'en ai rencontré, et de toutes sortes. Mais jamais aucun ne m'a traitée comme si j'étais… précieuse, exceptionnelle. Je suis sortie un soir avec Herbert parce que j'avais remarqué qu'il avait dû prendre sur lui pour me le proposer. L'idée que je pourrais lui faire de la peine en refusant me crevait le cœur. Et je me suis dit qu'une soirée serait vite passée. Lorsqu'il m'a invitée une seconde fois, j'ai dit oui parce que j'avais envie de passer du temps avec lui, tout simplement. Herbert est si discret qu'on ne s'en rend pas forcément toujours compte, mais il peut être excessivement drôle et brillant quand il le veut.

Touchée par l'expression de Myra, Anna lui effleura la main.

— J'ai toujours apprécié les qualités d'Herbert, tu sais.

— C'est vrai que vous êtes amis depuis longtemps, tous les deux. C'est d'ailleurs un miracle qu'il ne se soit pas plutôt épris de toi. Mais il est amoureux de moi depuis des années, figure-toi. C'est ahurissant, non ? Je ne me doutais de rien, évidemment. Lorsqu'il m'a avoué ça, je suis restée sur le flanc. Impossible de dire un mot. J'ai pensé qu'il ne me restait plus qu'à le plaquer en douceur. Il avait été tellement charmant que je ne voulais pas le blesser en le rejetant trop brutalement.

Anna souleva la main baguée de Myra.

— Apparemment, le « plaquage en douceur » ne t'a pas menée bien loin ?

— Pas vraiment, non. D'un coup, j'ai compris que je n'avais aucune envie de fuir. Que je l'aimais à la folie, au contraire. C'est incroyable, non ?

— Et merveilleux, surtout.

Myra sortit une cigarette de son sac, l'alluma, puis l'éteignit avant même d'avoir tiré une première bouffée.

— Aujourd'hui, nous nous sommes retrouvés, comme tous les jours, pour déjeuner. C'est là qu'il m'a offert cette bague en m'annonçant que nous prenions l'avion pour le Maryland ce soir à 20 heures. Et que nous reviendrions ici en étant mari et femme.

— Vous vous mariez ce soir ! Quelle impatience ! s'exclama Anna, éberluée.

— Pourquoi attendre alors que nous savons l'un et l'autre ce que nous voulons ?

Oui, pourquoi attendre, en effet ? Des raisons, Anna aurait pu en trouver des centaines. Mais aucune n'aurait passé la barrière du regard rêveur de Myra.

— Tu es sûre, alors ? Vraiment sûre ?

— Je n'ai jamais été aussi sûre de ma vie. Réjouis-toi pour moi, Anna. Je suis tellement heureuse.

Les larmes aux yeux, Anna serra son amie contre son cœur.

— Je me réjouis pour toi, Myra.

— Bon. Alors habille-toi. Car tu es mon témoin, au cas où tu ne l'aurais pas encore deviné.

— Oh! mon Dieu! Tu veux que je vous accompagne dans le Maryland là? Sur-le-champ? Et tes parents? Tes autres amis? La famille d'Herbert?

— Nous avons décidé, par commodité, de nous marier en secret. La mère d'Herbert me déteste.

— Oh! Myra…

— Aucune importance. De toute façon, je préfère une cérémonie intime à un mariage en grande pompe. Mais je serais incapable de franchir le grand pas si tu ne venais pas. Je suis malade de peur.

Ce dernier argument suffit à lever toutes les réticences d'Anna.

— Bon. Je devrais être prête dans environ vingt minutes. Ça ira?

Myra l'embrassa en riant.

— En vingt minutes, tu dis? Il faut s'appeler Anna Whitfield pour être capable d'un pareil exploit.

— Je vais laisser un petit mot d'explication à mes parents.

— Reste évasive, d'accord? Je ne voudrais pas que la mère d'Herbert apprenne la nouvelle par la bande.

Anna hocha la tête.

— Je leur dis juste que je pars avec toi faire le tour des brocantes de la région. Ça te va? Allez, viens me donner un coup de main pour préparer mes affaires.

Comme elles se précipitaient dans le couloir, Anna se souvint brusquement qu'elle avait déjà un engagement ce soir-là.

— Oh! mon Dieu! Il faut que je décommande Daniel.

Myra haussa les sourcils.

— Daniel MacGregor? Tu dîneras avec lui dans le Maryland. Herbert lui a demandé d'être son témoin.

Le cœur battant, Anna se tourna vers son amie.

— Ah vraiment? C'est pratique, n'est-ce pas?

— Très, acquiesça Myra avec un large sourire en l'entraînant dans l'escalier.

Chapitre 9

Jamais encore, Anna n'avait voyagé par les airs. A vingt ans, elle avait pris un paquebot pour l'Europe et adoré la sensation d'être sur l'eau. Pour le train qu'elle prenait souvent, elle avait toujours eu un faible marqué. Mais les déplacements par voie aérienne ne l'avaient jamais tentée. Et encore moins sous la forme du petit avion particulier dans lequel elle était invitée à grimper pour gagner le Maryland.

Les jambes en coton, Anna jeta un regard en coin à Myra.

— C'est bien parce que c'est pour toi, que je monte dans cette boîte de conserve, murmura-t-elle.

— C'est impressionnant, ces machines volantes, non ? commenta Daniel avec enthousiasme en prenant place à côté d'elle.

— Très. Les parachutes sont prévus à bord ?

Daniel lui posa la main sur le bras.

— C'est la première fois que tu prends l'avion ?

— Oui, admit-elle dans un souffle lorsqu'elle vit qu'il ne mettait aucune ironie dans sa question.

— Essaye de considérer ça comme une aventure.

Tournant la tête vers le hublot, Anna jeta un coup d'œil sur la terre ferme. Et songea qu'elle aurait aimé la sentir sous ses pieds.

— J'essaye surtout de ne pas y penser, admit-elle lugubre.

— Une fille qui a survécu à toutes ces années de médecine devrait affronter sans difficulté une petite excursion dans les airs.

Anna prit une profonde inspiration pour essayer de se détendre.

— C'est dans ce genre de coucou que tu te déplaces lorsque tu vas à New York ?

Avec un sourire amusé, il se pencha pour lui attacher sa ceinture.

— C'est d'autant plus mon genre de coucou que celui-ci m'appartient.

L'idée que Daniel voyageait souvent à bord de ce même aéroplane rassura Anna instantanément.

— Alors ? Quand est-ce qu'il s'envole, ton oiseau de fer ? s'enquit-elle en relevant le menton.

Daniel lui adressa un clin d'œil et fit signe au pilote. Moins de dix minutes plus tard, ils survolaient Boston. Anna n'en menait pas large, les futurs mariés ne brillaient pas non plus de leur côté, même si leurs angoisses avaient une tout autre origine. Pendant la durée du vol, Myra parla à tort et à travers, en tordant nerveusement son mouchoir en dentelle. Herbert, lui, était pâle, plutôt tendu, et n'ouvrait la bouche que si on le questionnait avec insistance. Ce fut Daniel qui sauva la situation en riant et en plaisantant avec sa décontraction habituelle.

Anna nota qu'en flirtant à outrance avec la future mariée, il empêchait Myra de sombrer dans la crise de panique qui semblait menacer à tout instant. Elle en conclut que Daniel n'était pas seulement un homme intéressant. Il avait également le sens de l'amitié — une qualité précieuse à ses yeux.

Décidée à soutenir Daniel dans ses efforts, elle cessa de guetter par le hublot et concentra son attention sur son ami d'enfance.

— Tu as fais le bon choix, Herbert.

— Euh… pardon?

Il déglutit et tira sur sa cravate.

— Ah, oui. Je te remercie… Il n'y en a pas deux comme elle, n'est-ce pas? ajouta-t-il en couvant Myra d'un regard adorateur.

— C'est vrai. Je ne sais pas ce que je serais devenue sans son amitié. Si elle ne m'avait pas secouée, j'aurais eu tendance à vivre une vie beaucoup plus terne et rangée.

Herbert sourit nerveusement.

— Nous autres, gens sérieux, avons besoin d'être bousculés. Sinon, nous nous laisserions entièrement absorber dans notre univers professionnel et nous oublierions que la vie est aussi faite pour rire et s'amuser.

Sérieuse, elle? Oui, sans doute, admit Anna après réflexion. Elle jeta un coup d'œil à Daniel et à Myra.

— Et les gens qui savent rire et s'amuser ont besoin de compagnons plus graves pour les empêcher de trop se disperser… Je suis certaine que vous serez heureux, Myra et toi, Herbert.

L'avion privé atterrit peu après sur l'unique piste d'un aéroport rural du Maryland. Ils avaient laissé derrière eux la petite pluie fine qui tombait encore à Boston et le ciel était constellé d'étoiles. Un fin croissant de lune semblait comme suspendu dans l'air transparent.

— Une très belle nuit pour un mariage improvisé! commenta Anna, ravie.

— Je vais essayer de nous trouver un taxi, annonça Herbert lorsqu'ils pénétrèrent dans la minuscule aérogare. Le juge de paix que l'on m'a recommandé est à une trentaine de kilomètres d'ici.

Mais Daniel faisait déjà signe à un chauffeur en uniforme.

— Ce ne sera pas nécessaire. En tant que témoin, je me suis permis d'organiser le transport.

Ils suivirent le chauffeur qui se chargea de leurs bagages et les précéda jusqu'à une limousine gris perle.

— On ne peut pas dire que vous nous ayez laissé beaucoup de temps pour réfléchir à un cadeau de mariage, tous les deux, expliqua Daniel. Et c'est la seule idée de présent qui me soit venue à l'esprit.

— Quel luxe ! C'est merveilleux ! s'exclama Myra en lui jetant les bras autour du cou.

— Tu as eu une idée adorable, commenta Anna à voix basse lorsque les futurs mariés furent installés.

Daniel lui passa un bras autour des épaules.

— Je suis un homme adorable.

Elle rit doucement.

— Peut-être. Mais avec un côté nettement redoutable.

Lorsqu'ils atteignirent la demeure du juge de paix, ils avaient bu une bouteille de champagne à quatre et les futurs mariés avaient retrouvé leurs couleurs. Avec son aplomb habituel, Myra s'excusa en entrant et prit quelques minutes pour se refaire une beauté avant la cérémonie. Anna l'escorta et lui tint son chapeau.

— Alors ? s'enquit Myra. Comment suis-je ?

— Belle.

— Belle, je ne l'ai jamais été, mais je crois que ce soir, j'ai quand même un certain éclat.

Anna la prit fermement par les épaules et la tourna de nouveau vers le miroir.

— Regarde bien, Myra. Et tu verras qu'aujourd'hui, tu *es* belle. Réellement et authentiquement belle.

Contemplant leurs deux reflets côte à côte, Myra eut un large sourire.

— Il m'aime vraiment, Anna.

— Je sais. Vous formerez une belle équipe, tous les deux.

L'expression de Myra se fit plus tendre.

— Pour faire équipe, nous allons faire équipe, en effet. Je ne sais pas si Herbert le réalise, mais c'est pour un véritable partenariat qu'il s'apprête à signer.

Les yeux brillants, comme si elle retenait ses larmes, Myra se détourna du miroir pour la regarder en face.

— J'ai horreur de faire du sentiment, tu le sais. Mais comme je n'ai pas l'intention de me marier deux fois, j'imagine que c'est le jour ou jamais pour te dire que tu as toujours été une amie merveilleuse et que je t'aime comme une sœur. Et je veux te voir aussi heureuse que je le suis en ce moment.

— Je te promets que je m'emploie activement à construire mon bonheur à ma façon.

Myra prit une profonde inspiration.

— Bien… Alors, allons-y. Et si jamais je bafouille, jure-moi de ne le répéter à personne. Surtout pas à Cathleen Donahue.

Dans un petit salon avec une cheminée en marbre et un grand bouquet de fleurs des champs, Anna vit sa meilleure amie jurer amour et fidélité à l'homme qu'elle aimait. Et elle eut beau lutter, rien n'y fit : incoercibles, les larmes se mirent à rouler sur ses joues. Comme la première fois, à l'opéra, Daniel lui glissa un mouchoir dans la main.

Elle eut tout juste le temps de s'essuyer les yeux et

déjà la brève cérémonie prenait fin. Une Myra vaguement éberluée se jeta à son cou.

— Et voilà. C'est fait ! Fiancée puis mariée en moins de douze heures. Ce n'est pas un beau record, ça ?

— Et sans bafouiller une seule fois !

Daniel prit la main de la mariée.

— Mes félicitations, madame Ditmeyer.

— Merci, murmura Myra. Oh, mon Dieu, Anna, je sens que je vais fondre en larmes et que mon mascara va couler pitoyablement.

— Aucune importance, maintenant, commenta Anna, pince-sans-rire, en lui tendant le mouchoir froissé de Daniel. De toute façon, tu es casée pour la vie.

Anna passa les bras autour du cou d'Herbert et l'embrassa avec affection.

— Elle va te compliquer l'existence, Herbert.

— Je sais.

— C'est merveilleux, non ? Je ne sais pas ce que vos estomacs en pensent, mais ces émotions m'ont creusé l'appétit. Je vous offre le dîner de mariage.

Sur les conseils du juge de paix, ils se firent conduire jusqu'à une auberge de campagne nichée dans les hauteurs d'une colline boisée. A cette heure tardive, le restaurant était déjà plongé dans le noir. Mais en échange de quelques billets, ils réussirent à convaincre le propriétaire de leur ouvrir sa porte et de réveiller le cuisinier.

Lorsqu'ils furent installés dans la salle à manger déserte, Anna s'éclipsa sous prétexte de se rafraîchir et alla trouver M. Portersfield, le propriétaire, pour lui expliquer la situation.

— Des jeunes mariés ! s'exclama l'aubergiste. Nous avons toujours plaisir à recevoir des couples en voyage de noces à l'auberge. Si vous aviez pris la peine de nous avertir un peu à l'avance…

— Oh, mais nous n'aurons pas besoin de grand-chose pour célébrer l'événement, monsieur Portersfield, l'interrompit Anna avec son plus beau sourire. Vous n'auriez pas, par hasard, un tourne-disque ?

— Un tourne-disque ? J'en ai un dans ma chambre, mais…

— M. Ditmeyer, le jeune marié, est procureur de district à Boston, le saviez-vous ? Et il connaît beaucoup de monde. Je suis certaine qu'il vous fera une excellente publicité à son retour. Pour le tourne-disque, ce sera parfait. Je savais que je pouvais compter sur votre aide.

Peu après qu'Anna eut repris sa place à table, un jeune garçon à la mine ensommeillée apporta un bouquet de pivoines blanches qu'il posa sur la table.

— Comme c'est joli ! s'exclama Myra en effleurant un pétale soyeux.

L'adolescent poussa quelques tables contre le mur pour ménager un espace libre et M. Portersfield arriva avec un Gramophone.

— Les mariés ouvrent le bal ! annonça Anna.

Ravis, Herbert et Myra se levèrent pour danser une valse.

— Beau travail d'organisation, Anna, commenta Daniel avec un clin d'œil appréciateur. Quand tu m'as invité à dîner ce soir, je ne m'attendais pas à ce que tu m'emmènes jusque dans le fin fond du Maryland. Mais ces deux-là ont l'air parfaitement heureux, en tout cas.

Anna regarda ses amis évoluer sur la minuscule piste improvisée.

— Je les connais depuis des années l'un et l'autre et je ne les avais jamais imaginés ensemble. Et maintenant que je les vois tous les deux, je ne les imagine plus l'un sans l'autre !

— C'est la complémentarité des contrastes, commenta Daniel en posant sa grande main contre la sienne. Plus les caractères sont opposés, plus la rencontre est riche.

Anna entrelaça ses doigts aux siens.

— Ce n'était pas vraiment mon opinion jusqu'à présent, mais tu vas finir par m'en persuader.

Avec un sourire jusqu'aux oreilles, M. Portersfield entra avec un plateau.

— Rien que de la salade fraîche et des herbes du jardin, annonça-t-il. Le tout assaisonné selon une vieille recette de famille. Vous m'en donnerez des nouvelles.

— Il a l'air nettement plus aimable que lorsqu'il s'est décidé en ronchonnant à nous laisser entrer, observa Daniel.

Anna songea à la somme conséquente qu'elle avait promise à l'aubergiste.

— Il peut se permettre d'être avenant, crois-moi. A propos d'emprunt, en fait… je crois que je vais accepter ta proposition de cet après-midi. Tu pourrais m'accorder un crédit à très court terme jusqu'à notre retour à Boston ?

Daniel jeta un coup d'œil à Portersfield, puis vit le regard pétillant d'humour d'Anna. Sur un éclat de rire, il lui prit le visage entre les mains pour lui presser un baiser sur les lèvres.

— Le prêt est accordé, mon amour. Et je te fais grâce des intérêts.

Ils burent du champagne, dégustèrent un rôti maison qui fondait dans la bouche et écoutèrent de vieux disques rayés de Billie Holiday.

Lorsque Daniel invita la mariée à danser, Myra n'y alla pas par quatre chemins.

— Tu es fou amoureux d'Anna.

Ne voyant aucune raison stratégique de cacher la vérité, il hocha la tête.

— *Aye.*

— Et tu comptes l'épouser ?

Les lèvres de Daniel frémirent sous sa moustache.

— Tu veux savoir si mes intentions envers ton amie sont honorables ? Honnêtement, Myra, je lui aurais passé la bague au doigt ce soir sans hésiter. Mais elle est têtue comme une mule.

— Ou tout simplement prudente ? rétorqua Myra avec l'ombre d'un sourire. Oh, ne me regarde pas comme ça, Daniel. Tu sais que je t'aime beaucoup. Mais les rouleaux compresseurs, je les reconnais de loin.

— Normal. Tu es de la même espèce.

Myra sourit et ajusta ses pas aux siens.

— Merci. A mes yeux, c'est un compliment. Mais pour en revenir à Anna, je pense que, dans quelques années, elle figurera parmi les meilleurs chirurgiens du pays.

Daniel se rembrunit.

— Tu es une grande spécialiste de la médecine pour avancer ce genre de pronostic ?

— Je ne connais rien à la médecine, mais je connais Anna. Et je n'ai pas l'impression que sa vocation t'enchante.

— C'est une épouse que je veux. Pas une manieuse de bistouri qui triture du boyau à toute heure du jour et de la nuit.

— Les chirurgiens ont leur utilité ; autant sinon plus que les hommes d'affaires. Si c'est sur Anna que tu as fixé ton choix, je te conseille de la prendre telle qu'elle est — scalpel compris. Tu l'as demandée en mariage ?

— On ne t'a jamais dit que tu étais curieuse ?

— Bien sûr que je suis curieuse. Tu lui as demandé, oui ou non ?

Daniel secoua la tête. S'habituerait-il un jour au franc-parler des jeunes femmes américaines ?

— Je lui ai proposé le mariage, oui. Mais madame préfère le concubinage. Intéressant, non ?

— C'est une solution qui a ses avantages.

— C'est toi qui dis ça, avec ton alliance toute neuve au doigt ?

Myra rit doucement.

— Dans notre cas, c'est différent, Daniel. Je sais qu'Herbert, lui, m'accepte telle que je suis.

— C'est-à-dire ?

— Curieuse, interventionniste, extravagante et ambitieuse. Une sacrée épouse, autrement dit.

Amusé, Daniel examina sa cavalière. Si Myra avait les yeux rayonnants d'amour, elle n'en paraissait pas moins décidée à lutter ferme pour défendre ses prérogatives.

— Herbert n'a qu'à bien se tenir, en effet, déclarat-il en la raccompagnant jusqu'à la table alors que Portersfield entrait avec un magnifique gâteau blanc, orné de petites roses.

Lorsque le champagne fut bu jusqu'à la dernière goutte, le dessert avalé jusqu'à l'ultime miette, Anna sortit une clé de son sac et la tendit à Herbert.

— Voici pour la suite nuptiale.

— La *suite nuptiale* ? Dans une toute petite auberge comme celle-ci ?

— Ils n'en avaient pas il y a deux heures. Mais

nous avons procédé à quelques petits arrangements, M. Portersfield et moi.

— Oh, Anna ! Tu es grandiose !

Il y eut un nouvel échange d'embrassades, puis les jeunes mariés s'éclipsèrent, bras dessus, bras dessous.

— J'aime beaucoup ton style, Anna Whitfield.

Stimulée par le succès et égayée par le champagne, Anna glissa la main dans son sac.

— J'ai une seconde clé pour nous.

— Une seule clé pour deux ? Prendre des initiatives ne te fait vraiment pas peur, n'est-ce pas ?

Haussant les sourcils, Anna se leva de table.

— Tu peux toujours réveiller M. Portersfield et lui demander s'il a une autre possibilité d'hébergement à te proposer, laissa-t-elle tomber avec un sourire en coin. Bonne nuit, Daniel.

— Hep là ! Pas si vite !

Il lui prit la clé en riant et ils quittèrent la salle de restaurant, main dans la main.

Un calme profond régnait dans l'auberge. Daniel poussa la porte de la chambre et fut accueilli par une odeur de pot-pourri qui lui rappela l'Ecosse, sa grand-mère et le passé qu'il avait laissé derrière lui. Mais lorsqu'il se tourna vers Anna, il ne pensa plus qu'à elle et à elle seule.

Les fenêtres restées ouvertes laissaient entrer l'air tiède de la nuit d'été. Une brise légère faisait frémir les voilages. Et de la forêt alentour s'élevait le chant nocturne d'un oiseau.

Immobile, Anna attendait. Sur la falaise battue par le vent, elle avait fait le premier pas. Mais ce soir, elle voulait que Daniel vienne à elle. Son cœur lui appartenait déjà. Et sa chair ne frémirait jamais pour un autre homme que lui. Mais elle demeurait comme suspendue dans l'attente, tandis que le souffle de la nuit d'été glissait sur eux, entre eux, les enveloppait de son haleine boisée.

Daniel vit qu'Anna était belle. Plus belle encore que dans ses souvenirs les plus éblouis, que dans ses plus lumineux fantasmes. Son cœur fit le premier pas et le reste de sa personne suivit le mouvement.

Doucement, se contentant de l'effleurer, il posa les mains en corolle autour de son visage. Le regard plongé dans le sien, il se pencha sur ses lèvres. D'un commun accord, ils prirent le temps de savourer la lenteur d'un baiser que rien ne pressait — un baiser qui avait la nuit entière devant lui. Ce fut juste une pression douce, de bouche à bouche où les souffles encore hésitants se mélangent et se fondent. Les yeux grands ouverts, ils exploraient la subtilité d'un frottement, le va-et-vient des langues qui se rencontrent, se mêlent et se retirent.

Lui ne touchait d'elle que le visage. Elle ne le touchait pas du tout. Et pourtant, leurs respirations se précipitaient déjà comme s'ils avaient été étroitement enlacés, bras et jambes mêlés, corps arc-boutés l'un contre l'autre. Combien de temps ils demeurèrent ainsi, Anna n'aurait su le dire. Des heures, peut-être. Ou quelques minutes à peine — pendant lesquelles leurs désirs s'appelèrent, se répondirent et s'enchevêtrèrent jusqu'à se confondre.

Avec un gémissement de délice, Anna pencha la tête en arrière. Aussitôt, le baiser s'approfondit, frisa soudain le délire. Son corps entier se liquéfia jusqu'à n'être plus qu'une entité fluide, perméable, que les sensations traversaient — coulée de lave bouillonnante soulevée par des remous inouïs. S'abandonnant en confiance malgré l'ampleur du séisme, elle se laissa partir dans l'inconnu, lâchant totalement prise.

Daniel faillit perdre la raison. Tenir dans ses bras une Anna forte, avide, agissante le rendait déjà fou de désir. Mais sentir Anna presque défaillante dans son étreinte éveillait en lui des instincts si violemment possessifs qu'il n'en revenait pas de les abriter en lui. Jamais il n'avait eu cette sensation déconcertante d'être à la fois terriblement puissant et d'une vulnérabilité absolue.

Tétanisé par l'intensité presque insoutenable de son amour pour elle, Daniel releva la tête. Mais Anna demeura dans la même position, tête renversée, bouche offerte, les bras noués autour de lui. Dans son regard, il vit les turbulences du désir mais sur un fond serein d'acceptation sans partage.

Il retira la veste courte qu'elle portait sur sa robe et caressa ses bras, ses épaules, la douceur de son dos nu. De nouveau, il se perdait en elle, corps et âme. Mais même s'il ne se sentait plus tout à fait lui-même, il avait cessé de s'effrayer de cette expérience de dépossession.

Lorsque sa robe, légère comme la brise, glissa sur le sol, Daniel poussa une exclamation sourde. Anna s'offrit à son regard, le cœur battant, avec la certitude d'être belle pour lui comme elle ne l'avait jamais été pour personne d'autre.

Daniel effleura le camée de sa grand-mère qui reposait au creux de son cou et ce fut comme si le profil immobile s'animait sous son doigt. Les yeux arrimés aux siens, Anna déboutonna sa chemise qui alla rejoindre la robe sur le parquet. D'un même mouvement, ils s'allongèrent sur le lit. Le vieux sommier grinça, le matelas s'incurva et ils s'enfoncèrent rêveusement dans la douceur des édredons en plume.

Tout de suite, leurs bouches se trouvèrent, dans la brûlure et l'impatience. La chair cherchait la chair, tremblante et réactive. Eclairées par le discret halo de lumière que laissait filtrer un abat-jour de soie, leurs silhouettes enlacées se reflétaient, ombres fiévreuses projetées sur le mur. La brise d'été venait caresser leurs peaux moites de son souffle et emportait au passage leurs gémissements et leurs soupirs. Le rossignol chantait toujours, mais ni Anna ni Daniel ne l'entendaient plus.

Le monde extérieur sur lequel ils avaient l'un et l'autre une emprise si forte s'était réduit aux dimensions d'une chambre d'auberge. Même leurs ambitions respectives avaient été effacées par des besoins plus puissants, un désir plus violent, des aspirations plus essentielles.

Lentement mais sans douceur, Daniel couvrit de baisers dévorants le cou et les épaules d'Anna, puis descendit pour cueillir la pointe de ses seins entre ses lèvres. Mêlant ses jambes aux siennes, il mordilla la chair sensible. Lorsqu'elle cria son nom, il se jura de la mener jusqu'à la frénésie d'un oubli total.

Avec ses mains, avec ses dents, avec sa langue, il créait des brasiers en des lieux qu'Anna avait toujours jugés ininflammables. Elle était prise dans les rets d'une passion sombre, nocturne, éperdue. Même l'air qu'elle respirait portait la marque de Daniel. Partout où il la touchait, des flammes s'élevaient, dévorantes. Nouant les bras autour de sa taille, elle roula avec lui, le chercha avec ses mains tantôt avides, tantôt caressantes. Avant qu'il ait pu anticiper son geste, elle se laissa glisser sur lui et le prit en elle.

Elle gémit longuement. Les accords d'une musique majestueuse se déchaînaient dans sa tête. Mais peut-être était-ce seulement son nom qui explosait sur les lèvres de Daniel ? Des frissons coururent le long de sa peau. Ou étaient-ce ses paumes qui glissaient sur sa chair ? Lorsqu'elle s'arqua en penchant la tête en arrière, elle vit le regard de Daniel rivé sur elle. D'un bleu infini, il rayonnait d'une lumière plus forte encore que le désir : l'amour.

Se raccrochant à cet éclat, elle dansa sur lui, avec lui, jusqu'au bout de la folie.

Comblée, repue et au sommet de la félicité, Anna continua à se cramponner à lui, les yeux clos, en respirant son odeur. C'était là, dans ses bras, avec sa main logée dans la sienne qu'elle avait sa place. Et nulle part ailleurs. S'il lui avait posé la question du mariage en cet instant, elle aurait vraisemblablement accepté sans condition. Même si elle avait d'autres buts, d'autres désirs, elle appartenait à cet homme avant tout le reste.

Un ineffable sentiment de paix était descendu sur Daniel. Le corps d'Anna était si léger que c'était à peine s'il le sentait peser sur le sien. Il était incapable de vivre sans elle. Il pouvait continuer à négocier, à s'enrichir et à couper l'herbe sous les pieds de la concurrence. Mais pour fonctionner désormais, il lui fallait à son côté la jeune femme brune au regard grave dont la main reposait en confiance dans la sienne.

Quitte à se plier aux conditions barbares qu'elle lui posait.

Tout en maudissant Anna en silence, Daniel enroula un bras possessif autour de sa taille. Elle gagnait la partie, d'accord. Mais il ne se comporterait pas en vaincu pour autant.

— Demain, tu emménages chez moi. C'est compris ?

D'un geste dépourvu de tendresse, il lui attrapa une poignée de cheveux pour lui relever la tête.

— En rentrant à Boston, tu feras tes bagages. Je refuse de passer une nuit de plus sans toi.

Bouche bée, elle le regarda un moment en silence. Comment était-on censée composer avec un individu comme Daniel ? Il lui faudrait sans doute plusieurs mois pour apprendre à vivre avec Daniel Duncan MacGregor.

Mais elle était déterminée à tenter l'expérience.

— Dès demain, tu dis ?

— Demain, oui. Tu as quelque chose à redire ?

Elle sourit.

— Mais non, pourquoi ? Prévois simplement de faire de la place dans tes armoires.

Chapitre 10

Anna visita sa nouvelle demeure, escortée par un McGee muet au dos rigide et aux lèvres pincées. Elle se demanda qui, d'elle ou de lui, se sentait le plus mal à l'aise. Ses bagages venaient à peine d'être montés, lorsque Daniel avait été rappelé à la banque pour une affaire urgente. Contrarié, il était parti en ordonnant à McGee de s'occuper d'elle. Si bien que, le jour même de son arrivée, elle se retrouvait seule chez Daniel, avec un majordome hautement désapprobateur et une cuisinière inconnue qui n'avait même pas encore daigné sortir de l'office.

Sur le coup, Anna avait pensé inventer une excuse quelconque pour filer à l'hôpital. Mais face à l'attitude réprobatrice de McGee, elle comprit que la fuite serait une fausse bonne solution. Sa fierté lui commandait de faire face.

La décision de vivre chez Daniel, elle l'avait prise en conscience. Elle savait d'avance que son anticonformisme affiché susciterait toutes sortes de réactions hostiles. Et qu'il lui faudrait apprendre à garder la tête haute malgré les jugements qui seraient portés sur elle — ouvertement ou non.

— Nous avons plusieurs chambres d'amis à l'étage, récita McGee d'un ton plus que jamais mécanique. M. MacGregor reçoit fréquemment pour ses affaires.

Pour des raisons pratiques, il a également installé son cabinet de travail à cet étage… Voici la chambre de monsieur.

Anna découvrit une pièce spacieuse avec un décor plutôt spartiate. Ce n'était pas un endroit que Daniel avait beaucoup investi, de toute évidence. Il n'y avait pas de photos aux murs, aucun bibelot, rien qui ressemblât de près ou de loin à un souvenir ou un objet personnel. Les murs avaient été repeints récemment et les rideaux lourdement amidonnés tombaient sans un faux pli. Quant au lit en chêne sculpté, il aurait pu héberger aisément quatre personnes.

Anna pensait qu'elle serait troublée en pénétrant pour la première fois dans un lieu aussi intime que la chambre à coucher de Daniel. Mais seule une vague curiosité l'habitait, en l'occurrence. Son terrain herbeux au sommet de la falaise, à Hyannis, en disait plus long sur Daniel MacGregor que sa chambre à coucher. Redressant la taille, elle se tourna vers McGee.

— J'imagine que vous êtes responsable de l'intendance ?

Manifestement sur la défensive, le majordome se raidit un peu plus encore.

— Nous avons une employée de maison qui vient trois fois par semaine pour faire le ménage. Il m'incombe de superviser ses tâches. Mais M. MacGregor nous a prévenus, la cuisinière et moi, que vous souhaiteriez sans doute apporter des changements dans notre organisation.

Si Daniel était entré à ce moment-là, Anna l'aurait étranglé avec plaisir.

— Je doute que la moindre réorganisation soit nécessaire, McGee. Vos compétences me paraissent évidentes.

Le compliment prononcé avec froideur ne radoucit pas le majordome.

— Je vous remercie, mademoiselle. Souhaitez-vous poursuivre la visite du premier étage ?

— Je vais plutôt défaire mes bagages.

Anna n'avait qu'une envie : rester seule. Elle se sentait soudain à bout de forces. Et incapable d'afficher un air d'indifférence hautaine ne serait-ce qu'une seconde de plus.

McGee s'inclina cérémonieusement.

— Vous n'aurez qu'à sonner si vous avez besoin de moi.

— Je vous remercie, McGee. Mais je ne sonnerai pas.

Stoïque, elle attendit qu'il ait quitté la chambre pour s'effondrer sur le lit. Qu'avait-elle fait ? Tous les doutes, les incertitudes, les craintes qu'elle avait réussi à dominer jusque-là venaient l'assiéger en bloc. Elle avait quitté la maison où elle avait grandi pour poser ses bagages dans un lieu qui lui était en tout point étranger. Qu'était-elle ici sinon une usurpatrice ? Voire une fille facile aux yeux d'un homme comme McGee ?

Elle avait laissé derrière elle sa mère émue et son père effaré et inquiet. Et pourquoi ? Pour se retrouver dans une chambre à coucher grande comme la moitié de l'appartement dans lequel elle avait renoncé à emménager. Et rien dans ce lieu ne lui appartenait, à part les quelques vêtements qu'elle avait entassés dans ses valises.

Laissant glisser sa main sur la courtepointe blanche, Anna songea que ce lit serait désormais le sien. Qu'elle s'endormirait avec Daniel chaque soir et se réveillerait à son côté chaque matin. Il ne serait plus question de lui souhaiter une bonne nuit et de se replier chez elle pour retrouver la solitude confortable de sa chambre de jeune fille. Daniel serait toujours là, à portée de main. Tout comme elle serait à portée de sa main.

— Mon Dieu, qu'ai-je fait ?

Anna leva les yeux et capta son propre reflet dans une glace : une jeune femme brune et pâle, plutôt menue, assise toute seule sur un lit trop grand pour elle. Avec un léger frisson, elle se leva pour se diriger vers une grande commode en chêne, aux lignes sobres et masculines. D'une main tremblante, elle déboucha un flacon d'eau de Cologne et le porta à ses narines. Aussitôt, elle retrouva Daniel. Son odeur, sa présence. Son éclat. La chambre autour d'elle qui avait paru si étrangère lui sembla soudain plus accueillante, presque familière. Lorsqu'elle replaça le bouchon de verre sur le flacon, le monde était de nouveau à l'endroit.

Ce qu'elle avait fait ? Elle avait choisi de vivre à sa manière, ni plus ni moins ! Riant toute seule, Anna entreprit de vider ses valises. Elle n'avait pas emmené grand-chose, à part des vêtements et quelques photos. Mais une fois qu'elle eut rangé l'ensemble, elle se sentit déjà un peu plus chez elle.

Elle décida qu'il leur faudrait une nouvelle commode, plus légère, pour mettre sa lingerie. Et qu'elle remplacerait les sévères rideaux empesés par quelque chose de plus coloré, de plus joyeux.

Satisfaite de ces perspectives de réaménagement, Anna contempla la chambre d'un autre œil. Tenir une maison n'était pas aussi noble, aussi exaltant que de lutter au quotidien pour rendre la santé à ceux qui l'avaient perdue. Mais la vie domestique avait également son charme. Et si Mme Higgs avait raison ? Et s'il était possible — vraiment possible — de gagner sur tous les fronts ? D'avoir le plaisir, l'amour, la carrière ; le mariage, les enfants et le succès professionnel réunis dans une même vie de femme ?

Décidée à procéder à quelques premiers agencements, Anna se mit en quête de McGee. Avec un peu de chance, il pourrait lui procurer deux petits fauteuils confortables, une lampe pour lire, ainsi qu'un secrétaire qu'elle utiliserait pour étudier. Vu les dimensions de la pièce, il y aurait largement assez de place pour qu'elle puisse s'aménager un coin où travailler.

Si la grande maison de Daniel ne recelait aucun de ces trésors, elle irait acheter le nécessaire le lendemain en sortant de l'hôpital. Anna fut tentée d'aller voir directement si elle ne trouvait pas son bonheur dans un des salons ou dans la bibliothèque. Mais elle ne voulait pas froisser McGee dans sa dignité en chamboulant les lieux sans lui demander son avis.

Songeant qu'elle trouverait sans doute le majordome dans la cuisine, elle descendit au rez-de-chaussée et suivit le couloir qui s'enfonçait dans les profondeurs de la maison. Elle s'immobilisa en entendant les échos d'une conversation animée qui se déroulait dans l'office :

— Si elle convient à M. MacGregor, je ne vois pas pourquoi nous ferions la fine bouche, dit une voix féminine avec un accent écossais encore plus prononcé que celui du majordome. Cessez donc de ronchonner comme ça, McGee !

— Je ne ronchonne pas, je donne mon avis. Cette fille n'a rien à faire ici, à jouer les maîtresses de maison, sans un contrat de mariage en bonne et due forme.

— Ah ! McGee, que vous êtes donc rigide, mon Dieu ! Chacun n'est-il pas libre d'organiser sa vie comme il l'entend ?

Avant même d'avoir vu la cuisinière, Anna décida qu'elle aurait un faible marqué pour cette femme.

— Si M. MacGregor l'a choisie, c'est qu'elle doit

avoir du caractère, c'est évident ! Mais tout ce que je vous ai demandé, McGee, c'est à quoi elle ressemble.

— Ah ! pour être jolie, elle est jolie ! On ne peut pas lui enlever ça. Et il faut reconnaître aussi qu'elle a la décence de ne pas faire étalage de sa beauté.

— Faire étalage de sa beauté ! se récria la cuisinière. Ah ! vous êtes bien sévère, je vous jure ! Si une femme se pare joliment pour son amoureux, vous trouvez qu'elle s'exhibe, vous ? Allez, McGee, laissez-moi continuer mon dîner, sinon rien ne sera prêt dans les temps.

Anna hésitait à se retirer discrètement lorsqu'un cri de douleur s'éleva dans la cuisine. D'instinct, elle se rua à l'intérieur. McGee était penché sur une femme aux cheveux blancs de proportions imposantes. Juste devant eux, un couteau ensanglanté gisait sur le carrelage.

— Bon sang, Sally, mais comment avez-vous réussi à vous blesser comme ça ? marmonna McGee, visiblement affolé.

Anna ne fit ni une ni deux lorsqu'elle vit que le sang jaillissait de la plaie.

— Laissez-moi faire, McGee.

— Mais, mademoiselle Whitfield ! Ce n'est pas à vous de…

— Ecartez-vous de là ! Vite !

Consciente qu'il n'y avait pas une seconde à perdre, Anna poussa d'autorité l'imposant majordome. Au premier coup d'œil, elle constata que le couteau qui avait dû riper avait sectionné une artère du poignet. Pressant les doigts juste au-dessus de la profonde coupure, elle réussit à stopper l'hémorragie.

— Ce n'est rien, mademoiselle, protesta faiblement la cuisinière. Faites attention de ne pas vous salir, surtout.

— Ne vous inquiétez pas pour ça.

Attrapant un torchon d'une main, Anna le lança à McGee.

— Découpez-moi ça en bandes. Puis allez chercher ma voiture et garez-la devant la porte arrière.

Le majordome s'exécuta aussitôt sans perdre de temps à poser des questions inutiles. Anna aida la cuisinière à s'asseoir.

— Restez calme, surtout, murmura-t-elle.

Pâle comme un linge, soudain, la blessée avisa le sang répandu par terre.

— Oh ! mon Dieu ! chuchota-t-elle d'une voix faible. C'est moi qui ai perdu tout ça ?

— Nous allons vous remettre en état, vous allez voir. Evitez juste les mouvements brusques, d'accord ?... McGee, faites-lui un garrot juste là, indiqua Anna tout en maintenant l'artère fermée avec ses doigts.

— Très bien. Et maintenant, Sally, vous allez fermer les yeux et essayer de vous détendre... Voilà, pas trop serré, McGee. Parfait. Amenez-nous vite la voiture, maintenant. Je vous demanderai également de conduire.

— Comptez sur moi.

Renonçant à toute dignité, McGee sortit de la cuisine au pas de course.

— Vous pensez pouvoir marcher, Sally ?

— Je vais essayer. Ça me fait une drôle de sensation dans la tête.

— Vous allez vous appuyer sur moi, d'accord ? McGee nous attend juste devant la porte. Et en moins de cinq minutes, nous serons à l'hôpital.

La cuisinière se crispa.

— A l'hôpital ?

Anna frémit en la voyant à deux doigts de défaillir. « Vite, McGee... Vite ! » Jamais elle n'aurait la force physique de retenir la volumineuse cuisinière si celle-ci perdait connaissance.

— Juste le temps de vous faire un pansement, Sally. Vous verrez qu'il y a de très beaux médecins, là-bas. Si beaux même que vous vous demanderez pourquoi vous n'avez jamais eu la bonne idée de vous couper la main plus tôt.

McGee qui se précipitait à leur rencontre arriva juste à temps pour les soutenir l'une et l'autre.

— Mes compliments, Anna. Vous avez fait un beau travail de secouriste, commenta le Dr Liederman en se lavant les mains. Si vous n'étiez pas intervenue aussi rapidement, l'hémorragie aurait pu être fatale.

Anna avait eu l'occasion d'examiner la plaie de près.

— Ces couteaux de cuisine sont redoutables.

— En effet. Si elle avait voulu se suicider, elle n'aurait pas fait mieux. Encore une chance que vous n'ayez pas paniqué !

— Si je m'affolais à la vue du sang, je ferais une piètre chirurgienne, rétorqua Anna calmement.

Le Dr Liederman l'examina avec un intérêt manifeste.

— Ainsi c'est à la chirurgie que vous vous destinez ? Vous n'avez pas choisi la voie la plus facile. Il ne faut pas seulement de l'habileté pour manier un bistouri, mais aussi beaucoup d'assurance.

— Et peut-être même une pointe d'arrogance, non ?

Après un infime temps d'hésitation, le médecin lui rendit son sourire.

— Vous avez une bonne réputation dans cet hôpital, mademoiselle Whitfield. Les infirmières vous apprécient. Et ce ne sont pas les plus faciles à impressionner, vous le savez sans doute mieux que moi. Je réitère ma proposition : si vous êtes interne ici l'année prochaine, n'hésitez pas à venir me trouver. Il y aura toujours de la place pour vous dans mon service.

Où diable étaient-ils donc passés, tous ? Pressé de retrouver Anna, Daniel était rentré en toute hâte. Mais seul le silence de la maison assoupie l'avait accueilli à son arrivée. Il avait grimpé l'escalier quatre à quatre pour gagner sa chambre. Et s'il n'avait pas vu les affaires de la jeune femme dans le dressing, il aurait pu croire que la présence d'Anna chez lui, cet après-midi-là, n'avait été qu'un mirage.

— McGee ! rugit-il en redescendant au rez-de-chaussée.

Mais là encore, pas de réponse. Comme si cela ne suffisait pas qu'Anna ait disparu, voilà que son major-dome faisait le sourd maintenant.

— McGee ! Où êtes-vous fourré, bon sang ?

Toujours pas un son.

Parvenu en bas, Daniel ouvrit et referma bruyamment toutes les portes. Mais la maison fantôme était mani-festement désertée de tous ses occupants. Daniel pesta avec force. Même s'il n'avait pas espéré un accueil en fanfare, il aurait quand même apprécié que quelqu'un prenne la peine d'être là à son retour. D'humeur noire, il s'engouffra dans l'office.

— Sally ? Vous ne sauriez pas par hasard où… ? Nom de nom, mais ce n'est pas vrai ! Ils se sont tous volatilisés ou quoi ?

Un doigt sur les lèvres, Anna entra par la porte de derrière.

— Chut ! C'est bientôt fini ces cris et ces hurlements ? Je viens juste de la mettre au lit.

— Parce que je n'ai plus le droit de crier dans ma propre maison, maintenant ? Je...

Daniel s'arrêta net à la vue du sang qui maculait les vêtements d'Anna.

— Oh ! mon Dieu... Où es-tu blessée ? s'écria-t-il en la serrant éperdument contre lui. Je t'emmène à l'hôpital sur-le-champ.

— J'en reviens.

Mais déjà Daniel lui glissait une main sous les genoux pour la soulever dans ses bras.

— Daniel, je ne suis pas blessée, protesta Anna en se trouvant emportée dans les airs. Ce n'est pas mon sang que tu vois, mais celui de Sally. C'est elle qui a eu un accident.

— Sally ?

— Ta cuisinière.

— Je sais qui est Sally ! vociféra-t-il en la pressant avec force contre lui. Donc tu n'as rien ? Vraiment rien ?

Constatant qu'il tremblait, Anna se radoucit. Jamais elle n'aurait pensé qu'il réagirait aussi violemment.

— Pas même une égratignure, eut-elle le temps de confirmer juste avant que sa bouche ne vienne sceller la sienne par un baiser passionné.

Touchée, Anna l'étreignit avec tendresse.

— Je ne voulais pas te faire de frayeur, Daniel.

— Eh bien, c'est raté, car j'ai eu la peur de ma vie. Qu'est-il arrivé à Sally ?

— Elle coupait de la viande avec les mains mouillées. Et son attention était ailleurs apparemment. Le couteau lui a échappé et a atteint l'intérieur du poignet en entaillant une artère. Voilà pourquoi elle a perdu énormément de sang. Heureusement, nous étions là, McGee et moi, et nous avons pu la conduire à l'hôpital. Elle va bien, maintenant. Mais elle va devoir garder le repos un jour ou deux.

Repérant le couteau de boucher ensanglanté sur le sol, Daniel pâlit.

— Il faut que je voie Sally tout de suite.

Anna réussit à le retenir *in extremis*.

— Elle dort, Daniel. Je crois que tu ferais mieux d'attendre demain matin.

— Tu es sûre qu'elle n'a besoin de rien ?

— Si. De repos. Elle a perdu du sang, mais nous avons pu intervenir à temps. McGee a très vite compris que je savais ce que je faisais. Et il m'a été d'un grand secours.

Au même moment, le majordome apparut sur le pas de la porte. Un peu plus pâle qu'à l'ordinaire, mais avec une dignité inaltérée.

— Monsieur MacGregor… Je vais nettoyer cela de ce pas. Le dîner en revanche sera servi avec un léger retard, je le crains.

— Mlle Whitfield m'a expliqué ce qui s'est passé pour Sally. Vous lui avez été d'une grande aide, m'a-t-elle dit ?

Une pointe d'émotion humanisa brièvement les traits du majordome.

— Je crains de ne pas avoir fait grand-chose, monsieur. Mlle Whitfield a eu une présence d'esprit extraordinaire. Et elle a fait preuve d'une grande bravoure, si je puis me permettre de m'exprimer ainsi.

Anna réussit à réprimer un sourire.

— Je vous remercie, McGee.

— Ne vous inquiétez pas pour le dîner, décida Daniel. Nous nous débrouillerons tout seuls.

— Très bien, monsieur. Bonsoir, mademoiselle.

— Bonne nuit, McGee, lança Anna par-dessus l'épaule de son compagnon lorsqu'ils quittèrent la cuisine… Tu peux peut-être me poser par terre maintenant, Daniel ?

— Non.

La portant sans effort, Daniel s'engagea dans l'escalier.

— Ce n'était pas dans ces conditions que je comptais t'accueillir ici, Anna. Je suis désolé.

— Personne n'y peut rien, chuchota-t-elle, les lèvres enfouies dans son cou, goûtant le plaisir d'être traitée comme le plus précieux des fardeaux.

— Ton chemisier est fichu.

— J'ai l'impression d'entendre Sally. Elle a marmonné ce même refrain pendant tout le trajet jusqu'à l'hôpital.

— Je t'en achèterai un autre.

— Dieu merci. J'étais ravagée par l'angoisse au sujet de ce vêtement… Dis-moi, Daniel, tu ne crois pas que nous avons mieux à faire en ce premier jour de vie commune que de nous soucier d'un bout de chiffon ?

— Justement. Tu sais à quoi je pensais pendant toute la durée de cette fichue réunion ?

— Non.

— A faire l'amour avec toi. Dans mon lit. Dans notre lit.

Anna noua les bras autour de son cou. Déjà le flux de son sang s'accélérait dans ses veines.

— Et tu sais à quoi je pensais pendant que je défaisais mes bagages ?

— Dis-moi.

— A faire l'amour avec toi. Dans ton lit. Dans notre lit.

Daniel qui ne prêtait jamais la moindre attention à sa chambre trouva soudain un intérêt tout particulier à cette pièce. Ce ne serait plus seulement un lieu neutre pour dormir, mais un havre précieux qui abriterait leurs amours.

— Puisque c'est comme ça, il faudrait peut-être faire quelque chose pour remédier à nos obsessions mutuelles, observa-t-il gravement.

Avec Anna toujours accrochée à son cou, il se laissa tomber sur la courtepointe blanche.

Vivre avec Daniel, s'endormir et se réveiller à son côté, se passa plus simplement qu'Anna ne l'avait imaginé. Très vite, elle eut le sentiment que sa vie avant lui n'avait été qu'un prélude, une attente. Cela dit, ni leurs rythmes ni leur façon d'aborder le quotidien ne concordaient. Si bien que les premières semaines de vie commune donnèrent lieu à quelques ajustements inévitables.

Partager les nuits d'un homme qui considérait le sommeil comme une perte de temps pouvait rapidement conduire à l'épuisement si on n'y prenait pas garde. Daniel détestait traîner au lit le matin. Quant à son petit déjeuner, il l'avalait à la hâte, sans s'inquiéter de ce qu'il ingurgitait. Bavarder tranquillement en vidant une cafetière ne faisait pas partie de ses habitudes matinales.

Comme Anna fonctionnait sur d'autres biorythmes, elle descendait généralement prendre son premier café alors que Daniel finissait sa seconde tasse. Quelques minutes plus tard, il passait la porte avec son attaché-case, alors qu'elle avait encore toutes les peines du monde à garder les yeux ouverts.

Il n'y avait rien de très romantique dans ces débuts de journée où ils se croisaient sans vraiment se rencontrer. Mais Anna s'accommodait de ses petits déjeuners solitaires. Pendant qu'elle pliait le linge à l'hôpital et qu'elle faisait la lecture aux malades, Daniel jouait à la Bourse et élaborait des stratégies compliquées pour agrandir son empire. Peu à peu, Anna prenait conscience de l'étendue de son pouvoir. Il avait des relations d'affaires, certes. Mais il était également en lien avec le monde de la politique et des arts. Il lui arrivait, lorsqu'elle était à la maison, de recevoir pour lui des appels du gouverneur. Daniel avait également des contacts réguliers avec des écrivains fauchés, des producteurs richissimes, des peintres et des acteurs.

Mais, pour lui, la culture, la politique ou les vastes projets d'urbanisme se résumaient tous à un seul principe de base : le commerce. Si elle l'interrogeait sur ses activités de la journée, il restait toujours très évasif, en revanche. Chaque fois qu'il éludait ainsi ses questions, Anna ressentait comme un pincement au cœur. Mais elle s'exhortait à rester patiente. Un jour, bientôt, il accepterait de partager ; un jour, elle gagnerait à la fois son respect et sa confiance.

De son côté, elle consacrait l'essentiel de son temps à l'hôpital et à ses études. Mais Daniel évitait de la questionner sur ses occupations lorsqu'elles avaient trait à la sphère médicale. Et les rares fois où il lui demandait quelque chose, elle avait l'impression qu'il ne faisait qu'exprimer un intérêt poli. Si bien qu'elle ne mentionnait ses activités de la journée que de façon toujours très succincte.

Les soirées, en revanche, étaient beaucoup plus détendues. Ils s'attardaient à table, puis se prélassaient longuement dans le salon ou dans des chaises longues, sur la terrasse. Mais ni l'un ni l'autre ne parlait de son travail ou de ses ambitions. Ils se contentaient de savourer le plaisir d'être ensemble. Comme si, en se retrouvant, ils laissaient tout un pan de leur vie à la porte. Et aucun des deux ne prenait le risque de lever le voile.

Devenus avares de leur temps, ils refusaient la plupart des invitations, préférant la solitude à deux aux exigences de la vie mondaine. De temps en temps, ils allaient au cinéma. Main dans la main dans la salle obscure, ils vibraient d'une émotion partagée. Lorsque les soirées étaient douces, ils fuyaient Boston avec Herbert et Myra, et dînaient joyeusement à quatre dans quelque auberge de campagne.

A chaque jour qui passait, Anna et Daniel se découvraient plus intimement. Leur amour vécu en toute liberté trouvait ses racines, se déployait en surface, s'ancrait dans la réalité. Mais ils avaient beau s'aimer de plus en plus, leurs frustrations mutuelles s'intensifiaient au lieu de s'apaiser. Ils souffraient d'un manque profond l'un et l'autre : Daniel revendiquait le mariage et Anna voulait plus de complicité, plus de partage. Et s'ils étaient heureux ensemble, ils ne parvenaient toujours pas à inventer une formule pour combiner leurs attentes mutuelles.

Le mois d'août fut caniculaire. Une chaleur humide pesait sur Boston. La ville se vidait de ses occupants, la plupart des Bostoniens étant aller chercher refuge sur la côte. Les week-ends, Daniel et Anna s'échappaient à leur tour pour se promener à la campagne. Ou pour pique-niquer sur le terrain de Hyannis, où ils faisaient l'amour en plein jour, aussi naturellement que s'ils avaient été enfants du soleil et du vent.

Ce fut là, alors qu'ils finissaient leur déjeuner sur l'herbe, que Daniel revint à la charge.

— Les travaux commencent la semaine prochaine,

annonça-t-il alors qu'ils partageaient un fond de chablis dans un seul verre.

— La semaine prochaine, déjà ?

Surprise, Anna contempla l'étendue d'herbe encore vierge où se dresserait bientôt la maison des rêves de Daniel. Non seulement, il ne lui avait pas dit qu'il avait fait appel à des entrepreneurs mais il ne lui avait même pas montré les plans, bien qu'elle les lui eût réclamés à plusieurs reprises.

— Normalement, ils auraient dû couler les fondations plus tôt. Mais j'avais deux ou trois détails à régler avant de m'occuper de la construction.

« Deux ou trois détails à régler »... C'était toujours en termes évasifs que Daniel évoquait ses activités innombrables. Anna réprima un soupir et songea qu'il avait le droit de garder le silence sur certains aspects de sa vie, que rien ne le forçait à tout partager avec elle.

Elle lui effleura la joue.

— Je sais que tu es impatient de faire construire et que cette maison compte beaucoup pour toi. Mais ce coin de nature sauvage va me manquer. C'est tellement paisible de ne voir que de l'eau, de l'herbe et de la roche.

— Pourquoi crois-tu que j'aie choisi d'habiter ici ? Ce que tu verras autour de toi lorsque nous vivrons dans cette maison, ce sera précisément cela : de l'eau, de l'herbe, de la roche.

— Rien ne dit que *nous* vivrons dans cette demeure, Daniel, protesta-t-elle doucement.

Il lui prit la main.

— Il faudra bien deux ans, je pense, avant que nous puissions emménager. Mais c'est ici que nos enfants grandiront.

— Daniel...

— Et chaque fois que nous ferons l'amour, je me souviendrai qu'ici, dans l'herbe sauvage d'un pré, tu es venue à moi pour la première fois. Dans cinquante ans, je penserai toujours avec la même émotion à ce don que tu m'as fait.

C'était si bon de l'entendre, si tentant de partager ses certitudes. Daniel n'était jamais aussi redoutable que lorsqu'il parlait de leur avenir à deux avec cette calme assurance.

— Ce sont des promesses que tu me demandes, Daniel ?

— Oui. J'attends un engagement de ta part.

— S'il te plaît, non…

— Et pourquoi pas ? Tu vois bien qu'entre nous, ça fonctionne. Il est temps désormais d'officialiser la situation, Anna.

Tout en gardant sa main prisonnière de la sienne, Daniel sortit un petit écrin en velours de sa poche.

— J'ai un cadeau pour toi.

Il souleva le couvercle de la boîte, révélant un superbe diamant. La gorge d'Anna se noua. L'extraordinaire beauté de la bague de fiançailles l'émerveillait. Mais le symbole en lui-même la tentait et la terrifiait à la fois.

— Je ne peux pas la porter, Daniel.

— Bien sûr que si, qu'est-ce qui t'en empêche ?

Lorsqu'il voulut sortir la bague de l'écrin, elle posa les deux mains sur les siennes.

— C'est un engagement que je ne me sens pas le droit de prendre. J'ai essayé de t'expliquer…

— Et moi, j'ai essayé de te comprendre, l'interrompit-il avec impatience. Je sais que tu ne veux pas entendre parler de mariage pour l'instant. Mais une bague n'est pas un contrat. Elle représente juste une promesse.

— Une promesse que je refuse de faire avant d'être certaine de pouvoir la tenir, Daniel.

La voix d'Anna s'étrangla. Le non qu'elle continuait à lui opposer lui déchirait le cœur. A chaque jour qui passait, la tentation d'accepter devenait plus forte. Mais aucun des obstacles dressés entre eux au départ n'avait été levé au cours de ces quelques semaines de vie commune.

— Si je portais une bague de fiançailles, je te ferais une promesse susceptible d'être brisée. Et tu comptes infiniment trop à mes yeux pour que je puisse prendre le risque du parjure.

Daniel réfréna stoïquement son impatience. Il avait su d'emblée qu'il allait au-devant d'un échec. Alors même qu'il achetait la bague, il avait pressenti qu'elle refuserait de l'accepter. Et assez bizarrement, il comprenait ses réticences. Mais le rejet n'en était pas moins douloureux pour autant.

— Ça ne tient pas debout, ce que tu me dis là, Anna ! Si je compte tant, pourquoi refuser de porter le symbole de ce qui nous lie, toi et moi ?

Déchirée par les regrets, Anna cueillit son visage entre ses paumes.

— Daniel… Je te connais. Si je prenais la bague, tu reviendrais à la charge dans moins d'un mois : en faisant pression pour que j'accepte une alliance, cette fois. Parfois, je me dis que tu vois la construction de notre couple comme tu envisagerais une fusion d'entreprises. Il te faut les garanties, les papiers, les contrats et un plan d'avenir quinquennal…

Daniel sentit monter une bouffée de colère qu'il réprima sans trop de mal. Il avait découvert qu'avec

Anna, il pouvait maîtriser ses emportements. Comme si son caractère s'adoucissait de lui-même à son contact.

— C'est ma façon de fonctionner, en effet. Peut-être parce que j'ai toujours procédé de cette manière. J'ai tendance à me projeter dans l'avenir.

— Je sais, Daniel. Et j'essaye de me mettre à ta place, de comprendre. Le seul problème, c'est que je ne suis pas encore certaine que l'avenir dans lequel je me projette *moi* soit compatible avec celui que tu envisages pour nous.

— Tu vis notre couple comme une espèce de banc d'essai, en somme ?

Elle lui jeta un regard surpris.

— Un banc d'essai ?

— Une mise à l'épreuve, quoi. Une sorte de test que nous nous faisons subir mutuellement.

Anna se mordilla la lèvre.

— Un test ? Cela paraît si froid, si calculateur.

— Ni plus froid ni plus calculateur qu'une fusion d'entreprises.

— Ce n'est pas une vision aussi pragmatique que j'ai de nous, Daniel.

Il soupira.

— Il serait peut-être temps que tu m'expliques comment tu nous vois, alors.

— Tu me fais peur.

L'aveu avait échappé à Anna avec tant de force qu'ils restèrent un instant muets l'un et l'autre. Daniel s'était si peu attendu à une telle déclaration de sa part qu'il avait de la peine à trouver ses mots.

— Anna... Crois-tu vraiment que je pourrais te faire le moindre mal ?

Frémissante de nervosité, elle se leva.

— Non. Au contraire. Tu as tendance à me traiter comme un objet en cristal, précieux, fragile et fait pour être manipulé avec les plus grandes précautions. Dans un sens, c'est presque plus facile pour moi lorsque tu perds ma « fragilité » de vue et que tu me hurles après.

Tout en se demandant s'il parviendrait jamais à la comprendre, Daniel se leva pour se placer derrière elle.

— Dans ce cas, je hurlerai plus souvent.

— Je n'en doute pas. Tu hurleras lorsque je te frustrerai ou lorsque nous serons en désaccord. Mais que se passera-t-il si je t'accorde ce que tu me demandes ? Que deviendrons-nous si je te dis que je suis prête à t'épouser ?

Troublé par l'émotion qui perçait dans sa voix, Daniel lui saisit les deux mains.

— Nous partageons déjà tant de choses Anna : un lit, une chambre, un quotidien, des sorties. Je ne vois pas en quoi un contrat légal changerait notre façon d'être ensemble.

— Je crois qu'au fond de toi, tu sais pertinemment en quoi ce serait différent. Je suis parfois tentée d'accepter, c'est vrai. Mais comment savoir si je le ferais pour moi ou seulement pour te faire plaisir ? Si je t'épousais, il faudrait que je renonce à tout ce que j'ai mis en place jusqu'à présent.

— Je n'exigerai jamais de toi que tu fasses un pareil sacrifice, Anna.

— Daniel…

Violemment émue, elle ferma les yeux pour tenter de retrouver une contenance.

— Peux-tu m'assurer que tu aimeras, respecteras et prendras soin du Dr Whitfield comme tu m'aimes, me respectes et prends soin de moi maintenant ?

Daniel ouvrait déjà la bouche pour lui jurer tout ce qu'elle voulait bien entendre. Mais la vulnérabilité qu'il lut dans ses yeux l'arrêta net. Avec Anna, seule la plus grande sincérité était possible.

— Je ne sais pas, admit-il.

Anna laissa échapper un soupir à peine audible. Daniel aurait-il menti s'il avait su à quel point elle avait espéré une réponse positive? Et s'il avait menti, aurait-elle accepté la bague et donné la promesse qu'il lui demandait?

Cherchant son regard, elle passa les bras autour de sa taille.

— Puisque tu ne sais pas, laisse-nous encore un peu de temps, afin que nous soyons sûrs l'un et l'autre... Mais si, un jour, j'accepte ta bague, Daniel, ce sera avec tout mon cœur, avec tout mon être. Et je considérerai ma promesse comme définitive. A cela, je peux d'ores et déjà m'engager.

Daniel glissa l'écrin de velours dans sa poche. Si Anna ne portait pas sa bague, elle n'en revendiquait pas moins sa place dans ses bras. Ils étaient seuls, étroitement enlacés au sommet de la falaise, avec le monde à leurs pieds.

— La bague peut attendre, chuchota-t-il en se penchant sur ses lèvres. Mais il y a des choses qui, elles, n'attendent pas.

Et il se laissa choir avec elle dans l'herbe fraîche.

Chapitre 11

Anna accueillit avec une relative sérénité la nouvelle que le gouverneur dînerait la semaine suivante à leur table. Recevoir des hôtes de marque faisait partie intégrante de ses traditions familiales. Au fil des années, sa mère lui avait transmis tout naturellement son savoir-faire en la matière. Elle était capable de mettre au point un menu approprié, de faire servir les vins qui s'accordaient avec les mets et de tenir une conversation sensée et agréable, sans jamais enfreindre l'étiquette.

Ce n'était pas l'acte de recevoir en lui-même qui la gênait. Mais le fait que Daniel ait admis d'emblée qu'elle assumerait les fonctions d'hôtesse.

Elle aurait pu lui dire non, bien sûr. Lui rappeler qu'entre ses études et l'hôpital, ses journées étaient déjà largement assez remplies. Souligner qu'elle avait mieux à faire de son temps que réfléchir aux mérites comparés des coquilles Saint-Jacques et des huîtres en entrée. Arguer qu'elle avait des préoccupations autrement plus sérieuses que de trancher entre un château-yquem ou un chassagne-montrachet.

En refusant tout net de s'occuper de cette réception, elle aurait connu un bref moment de satisfaction, admit Anna alors qu'elle rentrait en voiture de l'hôpital. Mais son plaisir aurait été de brève durée. Et elle aurait passé le reste de la semaine à regretter sa mesquinerie et sa petitesse.

Il s'agissait après tout du premier dîner officiel qu'ils donnaient depuis qu'ils vivaient ensemble. Et elle savait que Daniel accordait beaucoup d'importance à l'événement. Il ne voulait pas seulement offrir au gouverneur un repas mémorable, il était également désireux de la montrer, elle. De l'exhiber à son côté comme une preuve supplémentaire de sa réussite.

Etrangement, au lieu de s'en offusquer, elle trouvait attendrissant qu'il soit si fier de leur couple. Anna secoua la tête. L'amour, décidément, défiait toute logique. Mais elle ne décevrait pas Daniel. Préparer cette réception serait coûteux en temps et en énergie, certes. Mais elle savait qu'elle y prendrait également beaucoup de plaisir.

En vérité, s'acquitter de ses fonctions d'hôtesse était tout aussi naturel et spontané pour elle que de réciter la liste complète des os de la main. Souriant toute seule, Anna s'immobilisa devant un feu de circulation. En parlant de main, il faudrait qu'elle pense à jeter un coup d'œil à celle de Sally lorsqu'elle serait de retour à la maison.

A la maison. Trois semaines seulement s'étaient écoulées depuis qu'elle avait défait ses bagages dans la grande chambre impersonnelle de Daniel. Et aujourd'hui, elle se sentait chez elle entre ses murs comme si elle avait vécu là toute sa vie. Même si elle gardait des doutes quant à l'avenir, le présent était sans tache. Elle n'avait jamais été aussi heureuse que depuis qu'elle partageait un toit avec Daniel.

Seule l'idée du mariage continuait à lui procurer un léger frisson d'appréhension — comme un froid soudain qui se glisserait insidieusement dans ses veines. Mais elle aurait été incapable de dire si c'était de Daniel qu'elle se méfiait ou d'elle-même. En vérité, elle avait peur de le faire souffrir tout autant qu'elle craignait la souffrance pour elle-même.

Par moments, l'avenir lui paraissait tout tracé, pourtant : elle épouserait Daniel, ils auraient des enfants et les élèveraient à Hyannis, au sommet de la falaise. En parallèle, elle mènerait sa carrière de chirurgien et excellerait dans son domaine. Daniel serait fier de sa réussite comme elle serait fière de la sienne. Elle s'épanouirait sur tous les plans et se réaliserait en tant que femme comme en tant que médecin.

C'était possible, envisageable. Il suffisait de le vouloir, de lutter et de tenir ses positions.

Anna soupira. Ses accès d'optimisme étaient de brève durée et le doute, chaque fois, reprenait le dessus. Daniel s'intéressait si peu à sa passion pour la médecine ! De son côté, il pouvait passer des heures enfermé dans son cabinet de travail à préparer d'ambitieuses transactions dont il ne lui touchait jamais mot. Quant aux livres d'anatomie et aux traités qui jonchaient désormais leur chambre, c'était à peine s'il semblait s'apercevoir de leur présence.

Dans quelques semaines, d'autre part, elle repartirait pour le Connecticut. Et comme Daniel n'abordait jamais le sujet, elle ignorait totalement s'il envisageait de l'y suivre ou non.

Anna secoua la tête en se garant devant la maison. Elle n'avait pas envie de se laisser torturer par l'incertitude et la tristesse. Pour l'instant, l'été semblait devoir durer toujours et elle était décidée à vivre leur bonheur au jour le jour sans s'inquiéter du lendemain.

En pénétrant dans la cuisine, elle trouva Sally occupée à régler le thermostat du four.

— Alors, Sally ? Et cette main ? Comment va-t-elle ?

La cuisinière se redressa en souriant, s'essuya les mains sur son tablier et alla chercher la cafetière.

— C'est de la vieille histoire, maintenant, déclara-t-elle en tendant à Anna sa tasse de café rituelle. Mais vous rentrez bien tard aujourd'hui, dites-moi.

Anna s'étira longuement.

— Il y a eu un gros accident de circulation, cet après-midi. Et comme c'était la panique aux urgences, je suis restée un peu plus longtemps que d'habitude. Ce n'est pas que je puisse faire grand-chose. Mais je parle aux blessés, j'apporte des verres d'eau, j'écoute comme je peux, je tiens la main à ceux que ça réconforte.

— Et ça vous démange drôlement de soigner, de désinfecter et de recoudre, je parie !

Avec un léger soupir, Anna s'assit à table avec son café.

— C'est vrai qu'il est frustrant de ne pas pouvoir agir comme on le voudrait. Même les tâches les plus simples me sont encore interdites. Dans un an je pourrai exercer, enfin. Mais le temps me semble long.

— M. MacGregor et vous avez l'impatience en commun, commenta Sally en se servant un café à son tour… en parlant de monsieur, il a appelé pour prévenir qu'il rentrerait plus tard que prévu. Il a dit de ne pas l'attendre pour dîner. Mais je crois qu'il a bien envie que vous patientiez quand même.

— Pas de problème. Je souperai avec lui lorsqu'il sera de retour. Dans l'intervalle, nous pourrions jeter un coup d'œil à la liste des invités et essayer d'élaborer un menu ensemble. J'ai déjà quelques idées mais si vous avez une spécialité que vous aimeriez…

Anna s'interrompit pour humer les fumets qui s'échappaient du four.

— Qu'est-ce qui cuit là, Sally ?

— Une tarte aux pêches, déclara fièrement la cuisinière. C'est une recette de ma grand-mère.

— Mmm…

Anna ferma les yeux pour mieux s'imprégner de l'odeur. Une tarte aux pêches chaude par une tiède soirée d'été…

— A quelle heure Daniel a-t-il dit qu'il viendrait, déjà ?

— Vers 20 heures.

Anna regarda sa montre et se leva en souriant pour prendre du papier et un stylo.

— Je sens que ça va me vider de travailler sur ce menu, Sally. Il me faudrait un petit quelque chose dans l'estomac pour m'aider à tenir jusqu'à l'heure du repas.

La cuisinière se mit à rire.

— Tiens, tiens… Une part de tarte aux pêches, par exemple ?

— Ah ! Sally… Si vous me le proposez si gentiment, je ne peux pas vous le refuser, n'est-ce pas ?

Lorsque Daniel rentra ce soir-là, Anna n'avait toujours pas bougé de la cuisine. Des recettes, des listes et des petits bouts de papier jonchaient la table. Entre Sally et elle trônait une bouteille de vin rosé presque vide. Quant à la tarte aux pêches, elle était déjà réduite de moitié.

— Ah non, Sally, tout ce que vous voulez, mais pas du *haggis*[2] pour la soirée du gouverneur. Vous allez me rendre malade si vous me faites manger des tripes.

— Ah, bravo ! Une future chirurgienne qui fait la

grimace devant quelques malheureux abats. On aura tout vu !

— Regarder, toucher, manipuler, c'est une chose. Mais ce qui entre dans mon estomac, c'est une autre histoire. Je vote plutôt pour le coq au vin.

— Mes hommages du soir, gentes dames.

En entendant la voix de Daniel, Anna rit de joie et se leva spontanément pour l'embrasser.

— Nous sommes en pleine discussion au sujet du menu de jeudi prochain, Sally et moi.

Daniel lui entoura les épaules.

— Une discussion serrée, à en juger par ce que je viens d'entendre. Je pensais arriver plus tôt, mais j'ai été retenu. Vous avez bien fait de ne pas m'attendre pour dîner.

— Pour dîner ?

Anna se cramponna au bras de Daniel. Il avait fallu qu'elle se lève pour se rendre compte à quel point la tête lui tournait.

— Nous n'avons pas mangé, juste testé un échantillon de la tarte aux pêches de Sally, en fait. Tu en veux une part ?

— Tout à l'heure, peut-être. Mais je prendrais bien la goutte de vin qui reste.

Anna regarda la bouteille et cligna des yeux en se demandant comment Sally et elle avaient réussi à la vider presque entièrement sans même s'en rendre compte.

— Je vais prendre une douche, annonça Daniel après avoir vidé son fond de verre en deux gorgées.

Anna farfouilla parmi les papiers sur la table et trouva celui qu'elle cherchait.

— Je monte avec toi. Je voudrais te montrer la liste des invités que j'ai établie avec Sally. Tu me diras si je n'ai oublié personne. Ça m'évitera de commettre des impairs lorsque j'enverrai les invitations demain.

— Entendu… Sally, allez donc vous coucher. Je me servirai moi-même, tout à l'heure.

Anna glissa son bras sous celui de Daniel pour gravir l'escalier.

— Tu as l'air fatigué.

— Oh ! la journée a été longue ! Il a fallu aplanir quelques difficultés de dernière minute alors que je pensais être en phase de négociation finale d'un contrat. Mais les problèmes sont en voie de résolution, apparemment.

— Tu as envie de m'en parler ?

Il lui entoura la taille.

— J'aime autant ne pas ramener mes soucis le soir à la maison. Tu sais que j'ai passé l'après-midi avec ton père ?

Une pointe d'émotion serra le cœur d'Anna.

— Et comment ça s'est passé ?

— Très bien. Il maintient une ligne de démarcation stricte entre travail et vie privée, ce qui facilite les choses entre nous.

— J'imagine oui, murmura Anna.

La sentant affectée, Daniel lui effleura les cheveux.

— Il m'a demandé de tes nouvelles.

Anna poussa la porte de la chambre et s'avança jusqu'à la fenêtre.

— Finalement, je devrais avoir recours à ses services d'avocat. Comme ça, au moins, il ne pourrait plus m'éviter, observa-t-elle d'un ton faussement léger.

— Je crois surtout qu'il se fait du souci pour sa fille.

— Il n'a aucune raison d'être inquiet.

— C'est ce qu'il pourra constater par lui-même lorsqu'il viendra dîner la semaine prochaine.

— Parce qu'il a accepté notre invitation ?

— Tes parents se sont engagés à venir, oui.

Anna retrouva le sourire.

— Je suppose que c'est grâce à toi que papa s'est décidé à faire le pas ?

— En partie, oui. Mais c'est surtout ta mère qui milite activement pour ta défense, je crois.

Daniel jeta son veston et sa cravate sur le dos d'un des fauteuils en velours incarnat qu'Anna avait disposés devant la cheminée. Tout en déboutonnant sa chemise, il admira le riche bouquet de glaïeuls, de lupins et de dahlias qui se détachait devant une fenêtre.

De simples détails, sans doute. Mais des détails qui faisaient toute la différence. Oubliant qu'il était en train de se déshabiller pour prendre sa douche, Daniel enlaça Anna et la serra un instant de toutes ses forces contre lui.

Nouant les bras autour de sa taille, elle répondit à son étreinte.

— Mmm... Qu'est-ce qui me vaut l'honneur d'un aussi doux baiser, monsieur MacGregor ?

— Merci d'être là, murmura-t-il. Merci d'être toi.

Achevant de se dévêtir, Daniel passa dans la salle de bains.

— Je n'en ai pas pour longtemps, lança-t-il par-dessus son épaule. Si tu veux, tu peux commencer à me crier les noms que tu as sur ta liste pendant que je prends ma douche.

Sourcils froncés, Anna examina le petit tas de vêtements qui gisaient par terre. Les ramasser serait tentant mais risquait de créer de redoutables habitudes.

Avec un soupir, elle enjamba le tout et s'effondra dans un fauteuil.

— A part le gouverneur et son épouse, j'avais pensé

à M. Steers, le conseiller, ainsi qu'à sa femme, annonça-t-elle d'une voix forte pour couvrir le bruit de la douche.

La réponse de Daniel fut brève, métaphorique, et particulièrement peu flatteuse pour le conseiller en question. Anna toussota et mit une croix à côté de leur nom pour penser à placer le couple à distance respectable du maître de maison.

— Ensuite nous avons Myra et Herbert, bien sûr... Les Maloney et les Cook.

Suffoquant de chaleur, Anna défit les trois premiers boutons de son chemisier. Elle cligna des yeux lorsqu'elle vit danser les lettres sur la liste. Etrange que sa propre écriture lui paraisse si floue. Elle avait pourtant une très bonne vue, d'habitude.

— J'ai les Donahue, naturellement. Avec John Fitzsimmons pour faire contrepoids à Cathleen.

— John qui ?

— Fitzspimmons... je veux dire Simmons... *Fitz*simmons, répéta-t-elle non sans mal... J'ai pensé également à Carl Benson et à Judith Mann. D'après Myra, ils seraient sur le point d'annoncer leurs fiançailles.

— Il a l'œil, ce Carl Benson. Judith Mann est un sacré... est une femme très attirante, se reprit Daniel. Qui d'autre ?

A travers le rideau de douche, Daniel vit soudain Anna pénétrer au pas de charge dans la salle de bains.

— C'est un « sacré » quoi, Judith ?

Amusé, il rit doucement.

— Rien. J'ai juste dit que c'était une jolie femme.

D'autorité, Anna écarta le rideau de douche.

— Comment est-elle faite, cette Judith Mann, au juste ?

— Hé là, c'est quoi, cette intrusion ? On ne peut

plus prendre une douche sans être assailli, maintenant ? marmonna Daniel en plaçant la tête sous le jet.

— Je voudrais simplement savoir d'où tu tiens cet avis d'expert sur l'anatomie de Judith Mann, MacGregor !

— Tu vas te mouiller, Anna.

— Je t'ai posé une question !

— Anna ! Mais qu'est-ce que tu fabriques ?

Sidéré, il la vit fondre sur lui tout habillée.

— Que sais-tu exactement de Judith, Daniel MacGregor ? demanda-t-elle, ruisselante et vengeresse.

— Rien de plus que ce que n'importe quel homme doué de vision peut voir, précisa Daniel en lui saisissant doucement le menton. En revanche, je suis en train de constater autre chose, ma chère.

— Ah oui ? Et quoi donc ?

— Que tu es ivre, Anna Whitfield.

Elle le toisa avec cette extraordinaire dignité qu'elle ne perdait jamais, même dans les situations les plus cocasses.

— Je te demande pardon ?

Sa réaction hautaine enchanta Daniel.

— Tu es soûle, Anna, s'esclaffa-t-il. Comme une barrique. Mais infiniment plus jolie qu'un tonneau.

— De ma vie, je n'ai abusé de la boisson. Tu essayes simplement de manœuvrer pour éviter de répondre à ma question.

— Et c'était quoi, la question, déjà ?

Le visage dégoulinant sous la douche, elle ouvrit de grands yeux.

— La question ? Eh bien, je ne sais plus, à vrai dire. T'ai-je jamais dit que tu avais un corps magnifique, Daniel ?

Il l'attira contre lui pour lui retirer ses vêtements.

— Jamais, non.

— Tes muscles pectoraux sont harmonieusement développés.

— Mmm… oui. Mais encore ?

— Les deltoïdes sont très fermes. Et les biceps exceptionnels. Pas artificiellement gonflés, juste durs comme du béton. Ce type de musculature n'est pas seulement signe de force mais également d'autodiscipline. Il suffit de voir l'abdomen pour s'en convaincre.

Le souffle de Daniel s'accéléra tandis qu'Anna se livrait à sa leçon d'anatomie. Se penchant pour glisser la pointe de la langue dans son oreille, il murmura :

— De combien de muscles est constitué le corps humain, au juste ?

Elle pencha la tête en arrière. Nue, souple et alanguie, elle ruisselait d'eau claire et de sensualité pure.

— Nous avons plus de six cents muscles striés, Daniel. Tous attachés aux deux cent six os qui forment notre squelette.

— Et lesquels serais-tu capable de me désigner ?

Les yeux d'Anna étincelèrent d'un mélange d'excitation et de plaisir.

— Tu veux une leçon d'anatomie, Daniel ? Nous pouvons commencer par la musculature des membres inférieurs, si tu le souhaites. Nous avons ici un muscle important, le soléaire…

Elle se pencha pour indiquer le tracé du muscle en question sur le mollet de Daniel.

—… le crural et le vaste externe, commenta-t-elle en remontant sur sa cuisse. Et là…

Avec un soupir approbateur, elle laissa glisser les mains sur les rondeurs au bas de son dos.

— Le grand fessier ou *gluteus maximus* pour les

latinistes. C'est un muscle extenseur de la cuisse sur le bassin et érecteur du tronc. Il doit être suffisamment élastique, sinon tu aurais tendance à partir de travers lorsque tu marches.

— Ce qui serait terriblement gênant, admit Daniel gravement en la soulevant dans ses bras. Surtout lorsque je transporte un aussi précieux fardeau.

Anna sourit.

— C'est un des muscles chez toi qui me fascine le plus.

— Le compliment est inédit mais j'avoue y être sensible, murmura-t-il en la couchant avec lui sur le lit.

Le souffle de la nuit tiède glissa sur leurs peaux encore humides.

— Ah, j'oubliais : tu as également les adducteurs sur la face interne des cuisses.

— Montre-moi.

Comme elle localisait en riant le muscle en question, il cueillit ses lèvres. Avec un soupir de délice, Anna se blottit contre lui.

— Tu n'es pas un élève très attentif, Daniel.

— Erreur ! Je m'intéresse énormément aux adducteurs… Surtout aux tiens, en l'occurrence… Ta peau est si douce, là. Et quel est ce tout petit muscle, à la jonction de la cuisse ?

— Le pectiné, révéla-t-elle dans un souffle lorsque Daniel attrapa le lobe d'une oreille entre ses dents… Oh ! Daniel… touche-moi… touche-moi partout, maintenant. Il n'y a pas que les muscles dans la vie.

Avec un murmure de triomphe, il passa les mains sur son corps, pétrissant, effleurant, caressant, excitant. Elle était malléable sous ses doigts comme de l'argile.

Ardente comme une flamme. Douce et ployante comme le blé en herbe.

Leur peau, qui avait séché dans la nuit tiède, s'humidifiait de nouveau à mesure que montait leur ardeur. Chaque fois qu'ils faisaient l'amour, ils se rencontraient avec une intensité renouvelée, un plaisir qui s'amplifiait. Loin de se stabiliser, leur appétit l'un pour l'autre ne cessait de croître et de se nuancer. Que ce soit par terre ou dans la douceur des draps, à la claire lumière du jour ou au cœur secret de la nuit obscure, ils s'étreignaient avec la même passion insatiable. Anna savait que son désir pour Daniel ne s'émousserait jamais. Quels que soient les doutes que l'avenir continuait à lui inspirer, elle avait au moins cette certitude.

Ils roulèrent ensemble sur le grand lit, avides, assoiffés, pressés de se noyer l'un en l'autre. Prisonnière de son plaisir, Anna se redressa, le dos arqué, les yeux mi-clos, ses longs cheveux mouillés répandus dans son dos. Un mince rayon de lumière en provenance de la salle de bains dessinait le contour de sa silhouette, tel un fin halo d'argent, vibrant et frémissant de son extase. Comme électrisée, elle retomba sur lui, enfouit son visage dans son cou, enfonça les doigts dans la chair de son dos. Et comme il se mouvait en elle, avec elle, Anna se laissa aller au plaisir…

— Tu es d'une beauté ensorcelante, ce soir, commenta Daniel lorsque Anna, coiffée, habillée et maquillée, s'examina une dernière fois dans le miroir. Tu sais que tu me coupes le souffle, parfois ?

Elle fut charmée qu'il la trouve belle, alors que les compliments la touchaient peu d'ordinaire. Sa nouvelle robe laissait ses épaules nues et tombait en plis souples jusque sur ses chevilles. Poussée par l'incorrigible Myra, elle avait fait, en l'achetant, une folie qui avait lourdement grevé son budget. Mais elle trouverait bien le moyen de rééquilibrer ses comptes d'une façon ou d'une autre.

Et le regard que Daniel posait sur elle compensait largement le trou dans ses finances.

— Elle te plaît alors ?

Daniel avait du mal à comprendre comment on pouvait connaître aussi intimement le corps d'une femme et néanmoins se sentir intrigué — bouleversé même — en la voyant tout habillée.

— Elle me plaît tellement que j'ai hâte que la soirée se termine pour pouvoir te l'enlever.

Anna tourbillonna une dernière fois devant le miroir, pour son propre plaisir autant que pour celui de Daniel.

— J'adore te voir en smoking, observa-t-elle en nouant les bras autour de son cou. C'est d'ailleurs ton élégance un peu barbare qui m'a d'emblée attirée chez toi.

— *Barbare ?*

— Ton côté guerrier sauvage. Ne le perds jamais, ton charme barbare, surtout. Même si le reste doit changer, garde au moins cet aspect-là.

Daniel porta ses mains à ses lèvres et lui embrassa les doigts un à un.

— Je crois que même si je le voulais, je ne serais jamais quelqu'un de totalement civilisé. De même que, toi, tu conserves ton élégance aristocratique en toute circonstance. Y compris après des excès de vin et de tarte aux pêches…

Elle tenta de le foudroyer d'un regard sévère mais finit par éclater de rire.

— Je crois que tu vas me la rappeler souvent, cette soirée.

— Et comment ! C'est une des meilleures que j'aie jamais passées. Je suis fou de toi, Anna.

— Je voudrais que ça non plus, ça ne change jamais, murmura-t-elle d'une voix qui soudain s'étrangla.

— Ce que je ressens pour toi ne passera pas avec les années. J'aime te voir porter ce camée. Tu n'as pas voulu accepter ma bague…

— Daniel…

— Mais j'ai obtenu ton accord à l'arraché pour le camée, poursuivit-il, imperturbable. Et j'aimerais également que tu prennes ceci.

Anna secoua la tête lorsqu'il sortit un paquet de sa poche.

— Tu n'as pas à m'acheter de cadeaux, tu sais.

Daniel l'avait bien compris, même si cela restait dur à admettre pour lui.

— Mais tu peux quand même en accepter un de temps à autre, non ? Juste histoire de me faire plaisir ?

Sa formulation la fit sourire. Amadouée, elle prit la boîte qu'il lui tendait. Mais elle demeura muette lorsqu'elle en découvrit le contenu : les boucles d'oreilles en perles et diamants étaient d'une beauté presque irréelle. Tout en éclat et en scintillement, les deux matières se mariaient de façon saisissante.

— Daniel… Elles sont superbes. Je ne sais quoi dire.

— Je crois que ton regard me suffit.

Soulagé par sa réaction positive, Daniel sortit les boucles de leur lit de velours noir et les fixa à ses oreilles. Puis il recula d'un pas pour examiner le résultat.

— C'est vrai qu'elles sont éblouissantes. Avec un peu de chance, elles focaliseront les regards sur elles.

Des fois qu'elles détourneraient l'attention masculine de ces troublantes plages de chair nacrée que ta robe laisse à nu…

Anna se mit à rire.

— Ah, je vois ! C'est un cadeau intéressé.

— Je me dis parfois que si tu regardais autour de toi avec un minimum d'attention, tu trouverais sans difficulté un homme qui te conviendrait mieux que moi.

— Idiot, va !

Persuadée qu'il plaisantait, Anna lui prit le bras.

— Nous ferions mieux de descendre. Si nous ne nous tenons pas au garde-à-vous dans le vestibule pour accueillir nos premiers invités, McGee nous fera la tête toute la soirée.

Daniel lui prit la main en passant la porte.

— A moi, oui, il fera la tête ! Mais toi, tu peux tout te permettre avec McGee. Tu l'as complètement subjugué.

— Je ne sais pas ce qui te fait penser cela, protesta Anna en ouvrant de grands yeux faussement innocents.

— La preuve, elle est simple : il te fait des scones même en semaine. Chaque fois que j'ai essayé d'obtenir une aussi insigne faveur de mon côté, je me suis heurté à un mur.

Elle éclata de rire.

— C'est parce que tu ne sais pas t'y prendre… Ah ! on sonne à la porte ! Jure-moi que tu ne prendras pas ton air féroce, Daniel. Même avec les Steers.

— Je ne prends jamais l'air féroce, mentit Daniel avec un large sourire juste au moment où McGee annonçait le couple en question.

Moins de vingt minutes plus tard, l'immense salon était plein et les conversations démarraient avec un entrain un peu forcé. Anna ne s'en inquiéta pas outre mesure et alla calmement d'un petit groupe à l'autre pour détendre l'atmosphère. Elle n'était pas naïve. Même si Daniel et elle sortaient peu depuis qu'ils vivaient ensemble, elle savait qu'on parlait d'elle — et pas toujours en termes très flatteurs — dans la bonne société bostonienne.

Louise Ditmeyer la salua avec une certaine froideur. Loin de s'en formaliser, Anna la reçut chaleureusement et s'acquitta en souriant de ses devoirs d'hôtesse. A plusieurs reprises, elle sentit des regards insistants se poser sur elle. Mais ces marques de curiosité ne l'affectaient pas. Elle continua à évoluer sereinement parmi ses invités, trouvant pour chacun un mot aimable. Elle avait toujours été ainsi faite : ragots et rumeurs la laissaient indifférente. Tant qu'elle se sentait en accord avec elle-même, rien ne pouvait l'intimider. Et son attitude était si spontanée, si naturelle que les personnes en présence oublièrent rapidement le côté un peu particulier de la situation.

Quelques ombres, cela dit, n'en planèrent pas moins sur la soirée.

La première survint lorsque le gouverneur questionna Anna sur l'usine textile que Daniel avait décidé d'implanter près de Boston. Comment aurait-elle pu répondre alors qu'elle n'avait jamais entendu parler de l'usine en question ? Daniel n'avait même pas pris la peine de mentionner le projet. Si bien qu'elle dut se contenter de sourire et de murmurer de vagues platitudes pendant que le gouverneur s'extasiait sur les répercussions positives que ces fabriques ultramodernes auraient tant sur l'emploi que sur les revenus de l'Etat du Massachusetts.

En bavardant avec le couple, Anna constata avec un pincement au cœur que l'épouse du gouverneur, elle, semblait très au fait des activités de son mari. Refusant de se laisser aller à des pensées amères, elle laissa le gouverneur et sa femme en conversation avec un juge et alla accueillir ses parents.

Non sans une certaine appréhension, elle se porta au-devant de son père.

— Je suis vraiment très heureuse que tu sois venu, papa, déclara-t-elle en se dressant sur la pointe des pieds pour lui poser un baiser sur la joue.

— Bonsoir, Anna.

Si le ton de M. Whitfield n'était pas froid à proprement parler, il n'en trahissait pas moins une certaine réserve. Anna sourit affectueusement à sa mère.

— Comment vas-tu, maman ?

— Très bien, ma chérie. Tu sais que tu es rayonnante, ce soir ? Le bonheur te va bien, Anna, ajouta Mme Whitfield avec un regard appuyé à son mari.

— Je suis heureuse, c'est vrai. Daniel est un compagnon merveilleux pour moi... Mais venez, approchez-vous, tous les deux. Et dites-moi ce que vous aimeriez boire ?

Sa mère secoua la tête en souriant.

— Ne t'occupe pas de nous, tu as bien assez à faire comme ça, avec cette foule d'invités. Tiens, je vois Pat Donahue, là-bas. Ce ne sont pas les personnes de connaissance qui nous manquent.

— Je vous laisse vous débrouiller, alors ?

Anna allait s'éloigner lorsque son père lui prit la main.

— Anna... C'est bon de te revoir, ma petite fille.

Ces quelques mots lui suffirent. Elle glissa les bras autour du cou de son père et le serra fort.

— Si je passe te voir à ton cabinet, un de ces jours, tu accepteras de faire l'école buissonnière et de t'échapper un moment avec ta fille ?

Une lueur d'humour dansa dans les yeux de M. Whitfield.

— Mmm… ça dépend. Tu me laisserais conduire ta voiture ?

Elle rit doucement.

— Ça peut se négocier.

Avec un clin d'œil affectueux, son père lui tapota les cheveux.

— Allez, va… Occupe-toi de tes invités.

Tournant la tête, Anna croisa le regard souriant de Daniel. Le cœur débordant d'amour, elle s'avança vers lui.

— Tu es encore plus belle, maintenant, lui glissa-t-il tendrement à l'oreille.

— Hep là, les amoureux ! Pas de messes basses, aujourd'hui ! décréta Myra en se plaçant entre eux. Vous croyez qu'on a le temps de roucouler lorsqu'on reçoit la fine fleur de la société bostonienne ? Tiens, regarde le gouverneur, Daniel. Il est en train de mourir d'ennui avec notre soporifique conseiller qui ne le lâche pas d'une semelle… Quant à toi, Anna, viens donc m'aider à secourir les Maloney qui subissent les péroraisons de notre amie Cathleen depuis dix bonnes minutes…

Myra saisit Anna par le bras et l'entraîna d'autorité vers le petit groupe.

— J'ai hâte de voir Cathleen s'étrangler de jalousie en découvrant tes boucles d'oreilles, chuchota-t-elle.

— Je compte sur toi pour garder une attitude tout en nuances, Myra. De la subtilité et rien que de la subtilité, O.K. ?

— J'essayerai de me tenir, mais je ne te promets rien… Ah, Cathleen ! Quelle jolie robe, dis-moi !

Cathleen interrompit son monologue pour se tourner vers Myra. Anna crut remarquer qu'Andrew et Martha Maloney poussaient un discret soupir de soulagement.

— Mes félicitations, Myra, susurra Cathleen. Nous

ne nous sommes pas revues depuis que tu t'es enfuie de Boston avec Herbert.

— Mon mariage avec Herbert n'a rien d'une fuite, repartit Myra avec sérénité. Nous avons simplement opté pour une cérémonie discrète.

Cathleen eut un sourire suave.

— J'imagine que la formule a son charme, même si je préfère pour ma part faire les choses ouvertement. Non seulement vous nous avez privés d'une belle cérémonie de mariage, Herbert et toi, mais vous vivez désormais comme deux ermites. On ne vous voit plus, tous les deux. A croire que vous avez honte de je ne sais quoi…

Une lueur redoutable brilla dans les yeux de Myra.

— Pour l'instant, nous ne recevons que nos amis les plus proches, Cathleen. Nous attendons d'avoir fini la décoration de notre maison pour inviter les gens avec lesquels nous avons des affinités moins immédiates, si tu vois ce que je veux dire.

Consciente que la conversation s'envenimait, Anna tenta une manœuvre de diversion.

— Tu as été très prise de ton côté, Cathleen, je crois.

— En effet, oui. Mais pas autant que tu as été *prise*, toi, Anna. Je suis partie sur la côte une petite quinzaine et, à mon retour, je découvre — ô surprise ! — que tu as changé d'adresse. Tout cela a été extrêmement rapide, non ? Un heureux événement se prépare, peut-être ?

Anna posa la main sur le bras de Myra avant qu'elle puisse riposter vertement.

— Pas du tout, non… Tu as pris de superbes couleurs, à la plage. Je regrette de ne pas avoir trouvé le temps d'aller à la mer, cet été.

Cathleen souriait de plus en plus jaune. Tout le monde

— ou presque — savait à Boston qu'elle avait jeté son dévolu sur Daniel.

— Oh! ce ne sont pas les occupations qui t'ont manqué, apparemment, Anna… Mais dis-moi, comment suis-je censée vous présenter, Daniel et toi? Je pensais donner une petite soirée de mon côté, mais que faudra-t-il marquer sur le carton d'invitation? Je ne voudrais surtout pas commettre d'impair.

— Je pense que tu t'inquiètes à tort, Cathleen.

— Tu dis ça, mais avoue que la situation exige du doigté. Je ne connais aucun terme poli pour qualifier la maîtresse d'un homme riche.

La phrase assassine de Cathleen se termina sur un cri de consternation lorsque le contenu du verre de Myra se répandit dans son décolleté.

— Dieu, que je suis maladroite! commenta Myra avec un sourire placide. Un si beau crêpe de Chine, en plus. Si ce n'est pas dommage. Viens, je t'accompagne à l'étage. Je me ferai un plaisir de t'éponger.

— Je peux me débrouiller seule, siffla Cathleen entre ses dents.

Myra tira sur sa cigarette et envoya nonchalamment sa fumée au plafond.

— Comme tu voudras, Cathleen.

Se sentant tenue d'intervenir en tant qu'hôtesse, Anna prit le bras de Cathleen.

— Viens. Je vais te montrer la salle de bains.

Livide de rage, Cathleen se dégagea.

— Fichez-moi la paix, toi et ta stupide amie!

Et, dans un grand bruissement de jupe, elle se fraya un chemin entre les invités. Anna soupira.

— Pour une attitude tout en nuances, ce fut une attitude tout en nuances, Myra Ditmeyer ! Je crois que tu as encore quelques progrès à faire en matière de subtilité.

Avec un sourire rayonnant de satisfaction, Myra lui prit le bras et l'entraîna vers le buffet.

— Tu trouves ? Il me semblait que je m'étais admirablement contenue, au contraire. Si j'avais obéi à mon réflexe premier, je lui aurais plutôt cassé une potiche sur la tête. C'est te dire à quel point mon comportement est resté modéré… Au fond, je ne regrette qu'une chose, c'est le porto que j'avais dans mon verre. Mais j'ai peut-être le temps de m'en faire servir un autre avant le dîner ?

Chapitre 12

Si le hasard n'avait pas voulu que Daniel surprenne cette brève altercation avec Cathleen, rien, sans doute, n'aurait changé entre Anna et lui, ce soir-là. Mais les propos insultants de la jeune femme le mirent en rage. Il réussit à terminer la soirée sans rien en laisser paraître, et il poussa un soupir de soulagement lorsque le dernier invité eut franchi la porte.

— Je voudrais te parler, annonça-t-il à Anna alors qu'elle s'apprêtait à refermer les portes-fenêtres du salon.

Bien qu'exténuée, Anna acquiesça. Tout au long de la soirée, elle avait noté des signes de tension chez Daniel. Et même s'il avait ri, plaisanté et charmé son monde comme à l'ordinaire, elle le sentait fortement contrarié.

Se perchant sur le bras d'un fauteuil, elle lui jeta un regard préoccupé.

— Qu'est-ce qui ne va pas, Daniel ? Tu as eu des problèmes avec le gouverneur ?

— Aucun, non.

Allumant un cigare, il se planta devant une fenêtre.

— C'est ma vie privée qui me chagrine, en l'occurrence.

Elle croisa nerveusement les mains sur ses genoux.

— Ah… Je vois.

— Non, tu ne vois pas, justement, rétorqua-t-il en faisant volte-face, les yeux étincelants et les poings serrés. Si tu « voyais », tu accepterais de te marier avec moi sans faire d'histoires.

— Me marier avec toi sans faire *d'histoires,* répéta-t-elle en réprimant stoïquement une exclamation de colère. Pour moi, le mariage n'est pas un simple arrangement pratique, mais une décision majeure. Ce n'est pas une question de caprice !

— Je sais… je sais… je connais tes positions par cœur, riposta-t-il avec impatience. Mais au rythme où tu es partie, je me demande si tu parviendras un jour à te déterminer dans un sens ou dans un autre.

Anna s'humidifia les lèvres.

— Je t'ai déjà dit que je ne voulais pas te faire de promesses sur lesquelles je pourrais être amenée à revenir.

Le visage de Daniel était fermé, son regard bleu paraissait presque noir.

— Tout ce que je sais, *moi,* c'est que je veux plus que ce que tu me donnes, Anna.

— Je suis désolée, murmura-t-elle. Si je le pouvais, j'accéderais à ta demande, mais…

— Si tu le *pouvais* ? répéta-t-il, soudain fou de rage. Il n'y a que ton entêtement qui fasse obstacle. Rien d'autre !

Choquée par la violence injustifiée de son accusation, Anna le regarda un instant sans comprendre. Puis, se levant pour se placer devant lui, elle redressa la taille.

— Pour qui me prends-tu, au juste, Daniel ? Si je refusais le mariage pour le simple plaisir de te contrarier, je ne serais ni plus ni moins qu'une idiote. Et peut-être en suis-je une, en effet, car j'attends de toi que tu respectes mes besoins et mes ambitions, tout autant que je respecte les tiens.

— Je ne vois pas ce que tes ambitions ou les miennes ont à voir avec le mariage, bon sang !

— Elles ont *tout* à voir avec le mariage, Daniel. Dans neuf mois, je serai titulaire d'un diplôme de…

— Un simple bout de papier ! riposta-t-il, hors de lui.

Un froid terrible envahit soudain Anna. Tout en elle se glaça : sa peau, son regard, son visage.

— Un bout de papier ? Et tes contrats, tes effets de commerce, tes reconnaissances de dettes ? Tu les qualifies de « simples bouts de papier », eux aussi ? Des bouts de papier trop compliqués pour que tu puisses en discuter avec moi, entre parenthèses. Le gouverneur a essayé de s'entretenir avec moi au sujet de l'usine textile que tu comptes implanter ici. Mais tu considères sans doute que je ne suis pas assez intelligente pour comprendre en quoi consistent tes précieux projets.

— Anna, *par pitié* ! Je n'ai jamais douté de ton intelligence, bon sang ! Pourquoi me parles-tu de tout ça ?

— Parce que tes usines, tes banques, tes transactions font partie de toi. Tout comme mon métier de chirurgien fera bientôt partie de moi. Cela ne me paraît pas si compliqué à comprendre.

— A comprendre ? Je vais te dire, moi, ce que je comprends, vociféra-t-il en écrasant son cigare dans un cendrier. C'est qu'entre tes précieuses études et moi, tu préféreras toujours tes études.

— Ce n'est pas une question de rivalité, à la fin !

— C'est une question de quoi, alors ?

— De respect ! répondit-elle un peu plus calmement.

— Et l'amour ? Qu'est-ce que tu en fais, de l'amour, dans l'histoire ?

L'amour ? Daniel en parlait si rarement qu'Anna demeura un instant sans voix. Des larmes lui montèrent aux yeux et étouffèrent sa voix.

— Sans le respect mutuel, l'amour n'est qu'un mot

vide de sens, déclara-t-elle après un temps de silence. Comment peux-tu me parler d'amour s'il n'y a pas acceptation de qui je suis ? Comment pourrais-je donner mon cœur à un homme qui veut bien partager avec moi son lit et sa fortune, mais qui garde pour lui ses doutes, ses espoirs et ses projets ?

Profondément meurtri par son rejet, Daniel se dressa devant elle de toute son impressionnante hauteur.

— Autrement dit, tu récuses même l'amour que je te porte. Si tu préfères mon indifférence, je ferai de mon mieux pour te satisfaire.

Lorsqu'il se détourna pour s'éloigner à grands pas, Anna, pétrifiée sur place, le regarda s'éloigner sans faire un geste pour le retenir. La porte d'entrée claqua bruyamment derrière lui. Pressant sa paume ouverte contre sa bouche, elle retint le cri de souffrance presque animale qui lui montait aux lèvres. Elle aurait voulu se laisser tomber sur le canapé et hurler, sangloter jusqu'à se vider de toute substance. Mais, dans un ultime sursaut de dignité, elle se leva, gravit l'escalier d'une démarche d'automate et entreprit méthodiquement de faire ses bagages.

Le trajet en automobile jusqu'au Connecticut fut long, silencieux et implacablement solitaire. Anna conduisit toute la nuit et une partie de la matinée. Puis, terrassée par la fatigue, elle prit une chambre dans un motel et dormit d'une traite jusqu'au soir. Elle se réveilla brisée, avec un sentiment de vide effroyable. Mais même si son cœur la poussait à revenir en arrière, elle savait qu'elle ne retournerait pas sur ses pas. Si Daniel ne pouvait aimer le médecin en elle, comment y aurait-il pour eux un avenir possible ?

Ne pouvant se résoudre à loger avec les autres étudiants sur le campus, Anna prit un petit appartement à proximité de la faculté de médecine. Puis elle s'occupa comme elle le put en attendant la rentrée universitaire. Si elle réussit à meubler ses journées, les nuits, en revanche, restaient blanches, oppressantes, interminables. Elle refusa délibérément de faire installer le téléphone chez elle pour ne pas succomber à la tentation d'appeler Daniel.

La reprise des cours apporta un soulagement temporaire. Anna se jeta à corps perdu dans ses études, s'enfermant chaque soir chez elle pour travailler jusque tard dans la nuit. Murée dans un silence hermétique, elle évitait toute compagnie et n'élevait plus la voix que pour poser des questions en cours.

Le Connecticut, à la mi-septembre, se parait déjà des couleurs chaudes de l'automne. Mais Anna ne voulait voir ni les arbres ni les feuilles. Si elle prenait le temps de déambuler dans un parc, si elle détachait les yeux de ses livres pour laisser son regard se perdre dans le bleu tendre du ciel, elle était assaillie aussitôt par des visions insoutenables : des étendues d'herbe verte, une falaise, l'océan.

Et Daniel. Toujours Daniel. Encore et à jamais Daniel.

Pour s'isoler plus efficacement encore, elle s'était même abstenue de répondre aux lettres dont l'inondait Myra. Mais lorsqu'un télégramme de son amie tomba dans sa boîte aux lettres, Anna comprit qu'elle ne pourrait pas continuer à se taire indéfiniment :

« Si tu ne veux pas me voir débarquer chez toi

DANS LES VINGT-QUATRE HEURES, APPELLE IMMÉDIA-
TEMENT. MYRA. STOP. »

Glissant le télégramme dans ses notes de cours sur la circulation sanguine, Anna s'arma de monnaie et appela du téléphone payant mis à la disposition des étudiants dans la cafétéria.

— Myra ? Si tu débarques dans vingt-quatre heures, tu seras obligée de dormir par terre. Je n'ai qu'un seul lit chez moi.

Son amie poussa une exclamation sourde.

— Je rêve, Anna, ou c'est vraiment toi ? Je commençais à croire que tu avais quitté le monde des vivants.

A l'autre bout du fil, Anna entendit le claquement d'un briquet. Puis, en même temps que le souffle d'une fumée exhalée, retentit de nouveau la voix mi-chaleureuse mi-ironique de son amie :

— Remarque que c'était plus simple pour moi de penser que tu gisais noyée, au fond de l'Atlantique, que de constater que tu es en parfaite santé mais que tu ne prends pas la peine de répondre à mes lettres.

— Je suis désolée. J'ai été débordée.

— Tu fais la morte, oui, rectifia Myra. Ce que je peux à la rigueur accepter tant que tu ne te caches pas de moi. Je me suis fait un souci d'encre pour toi, ma vieille.

— Tu n'as aucune raison de t'inquiéter, Myra. Je suis dans mes notes et mes polycopiés jusqu'au cou. Je n'ai même pas le temps de voir quel temps il fait dehors.

Myra soupira à l'autre bout du fil.

— Aucune raison de m'inquiéter, non... Tu n'as même pas appelé Daniel, je parie ?

— Non... Je ne peux pas. C'est au-dessus de mes forces pour le moment.

Anna ferma les yeux et appuya le front contre le métal de l'appareil.

— Comment va-t-il, Myra ? s'enquit-elle dans un souffle. Tu l'as revu depuis mon départ ?

— Si je l'ai revu ? Quelle question ! La nuit où tu l'as quitté, il est arrivé chez nous ventre à terre, a fait irruption dans notre chambre à coucher comme une tornade et nous a arrachés du lit en vociférant qu'il exigeait de te voir sur-le-champ. Je ne sais pas comment Herbert a réussi à le calmer, mais il a quand même fini par repartir dans un état à peu près normal. Depuis, il passe l'essentiel de son temps à Hyannis, à surveiller l'avancement de ses travaux.

Anna hocha la tête. La nouvelle ne la surprenait pas. Elle imagina Daniel parcourant le chantier de long en large, plaisantant avec les maçons, suivant avec attention chaque étape de la construction.

— Il était fou furieux, donc ?

— C'est le moins que l'on puisse dire, oui... Tu savais qu'il avait assisté à la petite scène charmante entre Cathleen et toi, ce soir-là ?

Le cœur lourd, Anna secoua la tête.

— Non, pourquoi ? Nous nous sommes disputés, mais à aucun moment il n'a été question de Cathleen ni de... Ah, c'est donc ça... ! s'exclama-t-elle, consternée. Je n'arrivais pas à comprendre pourquoi il était énervé à ce point, alors que la soirée s'était, par ailleurs, déroulée sans heurts.

— Daniel n'a pas supporté que la vie commune avec lui te mette dans une telle position de vulnérabilité par rapport à toutes les Cathleen Donahue de la Création.

Il a confié à Herbert qu'il allait « de ce pas tordre le maigre cou de poulet de la Donahue ». De mon côté, j'aurais soutenu le projet, admit Myra avec un léger rire. Mais Herbert a réussi à l'en dissuader. Daniel estime que c'est à lui de te mettre à l'abri de ce genre d'insinuations. Et même si je pense comme toi que nous sommes bien assez grandes pour défendre notre réputation nous-mêmes, je trouve que ça part d'un bon sentiment.

Anna secoua la tête.

— Je ne peux quand même pas épouser Daniel rien que pour faire taire les mauvaises langues !

— C'est exact. Mais même s'il mérite un coup de pied au derrière, c'est un homme de cœur, Anna. Et il est si éperdument amoureux de toi que ça l'a rendu fou de douleur que cette idiote s'en prenne à toi.

Anna se mordilla la lèvre.

— Il est amoureux, oui. Mais seulement de la partie de moi dont il est prêt à s'accommoder. Et il ne veut surtout pas entendre parler de la future Dr Whitfield… Oh ! Myra, je suis désolée que vous ayez été mêlés à cette histoire, Herbert et toi !

— N'importe quoi, bougonna Myra. Oublierais-tu par hasard à qui tu parles ? Tu sais bien que je n'ai qu'une vraie passion dans la vie et c'est de me mêler des histoires d'autrui. Tu veux que je fasse un saut dans le Connecticut, Anna ? Tu as besoin d'une oreille attentive ? D'une bonne vieille épaule amicale ?

Malgré la tristesse qui l'oppressait, Anna ne put s'empêcher de rire.

— Non. Enfin, pas dans l'immédiat, en tout cas. Mais je ne regrette pas de ne pas avoir répondu à tes lettres. Ça m'a fait un bien fou de t'avoir au bout du fil.

— Parfait. Alors donne-moi ton numéro et on remettra ça.

— Je n'ai pas fait installer le téléphone chez moi.

Un long silence choqué tomba à l'autre bout du fil.

— Oh! mon Dieu, ma pauvre Anna, c'est atroce! Comment survis-tu dans des conditions aussi primitives?

— Je crois que le primitif me va comme un gant, en fait. Si tu voyais mon appartement, tu prendrais peur, Myra.

— Tant que tu ne passes pas tes dimanches à disséquer des cadavres à domicile, rien ne peut m'effrayer venant de toi.

De nouveau, Anna se mit à rire. Plus gaiement, cette fois.

— Un cadavre à domicile? Tu es en train de me donner une idée, Myra! Je te rappelle la semaine prochaine, O.K.?

En reposant le combiné, Anna prit une profonde inspiration et constata que respirer lui faisait du bien. Après tout, elle avait pris de son plein gré la décision de quitter Daniel... Et puisqu'il n'avait pas cherché à reprendre contact, il était peut-être temps d'assumer les conséquences de ses choix. Et de recommencer à fonctionner comme un être humain plutôt que de s'abstraire de la vie, du monde et de la communauté étudiante comme elle l'avait fait ces dernières semaines.

Il lui restait dix minutes de liberté avant son cours suivant. Anna résista à la tentation de plonger le nez dans un livre et sortit sur le campus. Dehors, elle vit la symphonie de couleurs qu'elle avait choisi d'ignorer pendant des semaines. Elle vit les autres étudiants rire, bavarder et se prélasser dans l'herbe. Elle vit le parc, les bâtiments en brique ancienne, patinée par le temps.

Et elle vit la décapotable bleue garée le long du trottoir.

Comme frappée par la foudre, Anna demeura clouée sur place. Pendant une fraction de seconde, elle se retrouva transportée en arrière dans le temps, sur le parking de l'hôpital de Boston. Avec Daniel qui l'attendait.

Emergeant de son état de stupeur, elle se traita mentalement d'idiote. Il n'y avait pas qu'une seule décapotable bleue au monde. Et Boston était loin. Les jambes en coton, malgré tout, elle poursuivit son chemin et passa devant la voiture.

— Je te raccompagne ?

Au son de sa voix, elle fit un bond. Son cœur battait, comme si elle venait de courir un mille mètres.

— Daniel ! Mais qu'est-ce que tu fais ici ?

— Comme tu vois, je t'attendais. Tu finis à quelle heure ?

— Je quoi ?

Anna dut faire un effort de réflexion considérable pour saisir le sens de sa question.

— Euh... quand je termine mes cours ? Dans un peu plus d'une heure, balbutia-t-elle. Je n'en ai plus qu'un seul pour aujourd'hui.

— O.K. Je repasserai te chercher.

Il repasserait ? Dans une heure ? Comme Daniel se glissait au volant, Anna ouvrit résolument la portière côté passager.

— Je viens avec toi.

Daniel lui jeta un regard interrogateur.

— Et le cours qui te reste ?

— Je me débrouillerai pour le rattraper.

Récupérer une heure de cours perdue n'avait rien d'insurmontable. Mais comment passer une heure de plus sans Daniel ? Au bord du vertige, elle posa ses livres sur ses genoux.

— Mon appartement est tout près d'ici. Prends à gauche en sortant de l'hôpital et…

— Je sais où tu habites, Anna.

Daniel se garda bien de préciser qu'il avait pris connaissance de sa nouvelle adresse avant même que l'encre ait séché sur le contrat.

Le court trajet en voiture se déroula en silence. Du coin de l'œil, Anna observait le visage impassible de Daniel. Pour la première fois depuis qu'elle le connaissait, elle ne parvint pas à sonder son humeur. Jamais il ne lui avait paru aussi calme, lointain et sûr de lui-même.

Au moment précis où elle lui ouvrit sa porte, elle se rendit compte à quel point son appartement était minuscule.

— Assieds-toi, Daniel, proposa-t-elle, les mains moites et le pouls battant en accéléré. Je vais faire le café.

Sans attendre sa réponse, elle se replia en toute hâte dans la cuisine. Elle avait besoin d'un petit moment de solitude pour se ressaisir.

Resté seul, Daniel détendit ses mains crispées. Regardant autour de lui, il ne vit pas que le séjour d'Anna était à peine plus grand que sa propre chambre à coucher. Il remarqua en revanche que l'appartement avait un charme fou et qu'il sentait Anna. *L'odeur d'Anna…* Ce bouquet de senteurs, ce parfum de félicité dont ses draps avaient longtemps gardé la trace mais qui avait fini par s'atténuer puis par disparaître.

Incapable de s'asseoir et d'attendre, Daniel rejoignit Anna dans la cuisine. Sur une table placée près de la fenêtre, il vit une petite machine à écrire portative ainsi que des piles de livres et de classeurs. Il était là au cœur de son univers à elle. Et totalement coupé de ses repères à lui.

Anna lui avait reproché de ne pas s'intéresser à son monde. Mais, cette fois, il était en plein dedans. Et il ne s'y sentait ni très à son aise, ni très sûr d'y être accueilli.

— Le café sera prêt dans une minute, annonça Anna pour rompre le silence. C'est tout ce que j'ai à t'offrir malheureusement. Je n'ai pas fait de courses, cette semaine, et tous mes placards sont vides.

Surpris par la timidité inattendue dans sa voix, Daniel dut se rendre à l'évidence : elle était aussi dévorée par la nervosité que lui. Même ses mains tremblaient, nota-t-il, incrédule.

Son estomac se dénoua un peu. Tirant une chaise, il prit place à la table encombrée.

— Tu n'as pas très bonne mine, Anna.

Elle haussa les épaules.

— Je n'ai pas mis souvent le nez dehors depuis la rentrée. Je passe le plus clair de mon temps à étudier, en fait.

— Même les week-ends ?

— Je fais aussi des heures à l'hôpital.

— Mmm… Si tu étais médecin, tu diagnostiquerais un état de surmenage.

— Mais je ne suis pas encore docteur en médecine, donc je m'interdis de diagnostiquer quoi que ce soit, rétorqua-t-elle avec l'ombre d'un sourire.

Anna servit le café et s'assit en face de Daniel. « Exactement comme lorsque nous vivions ensemble », songea-t-elle, ridiculement émue. Et rien, pourtant, n'était plus comme avant.

— J'ai eu Myra au téléphone, aujourd'hui. Elle m'a dit que les travaux avaient commencé à Hyannis ?

Daniel hocha la tête. Il avait vu s'élever les fondations de la demeure dont il rêvait depuis plus de dix ans. Et le spectacle l'avait laissé froid.

— En principe, si tout se passe bien, le corps de bâtiment principal devrait être habitable dès l'été prochain. J'ai les plans dans la voiture. Ça t'intéresserait d'y jeter un coup d'œil ?

Anna darda sur lui un regard si surpris qu'il se traita mentalement d'imbécile et de rustre.

— Bien sûr que j'aimerais les voir !

Pestant contre lui-même, Daniel fixa sombrement le contenu de sa tasse. Mais il avait toujours été joueur dans l'âme, non ? Et même s'il avait échoué bêtement dans un premier temps, rien ne l'empêchait de tenter une seconde fois sa chance.

— Tu sais que j'envisage d'acheter un immeuble de bureaux dans le centre de Boston ? Les loyers ne sont pas très élevés et il n'abrite que des sociétés de taille modeste. Mais je crois que la valeur de l'immobilier devrait doubler dans les cinq ou sept années à venir.

Il posa un morceau de sucre sur sa cuillère et le laissa glisser lentement dans son café.

— Je me suis heurté à de grosses résistances par rapport à ma nouvelle fabrique textile. Mais ton père planche sur des solutions juridiques. Normalement, l'usine devrait être opérationnelle au printemps prochain.

Anna soutint calmement son regard.

— Pourquoi me racontes-tu tout ça ?

Daniel ne répondit pas tout de suite. Il n'était pas homme à se confesser facilement. Mais il y avait tant de patience et d'amour dans les yeux sombres d'Anna… Et il avait besoin d'elle plus encore que de sauvegarder sa fierté.

— Ce n'est pas toujours facile pour un homme d'admettre qu'il a eu tort, Anna. Et c'est encore plus difficile d'accepter que la femme qu'il aime se soit lassée de lui à cause de son incapacité à reconnaître ses erreurs.

De toutes les paroles susceptibles d'être prononcées en cet instant, aucune n'aurait pu toucher Anna comme celles-là.

— Je ne me suis pas lassée de toi, Daniel.

— Tu as fui.

Elle hocha la tête.

— J'ai fui, c'est vrai. J'avais tellement l'impression que tu ne voulais rien partager de toi.

— Dis-moi ce que tu as sur le cœur, Anna.

— La première fois que je suis entrée dans ta chambre à coucher, j'ai remarqué que tu n'avais rien mis de toi dans cette pièce. Par la suite, j'ai compris que tu désinvestissais le présent car tu n'avais qu'une obsession : aller de l'avant. Ce que tu voulais, c'était *ta* demeure, *ta* famille. Et tout ce que tu attendais de moi, au fond, c'était que je suive le mouvement.

— Sans toi, il n'y avait ni famille ni foyer possibles, Anna.

— C'est vrai. Mais avec moi, tu étais dans le don, jamais dans le partage. Pas une seule fois, tu ne m'as proposé de me montrer les plans du château fort où nous étions censés habiter ensemble ; jamais tu ne m'as demandé un avis, une suggestion.

— Et quand j'ai vu les ouvriers couler les fondations, j'ai compris que j'aurais la demeure de mes rêves mais que, sans toi, elle resterait à jamais une façade vide de contenu... Cela dit, si je te parlais si peu de la construction, c'était aussi parce que je t'y croyais indifférente, admit-il en tournant sa cuillère dans sa tasse. Tu ne voulais entendre parler ni d'enfants ni de mariage ni d'avenir, Anna. De là à conclure que tu te désintéressais également de la maison, il n'y avait qu'un pas…

Pour se donner un peu de distance, Anna se leva et déambula jusqu'à la fenêtre. Pour la première fois depuis qu'elle vivait dans cet appartement, elle remarqua le grand érable dans la cour. Il était magnifique. Comment avait-elle pu choisir de bannir ainsi toute beauté de son existence ?

— D'un côté, je n'avais qu'une envie, Daniel : emménager à Hyannis avec toi et partager ton existence.

— Mais d'un côté seulement…

— Je crois que c'est la partie de moi que tu ne peux pas accepter qui a refusé de te suivre aveuglément dans tes projets. Tu sais que tu ne m'as jamais posé la moindre question sur ce que je fais à l'hôpital, sur les traités de médecine que j'étudie, sur les raisons qui m'ont poussée à choisir la chirurgie ?

Daniel se leva.

— Crois-tu que ce soit facile pour un homme de questionner la femme qu'il aime au sujet de son rival ?

— Mais, Daniel…

— Non, s'il te plaît, ne me demande pas d'être raisonnable. Il n'en faudrait pas beaucoup pour que je te supplie à genoux de m'accorder une seconde chance, mais s'il y a une chose qu'il ne faut pas me demander, c'est d'être raisonnable.

Elle soupira bruyamment.

— Bon, d'accord. Disons alors qu'une femme peut avoir deux amants et les contenter l'un et l'autre.

— Et tu crois peut-être que c'est une situation facile pour moi ?

— De mon côté, j'ai pour « rivale » ton empire, Daniel. Il n'y a pas d'amour sans partage.

Enfonçant les mains dans ses poches, Daniel serra les poings.

— Sans doute, oui... J'ai beaucoup réfléchi à ta vocation pour la médecine, ces dernières semaines. Pendant tout le temps où nous avons vécu ensemble, je sentais que tu étais faite pour autre chose que pour une paisible existence de femme au foyer. Mais je refusais de l'admettre. Une fois que tu es partie, cependant, je me suis souvenu de la façon dont tu as accompagné Mme Higgs dans sa fin de vie. Je t'ai revue telle que tu étais à l'hôpital, si proche des malades et tellement dans ton élément. Puis il y a eu l'épisode avec Sally où tu es restée d'un calme olympien, malgré tes vêtements tachés de sang. Je sais que le médecin a expliqué à Sally que tu lui avais sauvé la vie.

Daniel prit un livre de médecine sur la table et plongea son regard dans le sien.

— C'est vrai, je ne t'ai encore jamais demandé pourquoi tu voulais devenir chirurgien, Anna. Mais je te pose la question maintenant.

Elle hésita à lui répondre. Mais il avait pris un risque en venant la trouver. Ce ne serait que justice qu'elle accepte de s'exposer à son tour.

— J'ai un rêve dont je n'ai encore jamais parlé à personne, admit-elle doucement. Je voudrais apporter ma pierre à l'édifice, Daniel, me battre et sauver des vies dans la mesure de mes moyens.

Le regard d'un bleu intense de Daniel resta longuement rivé sur elle. Puis il fit un pas dans sa direction.

— Moi aussi, j'ai un rêve, Anna. Ton appartement

n'est pas très grand, mais je pense qu'on peut y vivre à deux sans problème.

Elle laissa échapper un long soupir tremblant avant de nouer les bras autour de sa taille.

— Il nous faudrait un lit à deux places.

— Tu sais que j'adore ton sens pratique ?

Daniel la souleva dans ses bras pour mêler sa bouche à la sienne. Le soulagement qui l'envahit coula en lui comme un alcool fort. De sa vie, il n'avait connu une aussi belle ivresse.

— Tu m'as manqué, Anna. Je te préviens : je ne pourrais plus me passer de toi une seconde fois comme je me suis passé de toi ces quelques semaines. Je deviendrais fou.

Les lèvres pressées au creux de son cou, elle inspira son odeur avec délices.

— Tu crois que j'étais mieux lotie de mon côté ? Je n'étais qu'à moitié vivante sans toi. Je fonctionnais, oui, mais en mode automatique. J'ai besoin que tu sois là, présent, à portée de main. A portée de lèvres, surtout.

Il la serra à l'étouffer contre lui.

— Puisque tu me veux, femme, tu m'auras. Un nouveau lit et trois téléphones devraient faire l'affaire.

Avec une infinie tendresse, elle mêla sa bouche à la sienne. Elle était prête à lui accorder tous les téléphones de la Création à condition qu'il passe cette dernière année d'études à ses côtés.

— Je t'aime, Daniel.

— Tu ne me l'avais encore jamais dit, murmura-t-il, profondément ému, en se dégageant pour la regarder.

— J'avais peur de prononcer les mots. Je pensais que si tu savais à quel point je t'aimais, tu ferais pression sur moi jusqu'à ce que je te cède sur tous les plans.

Daniel jura tout bas.

— Le pire, c'est que tu avais sans doute raison de le redouter, admit-il, sourcils froncés. Et maintenant ?

— Loin de toi, ma liberté est sans saveur, Daniel.

Il plongea son regard dans le sien.

— Tu te souviens que le soir de ton départ, je t'ai dit qu'en regardant autour de toi, tu n'aurais aucun mal à trouver mieux que moi ? Tu as cru à une plaisanterie, mais ce n'en était pas une. Ma crainte était bien réelle.

Anna le secoua par les épaules en riant.

— Si tu savais…

Daniel la couva un instant d'un regard possessif. Se rendait-elle compte au moins à quel point sa beauté était souveraine ?

— Ta présence dans ma vie sera toujours de l'ordre de la grâce, Anna. Il m'arrivera sans doute de me comporter comme si toi et moi, ça allait de soi. Mais ce ne sera jamais le cas.

Elle laissa reposer un instant la tête contre son épaule. Que Daniel puisse être moins sûr de lui, moins arrogant qu'il n'y paraissait la surprenait et l'émouvait à la fois. Elle ne l'aimait que plus de savoir qu'il connaissait lui aussi l'incertitude et la peur.

— Tu seras toujours l'homme que mon cœur a choisi, Daniel. Simplement, je n'étais pas sûre de pouvoir te donner ce que tu semblais attendre de moi.

— Je rêvais d'une fée du logis qui saurait jouer du piano et arranger de savants bouquets. Une femme dont les ambitions se résumeraient à me tenir la main et à me suivre partout où j'irais.

Le regard d'Anna tomba sur les livres empilés sur la table avant de se reporter sur l'homme debout devant elle.

— Et maintenant ?

— Je commence à comprendre que je me serais ennuyé à mourir avec ce genre de personne.

Pressant les paumes contre ses paupières, Anna tenta de refouler ses larmes.

— Tu es sûr de ce que tu avances, Daniel ? Ce sera sans regrets ?

— Je n'ai jamais été aussi sûr de ma vie. Et je n'ai pas changé d'avis non plus au sujet du mariage. Tu vas m'épouser, Anna. Et cela, le lendemain du jour où tu seras officiellement promue docteur en médecine. Ta carrière en tant que Dr Whitfield durera moins de vingt-quatre heures.

Les doigts d'Anna se crispèrent anxieusement sur sa chemise.

— Daniel…

— Ensuite, on ne t'appellera plus que Dr MacGregor.

Anna prit une profonde inspiration avant de réussir à articuler un son.

— Tu es sincère, Daniel ?

— *Aye*. Je pense toujours ce que je dis. Et comme je suis un peu vantard sur les bords, tu m'entendras régulièrement te présenter comme le meilleur chirurgien du pays. Je veux partager ton rêve, Anna. Et j'aimerais que tu t'associes au mien.

— Je ne serai pas toujours une compagnie facile pour toi. Pendant mes années d'internat, je vais subir un horaire infernal.

— Et dans vingt ans, nous regarderons en arrière et nous nous demanderons par quel miracle nous avons survécu à l'épreuve. J'ai toujours été un adepte des plans à long terme… Au début, je voulais t'épouser pour que tu entres dans un moule que j'avais soigneusement modelé à l'avance. Maintenant, je te demande en mariage parce que je t'aime. Telle que tu es.

Longtemps, Anna demeura immobile à le regarder dans les yeux. Elle savait qu'il n'y aurait plus de retour en arrière possible, cette fois.

— Tu as gardé la bague ?

— *Aye*. Je l'ai toujours sur moi.

Elle posa gravement les deux mains en corolle autour de son visage.

— J'aimerais la porter désormais, Daniel MacGregor. En signe de mon engagement, de ma fidélité et de mon amour.

Lentement, avec une émotion manifeste, il sortit le solitaire de son écrin et le glissa à son annulaire. Les larmes aux yeux, elle referma sa main sur la sienne.

— Tout ce que je peux te promettre, c'est mon amour inconditionnel, Daniel.

— Et que pourrais-je vouloir de plus ? chuchota-t-il en la soulevant dans ses bras.

Nouant les mains dans sa nuque, Anna lui offrit ses lèvres en riant.

— Porte-moi jusque sur mon lit, Barbare, et je te montrerai tout ce que *moi* je veux de toi.

Épilogue

Cette nuit-là, Anna ne quitta le chevet de Daniel que pour prendre rapidement des nouvelles de Shelby. Refusant le lit pliant que lui proposa un infirmier, elle ne bougea pas de son fauteuil. Par moments, elle tombait dans de brèves somnolences. Mais au moindre son émis par Daniel, elle se réveillait en sursaut et lui prenait la main. Lorsqu'il s'agitait en murmurant son nom, elle lui parlait longuement, évoquant leur passé commun jusqu'à ce qu'il recouvre son calme.

L'infirmière de nuit lui apporta un café. Anna la remercia sans quitter Daniel des yeux. La lune pâlissait peu à peu dans le ciel qui s'était dégagé au fil des heures. Et pendant toute cette longue, cette interminable attente, elle ne songea qu'à lui, l'homme qu'elle aimait, le compagnon des jours heureux.

Juste avant que le jour se lève, Anna posa la tête sur le matelas à côté de la main de Daniel et s'assoupit.

La première chose que vit Daniel en ouvrant les yeux fut le visage endormi d'Anna. Bien qu'il sentît l'effet puissant des anesthésiques dans son sang, il avait les idées claires, l'esprit étonnamment lucide. Il se remémora l'accident dans les moindres détails et eut une pensée émue pour sa décapotable rouge. Il avait un faible marqué pour ce petit bijou de voiture.

Notant les tubes, les tuyaux et la machinerie compliquée qui bipait autour de lui, Daniel fit la grimace. Les dégâts survenus sur le véhicule étaient un moindre mal, de toute évidence. Il pouvait s'estimer heureux d'être encore en vie. Fermant de nouveau les yeux, il revit Anna penchée sur lui alors qu'on le poussait sur un chariot dans le couloir de l'hôpital. Il se souvint de la peur panique qu'il avait lue dans son regard et du moment de terreur qu'il avait traversé en se sentant partir, comme si on l'arrachait d'elle à tout jamais.

Bizarrement, il conservait une vague vision de lui-même flottant quelque part à mi-hauteur du plafond, alors que médecins et infirmières s'activaient autour de son corps sans vie. Une autre réminiscence lui était restée en tête : Anna penchée sur lui, l'insultant tendrement, lui embrassant la main, le sommant de ne pas la quitter.

« Elle a l'air épuisée », songea-t-il, ému. Il voulut se redresser pour lui parler mais découvrit qu'il n'avait même pas la force de se mettre en position assise. Non sans mal, il réussit à effleurer la joue d'Anna du bout des doigts.

Elle se réveilla instantanément.

— Daniel ?

Voyant qu'il avait les yeux ouverts, Anna sentit comme une implosion dans sa poitrine. Si seulement elle avait pu poser la tête sur son épaule et pleurer… pleurer enfin tout son soûl…

Avec un calme très professionnel, cependant, elle lui prit le pouls.

— Tu me reconnais ?

Il parvint — non sans mal — à hausser les sourcils d'un air sarcastique.

— Après quarante années de vie commune, tu me demandes si je sais qui tu es, Anna MacGregor ? Etrange question, ma chérie.

— C'est vrai, acquiesça-t-elle, ivre de bonheur et de soulagement, en s'offrant le luxe de presser passionnément sa bouche contre la sienne.

— Mmm... Tu serais beaucoup plus à l'aise si tu grimpais avec moi dans cette espèce de lit.

— Plus tard, peut-être.

Elle se pencha pour lui soulever une paupière et examina la pupille.

— Ah non ! ne commence pas à me tripoter de partout, Anna ! Je veux un vrai médecin pour ça.

Elle pressa un bouton près du lit.

— Ta vision est normale, Daniel ? Tu ne me vois pas floue ?

— Pas du tout. Je te vois très distinctement et tu es toujours aussi jolie que le jour où nous avons dansé notre première valse ensemble.

— Mmm... Voilà ce qu'on appelle un état hallucinatoire caractérisé, monsieur MacGregor.

Tournant la tête vers l'entrée de la salle, Anna sourit à l'infirmière qui se hâtait dans leur direction.

— Ah, Elisabeth ! Vous voulez bien aller chercher le Dr Feinstein, s'il vous plaît ? M. MacGregor souhaite voir un vrai médecin.

Daniel rit doucement et ferma les yeux un instant lorsque l'infirmière repartit s'acquitter de sa mission.

— Et au niveau dégâts ? Qu'est-ce que ça donne alors ?

— Tu as un traumatisme crânien, trois côtes brisées, une...

— Je ne te parle pas de moi ! Je m'inquiète pour ma voiture.

Anna leva les yeux au ciel.

— Tu ne changeras donc jamais ? Je me demande, franchement, pourquoi je me fais encore du souci pour toi. Et dire que j'ai dérangé les enfants pour rien.

Le regard bleu de Daniel s'illumina instantanément.

— Les enfants ? Tu as fait venir les enfants ?

Rassurée par sa réaction, Anna feignit l'indifférence.

— Oui. Je dois leur présenter mes excuses.

— Et ils sont là ?

— Bien sûr, répondit-elle, prévoyant ce qui allait suivre.

— Vous aviez déjà organisé une petite veillée funèbre en mon honneur ?

Elle lissa le drap sur sa poitrine.

— Je voulais être préparée, c'est tout.

— Bon… Fais-les donc entrer puisqu'ils se sont déplacés, déclara Daniel d'un air faussement résigné.

Anna secoua la tête.

— Je les ai envoyés dormir à la maison.

— *Quoi ?* Ils ont abandonné leur propre père sur son lit de mort pour aller vider ses réserves de scotch ?

— Eh oui, je crois que nos enfants sont complètement dégénérés, acquiesça Anna, ravie de le voir si fidèle à son personnage… Mais voilà le Dr Feinstein. Je vous laisse ensemble.

Tapotant brièvement la main de son mari, elle se leva pour se diriger vers la porte.

— Anna ?

Elle s'immobilisa pour tourner la tête vers le lit.

— Oui, Daniel ?

— Ne pars pas trop longtemps.

Il lui apparut alors exactement tel qu'elle l'avait vu

tant d'années plus tôt : fier, indomptable. Et suffisamment fort pour pouvoir se permettre d'exprimer sans détour le besoin qu'il avait d'elle.

— Me suis-je jamais éloignée de toi, Daniel ?

En sortant de l'unité de soins intensifs, elle se dirigea droit vers son bureau, ferma la porte à clé et s'autorisa une bonne crise de larmes. Ce n'était pas la première fois qu'elle pleurait dans cette pièce. Il lui était déjà arrivé de s'y enfermer après la mort d'un patient. Mais les larmes qui coulaient aujourd'hui étaient des larmes d'amour. Un amour si fort que le passage des années n'avait réussi ni à l'estomper ni à en adoucir les angles.

Après s'être rincé soigneusement le visage à l'eau froide, Anna décrocha son téléphone. Ce fut Caine qui lui répondit.

— Maman ? J'allais justement t'appeler. Est-ce que papa...

— Sa plus grosse inquiétude pour l'instant est de savoir si vous avez fait main basse ou non sur sa réserve de whisky.

Il y eut un bref silence interloqué à l'autre bout du fil. Puis Caine éclata de rire.

— Incroyable... Il en faut plus qu'un banal accident de voiture pour venir à bout du MacGregor... Dis-lui de ma part qu'on lui en laissera au moins une bouteille !

— Dire qu'il a fallu que je flirte avec la mort pendant quatre heures pour que mes enfants se décident à venir me rendre une petite visite ! Ce n'est pas malheureux, ça ?

Adossé contre ses oreillers et bandé comme une momie, Daniel, plus royal que jamais, faisait comme d'habitude une scène à sa famille.

— Flirter avec la mort, tu parles ! s'écria Serena.

Elle adorait contrarier son père, même si elle n'avait pas fermé l'œil de la nuit tant elle était malade d'angoisse à son sujet.

— Trois malheureuses côtes cassées n'ont jamais tué personne, poursuivit-elle avec un clin d'œil pour Anna.

Daniel secoua la tête.

— Tu diras ça au chirurgien qui m'a collé cette espèce de tube dans la poitrine ! Et tu ne m'as même pas amené mon petit-fils, fille indigne ! Quant à la petite Laura, je ne la vois pas non plus, enchaîna-t-il avec un regard lourd de reproche pour Caine et Diana. Ces enfants seront à l'université la prochaine fois que vous prendrez l'initiative d'une visite ! Et ni Mac ni Laura ne sauront qui est leur grand-père.

Caine prit la main de Diana et la serra fort dans la sienne. Il ne savait pas comment il aurait traversé cette nuit de cauchemar, s'il n'avait pas pu se raccrocher à la force tranquille qui émanait de sa femme.

— Rassure-toi, papa. Nous montrons ta photo à Laura au moins une fois par semaine.

Avec un grognement hautain, Daniel accorda son attention à Gennie et à Grant.

— Bon, que ta sœur ne soit pas venue à mon chevet, Grant, est excusable, compte tenu de son état.

— Toutes les excuses sont bonnes pour une Campbell, commenta Grant gravement pendant que Caine réprimait un sourire.

Daniel gratifia Gennie d'un regard approbateur.

— Une femme n'est jamais aussi belle que lorsqu'elle attend un enfant. La grossesse te réussit, mon petit.

Gennie posa la main sur son ventre qui s'arrondissait visiblement.

— Dans quelques mois, je ne pourrai plus atteindre mon chevalet.

— Dorénavant, veille à toujours prendre un tabouret avec toi lorsque tu vas peindre, ordonna Daniel. Ce n'est plus le moment de passer tes journées debout.

— Et vous, veillez à sortir de cet hôpital avant la naissance du bébé, rétorqua Grant. Car nous aurons besoin de vous dans le Maine pour être le parrain de notre enfant.

Le regard luisant d'émotion, Daniel se rengorgea.

— Un MacGregor, parrain d'un Campbell. Mes ancêtres se retourneront d'horreur dans leur tombe et crieront au déshonneur... Mais pour toi, mon garçon, je veux bien accepter de faire taire la voix du sang.

Serena posa la main sur le ventre de Gennie.

— J'ai adoré être enceinte, moi aussi. Ça doit être pour ça que je recommence.

Interloqué, Daniel se tourna vers sa fille.

— Que tu recommences ? Dois-je comprendre que...

Se dressant sur la pointe des pieds, Serena embrassa Justin avant de se tourner vers son père.

— Dans sept mois nous serons parents d'un second enfant.

— Ha, ha ! Voilà une nouvelle qui...

— Non, Daniel. Ni whisky ni champagne pour célébrer ça, coupa Anna. Pas tant que tu seras en soins intensifs, en tout cas.

Daniel fronça les sourcils, marmonna quelques paroles de protestation pour la forme, puis ouvrit — non sans mal — les bras à sa fille.

— Alors viens-là mon, petit.

Serena passa les bras autour du cou de son père et lui glissa à l'oreille :

— Ne me refais plus jamais une peur pareille, tu m'entends ?

Daniel lui caressa tendrement les cheveux.

— Une fille bien élevée ne fait pas de reproches à son père. Quant à toi, Justin, je compte sur toi pour faire en sorte qu'elle se tienne un peu tranquille. Je ne tolérerai pas que cet enfant naisse sous une table de black-jack, entre deux machines à sous.

— Je parie à dix contre un que le prochain sera une fille, fut la réponse de Justin.

— Pari tenu ! Et maintenant, Diana, à toi de ne pas te laisser distancer, enchaîna Daniel en prenant la main de sa belle-fille. A quand un petit frère pour Laura ?

Diana lui posa un baiser sur la joue.

— Vous en voulez toujours trop à la fois, Daniel !

— Et la femme est libre de vivre sa carrière et sa maternité à son propre rythme, désormais, intervint Anna en lui prenant le poignet.

— Ho, ho ! s'écria Daniel, aux anges. Vous ai-je déjà dit que votre mère militait pour les droits de la femme avant même que le mot « féminisme » ne figure dans les dictionnaires ? La vie avec elle a été une longue épreuve… Et cesse donc de prendre mon pouls toutes les cinq minutes, femme ! Il n'y a pas de meilleur traitement pour un malade que de voir sa famille réunie autour de lui.

— Puisque le traitement te réussit, nous allons essayer d'augmenter la dose, Daniel.

Adressant un signe de tête à l'infirmière qui se tenait près de la porte, Anna se laissa aller en soupirant contre le montant du lit. Ils avaient déjà enfreint tant de règles, dans cet hôpital, qu'une de plus, une de moins ne ferait plus guère de différence. Elle sentit les doigts de Daniel se crisper sur les siens lorsque Alan entra en poussant Shelby sur un fauteuil roulant.

— Qu'est-ce que c'est que ça? s'écria Daniel.

— « Ça », répondit Shelby, c'est Daniel Campbell MacGregor. Il est âgé de huit heures et vingt minutes et il réclame son grand-père.

Alan prit son fils et le plaça dans les bras de son père. Il avait passé la nuit à prier pour qu'il puisse accomplir ce simple geste.

Daniel n'essaya même pas de retenir les larmes qui lui roulaient sur les joues.

— Un second petit-fils, Anna. Et il a mon nez... Regarde, il me sourit. Et inutile de me sortir ton blabla pseudoscientifique, comme quoi un nourrisson d'à peine un jour ne sourit pas mais grimace parce qu'il a des gaz. A mon âge, on est capable de faire la différence : un sourire est un sourire.

Alan s'assit sur le bord du lit et posa sa main sur celle de son père qui tenait celle, minuscule, du bébé. Trois générations de MacGregor se trouvèrent ainsi symboliquement réunies.

— Campbell? marmonna soudain Daniel. Tu as dit « Campbell », Shelby, ou je rêve?

— Bien sûr que j'ai dit Campbell, pourquoi?

Se raccrochant à la main d'Alan, Shelby se leva de son fauteuil. Même si l'accouchement remontait à moins de douze heures, elle se sentait solide comme un roc.

— Retenez bien ceci, MacGregor, cet enfant est autant un Campbell qu'un MacGregor.

Les yeux de Daniel étincelèrent. Anna le vit reprendre des couleurs et applaudit en silence.

— Ah! Shelby, tu garderas décidément ton fieffé caractère de Campbell jusqu'à la fin de tes jours! Mais tu es à moitié pardonnée pour avoir su donner à ton fils le beau prénom de Daniel.

— Je lui ai donné le nom d'une personne proche que j'aime et que j'admire.

— N'essaye pas de me flatter, toi, marmonna Daniel, la voix étranglée par l'émotion, en prenant les deux mains de Shelby dans les siennes… Tu es très belle, ma fille.

Elle sourit, étonnée de constater que ses yeux se remplissaient de larmes.

— Je me *sens* belle, aujourd'hui.

Alan pressa tendrement un baiser sur la tempe de sa femme.

— Si vous aviez entendu Shelby vociférer contre l'obstétricien ! Elle l'a menacé de rentrer directement à la maison et de mettre son bébé au monde sans son aide. Si le petit Daniel n'avait pas été si pressé d'arriver, elle aurait mis sa menace à exécution, en plus !

Avec un hochement de tête approbateur, Daniel jeta un regard en coin à Anna.

— Et elle aurait eu bien raison. Il n'y a rien de pire que d'avoir un médecin qui vous tourne autour et qui vous harcèle comme une mouche à tout propos… Mais maintenant, Shelby, retourne te reposer dans ta chambre. Une accouchée doit prendre soin d'elle-même. C'est un très beau cadeau que tu nous as fait à tous.

Shelby se pencha pour l'embrasser sur la joue.

— Vous m'avez fait un immense cadeau aussi, et il s'appelle Alan. Je vous adore, espèce de vieil enquiquineur.

— Sois polie, Campbell. Et file te recoucher.

— Quant aux autres, je vous conseille de suivre le mouvement, intervint fermement Anna. Sinon, je vais avoir la direction de l'hôpital sur le dos.

— Anna…, protesta Daniel.

— Si votre père se repose suffisamment, il a de bonnes chances de sortir de l'unité de soins intensifs dès demain matin, enchaîna-t-elle. S'il se fatigue trop, en revanche...

Procéder à une évacuation en règle ne fut ni simple ni rapide. Mais Anna finit comme toujours par obtenir gain de cause. Elle fit mine de ne pas remarquer que Daniel donnait rendez-vous à Justin pour une partie de poker plus tard dans la journée. Elle le laissa même donner des instructions à Caine pour qu'il lui apporte les cigares qu'il gardait dans son bureau en cachette. Si Daniel n'avait pas émis ces requêtes, elle se serait inquiétée sérieusement à son sujet.

Mais elle savait que les visites, dans son état, devaient rester brèves sous peine de devenir épuisantes. Retournant à son chevet, elle lui caressa le front.

— Je vais peut-être te laisser dormir un peu, Daniel..., dit-elle tendrement.

Daniel lui prit la main. A présent qu'ils étaient seuls, il pouvait se permettre de montrer quelques faiblesses.

— Je sais que tu es fatiguée, mais reste encore un peu avec moi, mon Anna.

Elle s'assit sur le bord du lit.

— D'accord, je ne bouge pas. Mais repose-toi, maintenant.

Daniel ferma les yeux.

— Nous avons fait du beau travail, n'est-ce pas ?

Sachant qu'il parlait de leurs enfants, Anna sourit.

— Du très beau travail, oui.

— Pas de regrets par rapport à tes quarante années de mariage, alors ?

Intriguée, elle secoua la tête.

— Quelle étrange question !

— Pas si étrange que ça. Cette nuit, j'ai rêvé de toi, de nous. Du bal d'été chez les Donahue.

Anna n'avait qu'à fermer les yeux pour retrouver les odeurs, la douceur, la musique de cette nuit-là.

— Tu étais si belle, chuchota-t-il. Et je t'ai tout de suite désirée comme on ne peut désirer que pour la vie.

— Tu étais très arrogant, très sûr de toi. Et séduisant comme un dieu guerrier venu du Nord.

Se penchant sur les lèvres de Daniel, elle l'embrassa, laissant sa bouche glisser intimement sur la sienne.

— Et tu continues à me faire perdre la tête comme il y a quarante ans, chuchota-t-elle.

— Je suis vieux, Anna.

— Nous sommes vieux tous les deux.

Il lui prit la main et la porta à sa joue.

— Et pourtant, je te désire toujours autant.

Faisant fi du règlement, Anna s'allongea à côté de lui et posa la tête sur son épaule.

— Voilà qui va me coûter ma réputation, murmura-t-elle. Mais tant pis.

— Comme si tu t'étais jamais souciée de ta réputation ! bougonna Daniel en posant un baiser sur sa tempe… Sais-tu, Anna, que j'ai terriblement envie de tarte aux pêches, tout à coup ?

Ouvrant les yeux, Anna se mit à rire. Tout à coup, le temps fut effacé, passé et présent se rejoignirent : dans le regard de l'autre, ils étaient toujours aussi jeunes, aussi audacieux, aussi ardents.

— Dès que tu disposeras d'une chambre particulière, Daniel Duncan MacGregor.

Royce Cameron gara sa jeep derrière une petite Spitfire rouge décapotable. Il l'examina brièvement. C'était le genre de voiture qui donnait envie de se livrer à des excès de vitesse. Il hocha pensivement la tête et tourna les yeux vers la maison.

Elle était magnifique. Ce qui n'avait rien de surprenant dans le quartier chic de Back Bay, à Boston. Et encore moins si l'on pensait au statut social de ses propriétaires, les MacGregor.

Cependant, Royce ne pensait ni à l'argent ni aux classes sociales en contemplant la belle demeure. Ses yeux bleus parcouraient lentement la façade tandis que le vent ébouriffait ses cheveux blonds, qu'il portait longs jusqu'au col. Il rejeta une mèche en arrière et hocha la tête. Cette maison avait un nombre incroyable de fenêtres et portes-fenêtres, ce qui représentait autant d'accès faciles. Il remonta l'allée en pierre bordée d'arbustes aux couleurs mordorées, puis il traversa l'impeccable pelouse pentue. Passant sous le haut portique, il examina la porte qui donnait sur un petit patio.

Il essaya de l'ouvrir, mais elle était fermée à clé. Il haussa les épaules. Un bon coup de pied suffirait à la défoncer. Il poursuivit son investigation, le regard froid, la bouche fermée en une expression presque dure dans un visage à la fois anguleux et harmonieux. La femme qu'il avait failli épouser disait que ce visage était celui d'un criminel. Il ne lui avait pas demandé ce qu'elle entendait par là ; ils étaient sur le point de se séparer, et cela ne l'intéressait tout simplement pas.

Il évalua l'accès à cette adorable vieille maison, qui était sans aucun doute truffée d'antiquités et de bijoux de valeur. Ses yeux bleu pâle scintillèrent. Ils pouvaient se réchauffer et prendre une teinte plus profonde aux moments les plus inattendus, et sa bouche charnelle, bien dessinée, pouvait alors afficher un sourire charmant. Mais en cet instant, il avait une expression glaciale. Une petite cicatrice barrait son menton volontaire, résultat du contact d'un poing orné d'une bague en diamant. Royce mesurait exactement un mètre quatre-vingts, et il avait le corps d'un boxeur, ou d'un homme qui aimait la bagarre.

Il avait été l'un et l'autre.

Il secoua la tête avec un sourire de dérision. S'il avait voulu, il aurait pu se retrouver à l'intérieur de cette maison en trente secondes, sans avoir à fournir de gros efforts.

Même s'il n'avait pas eu la clé de la porte d'entrée.

Il sonna, tout en glissant un regard à l'intérieur par les vitres biseautées. Elles étaient de verre épais, gravé de fleurs. Et naturellement, elles n'étaient protégées par aucun système de sécurité.

Il appuya encore une fois sur la sonnette. Personne ne venant ouvrir, il sortit une clé de sa poche et l'introduisit dans la serrure. Il pénétra dans le hall.

Un mélange d'odeurs flotta jusqu'à ses narines. A celle de la cire et de la citronnelle se mêlait un autre parfum, léger mais envoûtant. Il regarda à droite ; l'escalier se trouvait là. A gauche, le grand salon.

Un ordre digne d'un couvent régnait dans cette maison, mais elle avait une odeur sensuelle. C'était une maison de femmes. Royce soupira. Décidément, le beau sexe était un mystère pour lui.

Cependant, tout ressemblait à ce qu'il avait imaginé : les meubles anciens, les couleurs pastel, et, sur une petite table ronde, le reflet chatoyant de boucles d'oreilles vertes, babioles certainement hors de prix que l'une des trois cousines avait laissées traîner.

Tirant de la poche de son jean un minimagnétophone, il commença à enregistrer ses commentaires tout en déambulant dans la maison.

Les grandes toiles éclaboussées de couleurs vives accrochées au-dessus de la cheminée du salon captèrent son regard. Cela aurait dû être discordant dans cette pièce somme toute assez petite. Au contraire, c'était irrésistible, une célébration de passion et de vie.

Il se pencha pour lire la signature — D.C. MacGregor. Cette peinture devait être l'œuvre d'un des nombreux petits-enfants de Daniel MacGregor. Brusquement, sa contemplation fut interrompue par un bruit insolite. Il dressa l'oreille. Quelqu'un chantait dans la maison.

Enfin, si l'on pouvait parler de chant. Fronçant les sourcils, il arrêta le magnétophone et le glissa dans sa poche tout en retournant dans le hall d'entrée. Il valait mieux parler de cris, voire de hurlements. Il reconnut une chanson de Whitney Houston… littéralement massacrée.

Royce secoua la tête. Cette cacophonie signifiait qu'il n'était pas seul. Il se dirigea vers la pièce d'où la voix s'élevait. Entrant dans une cuisine inondée de soleil, il fut accueilli par un spectacle singulier. Un sourire appréciateur s'épanouit sur son visage, ses yeux se réchauffèrent brusquement.

La jeune femme était grande, et toute en jambes. Des jambes fines et dorées, qui rattrapaient largement l'absence du plus élémentaire talent vocal. Penchée vers le réfrigérateur grand ouvert, elle remuait les hanches d'une façon qui aurait rendu un mourant à la vie.

Ses cheveux noir corbeau, qui n'avaient pas l'ombre d'une ondulation, descendaient jusqu'à sa taille, d'une finesse rarement égalée.

Et elle portait les sous-vêtements les plus sexy qu'il eût jamais eu le plaisir de contempler. Si son visage était aussi séduisant que son corps, elle allait rendre sa journée plutôt attrayante.

— Bonjour !

Il releva les sourcils. Au lieu de sursauter, comme il s'y attendait, elle continua son examen du Frigidaire sans cesser de chanter.

Il toussota.

— Tout cela n'est pas pour me déplaire, mais vous avez peut-être envie de faire une petite pause.

Comme elle balançait les hanches avec enthousiasme, il ne put retenir un sifflement admiratif. Enfin, point d'orgue à ses vocalises, elle alla chercher une note qui aurait pu faire exploser un verre en cristal et se retourna, une cuisse de poulet dans une main, une canette de soda dans l'autre.

En se retrouvant nez à nez avec cet intrus aux cheveux ébouriffés et à l'expression bizarre, Laura se mit à hurler, tandis que la musique jaillissait toujours des écouteurs posés sur ses oreilles. Voulant la rassurer, Royce leva une main apaisante et ouvrit la bouche pour tenter de s'expliquer.

Il n'en eut pas le temps et réussit de justesse à bloquer d'une main la canette de soda qu'elle lui jeta à la tête. Vive comme l'éclair, la jeune fille se tourna alors vers le comptoir et s'empara d'un couteau à découper la viande, puis elle lui fit de nouveau face en le regardant d'un air qui ne laissait aucun doute sur sa détermination : elle n'hésiterait pas à s'en servir pour l'étriper s'il ne se tenait pas à carreau.

— Du calme ! dit-il doucement en levant les deux mains.

— Ne bougez pas ! Ne respirez pas ! cria-t-elle tout en se

glissant le long du comptoir pour atteindre le téléphone. Si vous faites un pas, je vous coupe la gorge.

Il hocha la tête. Il aurait pu la désarmer en moins de dix secondes, mais l'un des deux, et plus vraisemblablement lui, aurait ensuite eu besoin de quelques points de suture.

— Je ne bouge pas. Ecoutez, j'ai sonné à la porte mais vous n'avez pas répondu. Je suis juste là pour…

Ce n'est qu'à ce moment-là qu'il repéra ses écouteurs.

— Evidemment, ceci explique cela !

Très lentement, il porta un doigt à son oreille et dit en articulant de façon exagérée :

— Ôtez vos écouteurs.

Laura venait juste de se rendre compte qu'elle les avait gardés. Elle les arracha de la main gauche, sa main droite brandissant toujours le couteau.

— Ne bougez pas. J'appelle la police.

— Comme vous voudrez.

Royce eut un sourire ironique.

— Mais je vous préviens, vous allez vous ridiculiser. Je ne suis là que pour faire mon travail. Cameron Security, cela vous dit quelque chose ? Vous n'avez pas ouvert quand j'ai sonné. Je suppose que Whitney chantait un peu trop fort.

Il garda les yeux rivés à ceux de la jeune fille.

— Permettez que je sorte ma carte professionnelle.

— Avec deux doigts. Et très lentement !

C'était tout à fait son intention. Les yeux qui le surveillaient trahissaient davantage de violence et de détermination que de peur. Une femme seule capable d'affronter un inconnu sans trembler, un couteau à la main, ne donnait pas précisément envie de la défier.

— J'avais rendez-vous à 9 heures pour faire le tour de la maison dans le but d'installer un système de sécurité.

Elle jeta un bref regard sur la carte qu'il lui montrait.

— Un rendez-vous avec qui ?

— Avec Laura MacGregor.

Elle referma sa main libre sur le téléphone.

— Je suis Laura MacGregor, et je n'ai pas le moindre rendez-vous avec vous.

— C'est M. MacGregor qui l'a pris.

Elle hésita.

— Son prénom ?

Royce sourit de nouveau.

— Daniel MacGregor. Je devais rencontrer sa petite-fille Laura à 9 heures. Ma mission : installer le système de sécurité le plus performant dont un grand-père puisse rêver pour protéger ses petites-filles. Il paraît que votre grand-mère s'inquiète.

Laura retira sa main du téléphone, mais elle ne posa pas le couteau.

— Quand vous a-t-il contacté ?

— La semaine dernière. Il m'a fait venir à Hyannis Port, pour un entretien en tête à tête. Sa maison est une véritable forteresse, et cet homme a une forte personnalité. Une fois le marché conclu, il m'a offert un whisky et un cigare.

— Vraiment ?

Elle arqua un sourcil.

— Et ma grand-mère, qu'a-t-elle dit à ce sujet ?

— Au sujet du marché ?

— Du cigare.

— Elle n'était pas dans la même pièce que nous. Votre grand-père a fermé la porte de son bureau avant de sortir ses cigares d'une boîte qui imitait un livre. La couverture portait le titre : *Guerre et Paix*. J'en ai conclu que sa femme n'appréciait pas qu'il fume.

Laura poussa un long soupir de soulagement et inséra le couteau dans le bloc de bois.

— D'accord, monsieur Cameron.

— Il m'a dit que vous seriez au courant. Apparemment, ce n'est pas le cas.

— Non. Il m'a appelée ce matin, il m'a parlé d'un cadeau qu'il m'envoyait. Je suppose qu'il parlait de cette installation.

Elle haussa les épaules, faisant ondoyer ses longs cheveux. Puis elle se baissa pour ramasser la cuisse de poulet qu'elle avait laissée tomber et la jeta dans la poubelle.

— Comment êtes-vous entré ?

— Votre grand-père m'a confié une clé.

Royce la sortit de sa poche et la déposa dans la main tendue de Laura.

— Je vous assure que j'ai sonné plusieurs fois.

— Mmm…

Royce contempla un instant la canette de soda sur le carrelage.

— Vous avez un don pour le lancer, mademoiselle MacGregor.

Il reporta les yeux sur elle. Elle avait les pommettes hautes, et une bouche faite pour l'amour. Quant à ses yeux, ils évoquaient son péché mignon : le chocolat noir.

— Et sans doute le visage le plus extraordinaire que j'aie jamais vu, ajouta-t-il.

Laura se raidit. Cet homme la dévisageait avec un air arrogant et impudique. Il semblait savourer sa friandise préférée.

— Et vous, vous avez d'excellents réflexes, monsieur Cameron. Sinon, vous seriez étendu sur le carrelage de ma cuisine avec un traumatisme crânien.

— Cela en aurait peut-être valu la peine, dit-il avec un sourire désarmant.

Il ramassa la canette et la lui tendit. Laura la prit en annonçant :

— Je vais me changer, et ensuite nous pourrons parler de vos systèmes de sécurité.

— Ne vous inquiétez pas pour moi, dit-il en rivant ses yeux sur les siens.

Elle soutint son regard et dit d'une voix dure :

— Si, je vais me changer, parce que si vous continuez à me regarder de cette façon, vous allez réellement avoir un traumatisme crânien. Attendez-moi, je n'en ai pas pour longtemps.

Elle passa devant lui. Royce la regarda s'éloigner. Elle avait des jambes fascinantes. Il sifflota en hochant la tête d'un air approbateur.

Laura MacGregor était vraiment à couper le souffle, dans tous les sens du terme !

Dès le 1er juin,
4 romans à découvrir dans la

Défi pour un MacGregor

Dès qu'il croise le regard d'Anna Whitfield, lors d'une grande réception donnée à Boston, Daniel MacGregor en est certain : cette femme sera la sienne. Et quand il l'invite à danser, son choix se confirme : très différente des autres jeunes femmes de son milieu, Anna est indépendante, intelligente, drôle. Mais très vite, alors même qu'il devine que les sentiments qu'il éprouve sont réciproques, Daniel, surpris, se heurte à une fin de non recevoir. Car Anna, tout entière tournée vers la réalisation de son rêve — devenir chirurgien —, refuse toute idée d'engagement et de mariage… Décontenancé pour la première fois de sa vie, alors que d'ordinaire rien ne lui résiste, Daniel pressent qu'il va lui falloir réviser toutes ses certitudes s'il veut conquérir celle dont il est tombé fou amoureux…

Mariage à Manhattan

Après avoir volontairement renoncé à sa carrière de danseuse étoile, Kate Stanislaski Kimball a quitté New York afin de revenir vivre auprès de sa famille. Alors qu'elle cherche un entrepreneur pour l'aider à réhabiliter la vieille bâtisse qu'elle veut transformer en école de danse, elle rencontre le séduisant Brody O'Connell. Sous le charme, et bien décidée à le séduire, elle lui propose le chantier. Mais Brody reste insensible à ses avances, et semble même l'éviter. Pourtant, elle en jurerait, c'est bien du désir qu'elle voit briller dans son regard…

collection NORA ROBERTS

Dans l'ombre du mystère

Quand il arrive chez Stella O'Leary, Jack Dakota ne s'attend pas à découvrir que la jeune femme qu'il est censé envoyer en prison est une superbe rousse aux jambes interminables, pour laquelle il ressent aussitôt un désir intense, fulgurant. Et très vite, il acquiert la certitude que cette fille n'a vraiment rien de la meurtrière qu'on lui a décrite, et qu'ils ont été tous deux victimes d'un coup monté. Prêt à tout pour découvrir qui les a ainsi manipulés, et à protéger la femme dont il est en train de tomber irrémédiablement amoureux, Jack décide d'éclaircir le mystère qui entoure Stella…

Les amants de minuit

A la mort de sa mère, Laine décide de renouer avec son père, dont elle est séparée depuis l'âge de sept ans, et de se rendre à Hawaii où il vit. Mais les retrouvailles dont elle attendait tant ne se passent pas du tout comme elle l'avait imaginé : son père se montre étrangement distant avec elle. Et son impression de malaise s'accentue lorsqu'elle fait la connaissance de son associé, Dillon O'Brian : un homme séduisant mais ô combien irritant, persuadé qu'elle n'est revenue que par intérêt, et qui lui témoigne aussitôt méfiance et hostilité. Tout en lui faisant clairement comprendre qu'elle lui plaît… Au fil des jours, en compagnie de Dillon qui se charge de lui faire découvrir l'île — et de la surveiller —, Laine va devoir faire face à son passé et affronter les sentiments tumultueux et passionnés qui ne tardent guère à la submerger…

Prochain rendez-vous le 1er novembre 2012

Best-Sellers n°510 • thriller

Le lys rouge - Karen Rose

Par une froide nuit de mars, à Chicago, une jeune fille se jette du vingt-deuxième étage. Chez elle, telle une signature macabre, la police découvre le sol jonché de lys. Quand il arrive sur les lieux, et qu'il y croise Tess Ciccotelli, psychiatre de la victime, l'inspecteur Aidan est sur la défensive, car des indices laissent penser que la jeune fille a été poussée au suicide par sa thérapeute. Soupçonnée de meurtre, Tess est interrogée par les policiers, puis libérée grâce à l'intervention de son avocate. Mais d'autres patients se suicident à leur tour. Lettres, empreintes, messages téléphoniques : tout accuse Tess. Etrangement, plus les preuves s'accumulent contre elle, plus Aidan est convaincu de son innocence. Quant à son avocate, elle refuse d'assurer sa défense. Seuls désormais face à la méfiance de leur entourage, Aidan et Tess vont devoir découvrir quel esprit manipulateur et pervers se cache derrière le piège diabolique qui se resserre autour de Tess…

Best-Sellers n°511 • suspense

Les disparus de Shadow Falls - Maggie Shayne

Le meilleur ami de son fils Sam a été retrouvé mort. Assassiné dans la forêt de Shadow Falls. Et pour le Dr Carrie Overton, cette tragédie fait soudain ressurgir les terreurs du passé. Depuis seize ans, en effet, Carrie est hantée par le souvenir de cette femme désespérée à qui elle a porté secours. Une inconnue qui a bouleversé sa vie à jamais en lui confiant son nouveau-né. Avant d'être assassinée, elle aussi… Depuis, Carrie porte seule le poids de ce lourd secret. Et aujourd'hui, elle se sent complètement désemparée. D'autant que Gabriel Cairn, récemment arrivé en ville, multiplie les questions sur son passé. Carrie doit-elle se méfier de cet homme mystérieux en qui elle a pourtant eu spontanément confiance ? Ou bien le jour est-il venu de mettre enfin un terme à son mensonge ?

Best-Sellers n°512 • suspense

L'île de la lune noire - Heather Graham

Quand deux jeunes acteurs sont assassinés sur un tournage, dans une petite île isolée de Floride, le thriller que réalise Vanessa Loren devient réalité. D'autant que le meurtrier demeure introuvable et que des phénomènes étranges conduisent Vanessa à se demander si l'île n'est pas hantée, comme le prétend la légende. Deux ans plus tard Vanessa, toujours bouleversée par ce crime impuni, revient à Key West où elle a appris que se préparait un documentaire sur l'histoire de la région. Elle souhaite absolument convaincre le réalisateur, Sean O'Hara, de l'embaucher pour inclure dans son film le récit du tournage tragique. Déterminée à surmonter les réticences de Sean qui semble se méfier d'elle, Vanessa le conduit sur les lieux du crime tout en lui faisant part de ses hypothèses. Mais elle est loin d'imaginer que le passé est sur le point de se répéter et que le tueur, accompagné d'ombres mystérieuses et inquiétantes, la guette déjà dans l'ombre.

Best-Sellers n°513 • thriller

Un danger dans la nuit - Lisa Jackson

Je sais ce que tu as fait, confesse tes péchés…
En écoutant ce message sur son répondeur, la psychologue Samantha Leeds plonge en plein cauchemar. Car l'appel lui rappelle le drame qui a marqué sa vie : le suicide d'Annie, une jeune auditrice perturbée qu'elle n'a pas pu sauver. Terrifiée, Samantha l'est d'autant plus que le harceleur est devenu un tueur qui viole et étrangle ses victimes en écoutant son émission. Tandis que les inspecteurs Bentz et Montoya pistent le meurtrier, Samantha se réfugie auprès de Ty Wheeler, son nouveau voisin, le seul homme auquel, croit-elle, elle peut encore faire confiance…

Best-Sellers n°514 • roman

L'écho de la rivière - Emilie Richards

Artiste peintre mariée à un avocat et mère d'une petite fille, Julia Warwick est un pur produit de l'aristocratie de Ridge's Race. Cette femme à qui tout semble sourire voit pourtant son monde s'écrouler lorsqu'elle perd la vue de manière inexpliquée. Les médecins ayant conclu à une cécité psychosomatique, Julia entreprend de fouiller son passé à la recherche d'un traumatisme qu'elle aurait pu enfouir au plus profond de sa mémoire. Ce faisant, elle ouvre peu à peu les yeux sur son mari, sa famille, et surtout sur elle-même. Faisant bientôt émerger, avec l'aide de Christian Carver, son amour de jeunesse, des secrets que beaucoup ont intérêt à ne jamais voir divulgués.

BestSellers

Best-Sellers n°515 • suspense

Noirs soupçons - Brenda Novak

Revenue à Stillwater avec sa petite Whitney pour oublier un passé difficile, Allie McCormick, brillant officier de police, est fermement décidée à faire toute la lumière sur le drame qui a bouleversé la ville durant son adolescence : la mystérieuse disparition du révérend Barker, dix-neuf ans plus tôt. Depuis, les soupçons les plus noirs, les rumeurs les plus graves, n'ont cessé de circuler dans la région... Des rumeurs terribles, accusant Clay Montgomery, le fils adoptif du révérend, d'avoir tué son beau-père et dissimulé son corps. Mais un soupçon n'a rien d'une preuve pour Allie, quels que soient ses doutes et la surprise qu'elle éprouve en découvrant, au lieu de l'adolescent au charme ténébreux dont elle a gardé le souvenir, un homme taciturne et solitaire, qui semble porter le poids d'un lourd secret. Intriguée, Allie veut à tout prix découvrir s'il est ou non l'assassin qu'elle est venue démasquer.

Best-Sellers n°516 • thriller

Le collectionneur - Alex Kava

Albert Stucky. On l'appelle le Collectionneur – parce qu'il aime collectionner les jeunes femmes, avant d'en disposer à sa manière. La plus horrible qui soit. Pour l'arrêter, Maggie O'Dell, profiler et agent du FBI, a payé le prix fort : enlevée et torturée par ce fou dangereux, elle n'a échappé à la mort que de justesse. Mais aujourd'hui, huit mois après les faits, la jeune femme apprend que Stucky est parvenu à s'évader. Pour elle, le cauchemar recommence...

Un face à face redoutable entre Maggie O'Dell, un des meilleurs profilers du FBI, et Albert Stucky, un tueur en série particulièrement intelligent et pervers, dont chaque crime marque une escalade dans l'horreur.

Best-Sellers n°517 • historique

Le prix du scandale - Kat Martin

Angleterre, 1855.

Depuis la disparition de son richissime époux, Elizabeth Holloway n'a qu'une inquiétude : se voir retirer la garde de son fils par sa cupide belle-famille, prête à tout pour s'emparer de l'héritage de l'enfant. Désespérée, et impuissante face aux Holloway, elle décide de faire appel au seul homme qu'elle ait jamais aimé, et qu'elle a pourtant trahi malgré elle... Reese Dewar. Reese, qui ne lui a jamais pardonné d'en avoir épousé un autre alors qu'elle lui avait promis sa main des années plus tôt. Reese, qui ignore tout de son secret et des raisons qui l'ont poussée à se détourner de lui...

www.harlequin.fr

Recevez directement chez vous la

collection **NORA ROBERTS**

7,13 € (au lieu de 7,50 €) le volume

Oui, je souhaite recevoir directement chez moi les titres de la collection Nora Roberts cochés ci-dessous au prix exceptionnel de 7,13 €* le volume, soit 5% de remise. Je ne paie rien aujourd'hui, la facture sera jointe à mon colis.

- ❏ Défi pour un MacGregor   NR00017
- ❏ Mariage à Manhattan   NR00018
- ❏ Dans l'ombre du mystère   NR00019
- ❏ Les amants de minuits   NR00020

* + 2,95 € de frais de port par colis.

RENVOYEZ CE BON À :

Service Lectrices HARLEQUIN - BP 20008 - 59718 Lille CEDEX 9

N° abonnée (si vous en avez un) ❏❏ ❏❏❏❏❏❏❏

Mme ❏   Mlle ❏   Prénom _____

NOM _____

Adresse _____

Code Postal ❏❏❏❏❏ Ville _____

Tél. ❏❏❏❏❏❏❏❏❏❏ Date d'anniversaire ❏❏❏❏❏❏❏❏

E-mail _____@_____

- ❏ oui je souhaite recevoir par e-mail les informations des éditions Harlequin
- ❏ oui je souhaite recevoir par e-mail les offres des partenaires des éditions Harlequin

Retrouvez

collection NORA ROBERTS

n°1 sur la liste des meilleures ventes du New York Times !

sur

www.harlequin.fr

- ❤ Sa biographie
- ❤ Son interview
- ❤ Ses livres

Rendez-vous sur www.harlequin.fr
rubrique Les Auteurs

Composé et édité par les

éditions H **HARLEQUIN**

Achevé d'imprimer en France (Malesherbes)
par Maury-Imprimeur
en mai 2012

Dépôt légal en juin 2012
N° d'imprimeur : 172548